凝煉知識品味閱讀

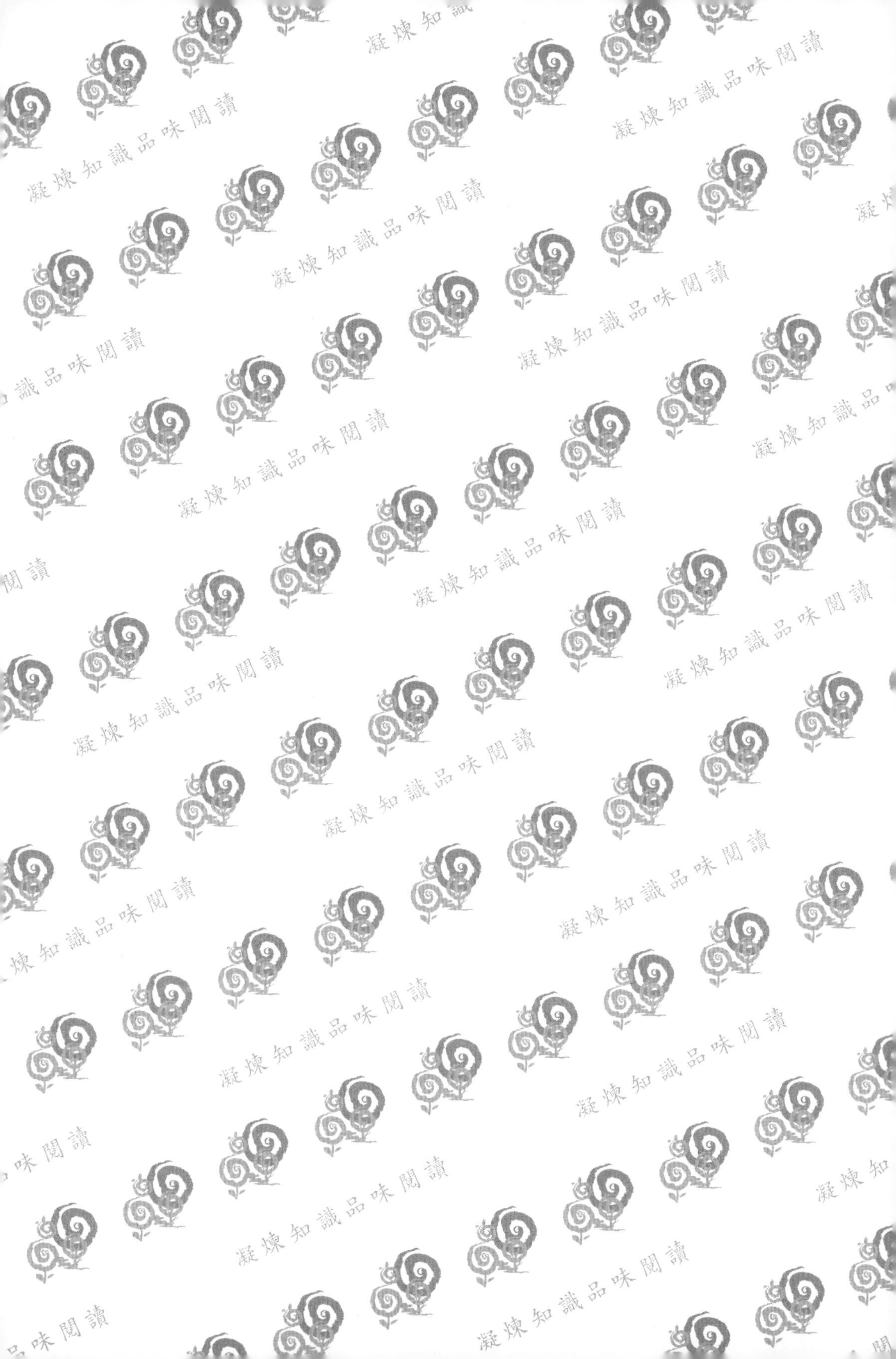
凝煉知識品味閱讀

最實用

圖解

第三版

精華 會計學

大處著眼，小處著手

馬嘉應 博士 著

書泉出版社 印行

【自序】

一聽到會計，大家總不自覺地說會計很難懂、很難學。事實上，會計是最簡單也是最生活化的一種社會科學。大家總希望青春不留白，希望將日常生活中美好或是刻骨銘心的事留下，可以回憶紀錄，更想在生活支出中留點痕跡，以了解或對自己的支出有所交代。會計是能達成此目的的最好方法之一，會計的基本精神就是忠實反應財務相關痕跡，藉由此資訊可以對支出了解，掌握未來的發展。

為協助大家了解會計是如何的生活化，本書結合會計與相關實務處理之法令，並試著以圖解方式讓讀者易於了解，以減少讀者對會計學習的莫名恐懼感。

若讀者能按以下方法好好的學習並實行，應會覺得會計並不是那麼難，並可活用於日常生活當下：

（一）首先，要驅除自己對會計莫名的恐懼感。會計只是將日常生活做一點紀錄。

（二）其次，重點學習並勤做習題。

（三）最後，相信自己並隨時調整自己。

馬嘉應

【目次】

第 3 章 會計循環 053

第 4 章 會計憑證、傳票制度與帳簿組織 089

第 13 章
股東權益——股本、資本公積、保留盈餘　221

第 14 章
會計變動與錯誤更正　241

第 1 章
會計學之基本概念

1-1 何謂會計及其使用者

什麼是會計？會計是一種生活化的社會科學。其基本精神就是忠實反應財務相關痕跡，藉由此資訊了解收支情況，並掌握未來發展。它是因應人類社會經濟活動發展而興起的一門專業知識。它幫助我們了解，一個企業是否能永續發展。

一、會計的定義

美國會計學會（American Accounting Association，簡稱 AAA）是美國最大的會計學術組織，它對會計之定義為：「會計是對經濟資訊之認定、衡量與溝通之程序，以協助該資訊之使用者作出正確之抉擇。」

美國會計師協會（American Institute of Certified Public Accountants，簡稱 AICPA）擁有規則制訂權、業務監管權和部分違規處罰權，它對會計之定義為：「會計為一項服務性活動，其功能為提供經濟（企業）個體之數量化資訊予使用者，以期使用者於各種選擇之方案中，作出正確的決策。」

綜上所述，我們可以將上述會計定義歸納整理成流程圖如下：

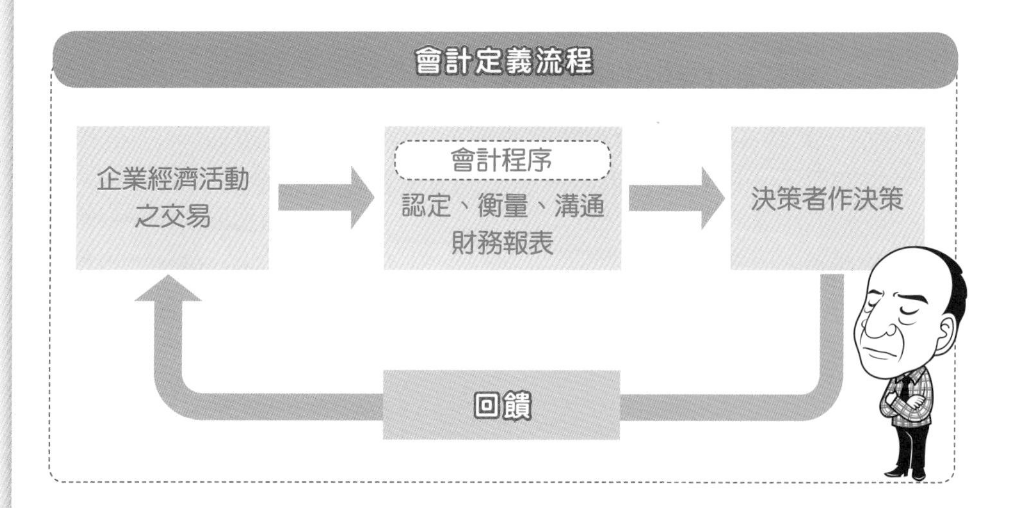

二、會計資訊之使用者

會計資訊之使用者乃指想透過會計資訊，作審慎的判斷與決策，以從中獲取利潤之人，根據其性質，一般可分為內部使用者及外部使用者。

所謂「內部使用者」，包括企業管理階層、員工與董事會之成員等，而其使用之目的為對企業內部之經營管理作出正確決策。

而所謂「外部使用者」，包括債權人、投資者及政府機關等，而其使用目的為作出對投資與授信標的之正確決策及管理。

1-2 會計之分類

會計之種類很多，依不同使用者、不同業務及不同組織，可分為許多不同之會計種類。

一、以使用者區分

依使用者不同，會計可分為財務會計、稅務會計與管理會計，茲說明如下：

(一)財務會計：財務會計依一般公認會計原則而編製，以供投資者與債權人作決策，而其主要之使用者為外部使用者。

(二)稅務會計：稅務會計依稅法及相關法規而編製，以作為申報稅務之依據，而其主要之使用者為外部使用者。

(三)管理會計：管理會計依企業之經營理念編製，以達企業內部決策目標，而其使用者為內部使用者。

實務上會先編製財務會計為基礎之報表，接著再依財務報表之資料編製管理會計為基礎之管理性報表，之後再以財務報表帳外調整成稅務報表。

以使用者區分之會計種類

種 類	依 據	主要目的	主要使用者
1.財務會計	一般公認會計原則（如，證券發行人財務報表編製準則、商業會計法、財務會計準則等）	供投資者與債權人作決策	外部使用者（投資者、債權人、政府機構——財政部金管會與經濟部商業司等）
2.稅務會計*	稅法及相關法規	報稅	外部使用者（稽徵機關）
3.管理會計	經營理念（可不依一般公認會計準則編製）	達成企業內部決策目標	內部使用者（企業管理者）

*以財務會計之立場並沒有稅務會計，因為企業應先編製財務報表後，再經過帳外調整之方式，調成稅務報表。但仍有些中小企業僅編製稅務報表，而不編製財務報表。

二、以業務性質區分

依營業性質不同，會計有營利會計與非營利會計，茲說明如下：

(一)營利會計：營利會計以營業為目的，計算一般營利企業之損益，其種類為適用營利事業之財務會計、成本會計等。

(二)非營利會計：非營利會計以非營利為目的，計算非營利機構之損益所用之會計原則，如政府會計、非營利會計等。

以業務性質區分之會計種類

種類	目的	損益	項目
1.營利會計	以營業為目的（如上市上櫃公司）	計算企業之損益所使用之會計原理。	如企業商業財務會計、成本會計、銀行會計等。
2.非營利會計	非以營業為目的（如醫院及學校）	計算非營利機構之損益所使用之會計原理。	如財團法人非營利機構之會計處理、政府會計等。

三、以企業組織區分

依企業性質不同，會計有獨資會計、合夥會計與公司會計，茲說明如下：

(一)獨資會計：獨資會計為計算獨資企業損益所適用之會計原理。

(二)合夥會計：合夥會計為計算合夥企業損益所適用之會計原理。

(三)公司會計：公司會計為應用最普遍之會計，因為組織中，公司占大多數，其為計算公司損益所適用之會計原理。

以企業組織區分之會計種類

種類	組織	型態
1.獨資會計	一人出資	單獨負擔損益之企業，所採用之會計。
2.合夥會計	兩人以上共同出資	合夥人共同負擔之企業，所採用之會計。
3.公司會計	依公司法規定	依公司法規定成立組織之企業，所採用之會計。

1-3 會計之功能

一般來說，會計之功能至少應具有基本紀錄、系統處理、溝通彙報、分析解釋、控制規劃及評估等六項。

一、會計之功能

從上述六項基本會計功能，可再進一步解釋會計之功能，包括下列幾點：

1. 表達企業之資產、負債、業主權益及其變動狀況，以利分析及改進之缺失。
2. 幫助投資及授信決策。
3. 表達企業之經營狀況與現金流量。
4. 表達企業之償債能力、流動性及資金之流量。
5. 提供稅務機關作為企業課稅之依據。
6. 提供政府機關（財政部金管會與經濟部商業司）作為監督企業之依據。
7. 解釋企業財務資料，防止弊端發生，以達到內部稽核及控制之目的。
8. 評估企業管理當局運用資源之責任與績效等。

二、以使用者區分之會計功能

若以使用者之功能區分，可分為：

(一)對內部使用者之功能：包括 1. 提供財務紀錄，以增進對企業之了解；2. 提供管理資訊，以利分析及改進缺失，以及 3. 防止弊端發生，以達到內部稽核及控制目的。

(二)對於外部使用者之功能：包括 1. 提供徵信資料，以證明會計資訊之正確性；2. 提供投資者所需資訊，以利正確投資決策，以及 3. 提供納稅資訊，以便政府作為課稅之依據。

會計功能

內部使用者
① 提供財務紀錄，以增進對企業之了解。
② 提供管理資訊，以利分析及改進缺失。
③ 防止弊端發生，以達到內部稽核及控制目的。

外部使用者
① 提供徵信資料，以證明會計資訊之正確性。
② 提供投資者所需資訊，以利正確投資決策。
③ 提供納稅資訊，以便政府作為課稅之依據。

1-4 財務報表

財務報表包括資產負債表、綜合損益表、權益變動表、現金流量表、財務報表附註或附表。而企業都以季報、半年報與年報之方式表達（上市、上櫃公司應公布季報、半年報與年報；而公開發行公司僅須公布年報）。

財務報表編製的目的在於提供有關企業之財務狀況、經營績效及現金流量資訊變化，給財務報表使用者在作成經濟決策時有所依據。在此目的下編製的財務報表符合大多數使用者的一般需要，但財務報表無法提供使用者作成經濟決策時可能需要的所有資訊；因為財務報表所表示之資訊，大部分為過去事實而非未來事件，且不一定提供非財務之資訊。

企業所擁有的經濟資源均是由股東或債權人所提供，管理階層對這些經濟資源應該善盡管理人之責任，並對這些經濟資源予以妥善的運用，產生優良的績效。財務報表的編製可顯示管理階層對受託資源之管理責任，若財務報表結果顯示不佳，則可考慮是否更換管理階層。

資產負債表實例

XX公司
資產負債表
民國10X年12月31日

資產	負債及股東權益
（一）流動資產	（一）流動負債
現金及約當現金	應付帳款
應收帳款	短期借貸
減：備抵呆帳	應付所得稅
存貨	其他短期應付款
預付水電費	流動負債合計
其他流動資產	（二）非流動負債
流動資產合計	應付公司債
（二）非流動資產	遞延所得稅負債
不動產、廠房及設備	長期借款
減：累計折舊	非流動負債合計
長期股權投資	（三）股東權益
無形資產	股本
商譽	保留盈餘
非流動資產合計	股東權益合計
資產總計 ＝	負債及股東權益合計

1-5 財務會計之理論架構

任何學問皆有其理論架構，而財務會計架構表現出二大基礎，一為財務報表之基本要素，另為會計資訊之品質特性，此基礎建構出會計之實體性，而最後目的要提供財務報表使用者作決策。也就是要建構好企業會計架構，才能作出正確決策。

一、品質特性

(一) 主要品質特性：

1. 攸關性（未來性）：與決策有關且可解決問題之未來預測之資訊（如預算之資訊），此資訊由下列因素所組成：

(1) 預測價值：資訊可幫助決策者預測未來性之結果，以作最佳決策。

(2) 回饋價值：資訊可將過去決策所產生之實際結果回饋於資訊使用者，可使實際數與預估數予以比較分析，以利未來決策。

(3) 時效性：資訊可及時提供給決策者，在作決策之前予以參考。

2. 可靠性（過去性）：可避免財務報表之資訊錯誤與偏差，並可忠實表達（企業已查核過去的財務報表）。此資訊由下列因素所組成：

(1) 忠實表達：財務資訊應表達企業之真實經營情況。

(2) 可驗證性：任何人對同一企業財務資訊作驗證，都得到相同之結果。

(3) 中立性：企業提供財務資訊應以真實表達為基礎，而非有其他有利任何一方之偏差。

(二) 次要品質特性：

1. 比較性：任何資訊都能在相同基礎之方法下編製，所以不同企業個體之財務資訊能作比較（如相似的公司所採用相同的折舊方法）。

2. 一致性：企業編製財務報表，所採用原則、方法或程序，應採一致之方式，不得任意改變（如企業所採用的會計方法，每年都一樣）。

二、基本假設

(一) 企業個體假設：就法律而言，每個企業皆為法律個體，且皆有其自己之報表；但就會計而言，應以經濟實質之個體（數個公司）為一個實質公司。如母子公司（一個經濟個體，兩個法律個體）應編製一個經濟個體之合併報表（自己之報表），而非兩個法律個體之兩份報表。此乃會計重經濟實質而非法律形式所致。

(二) 繼續經營假設：企業編製財務報表，一定要假設此企業能一直生存下去才有意義，否則企業適用會計將無意義。故企業不得以清算價值作計價之基礎，並按此期間劃分為流動與非流動項目。如企業固定資產之折舊，要在企業能一直生存下去，每年折舊才有意義。

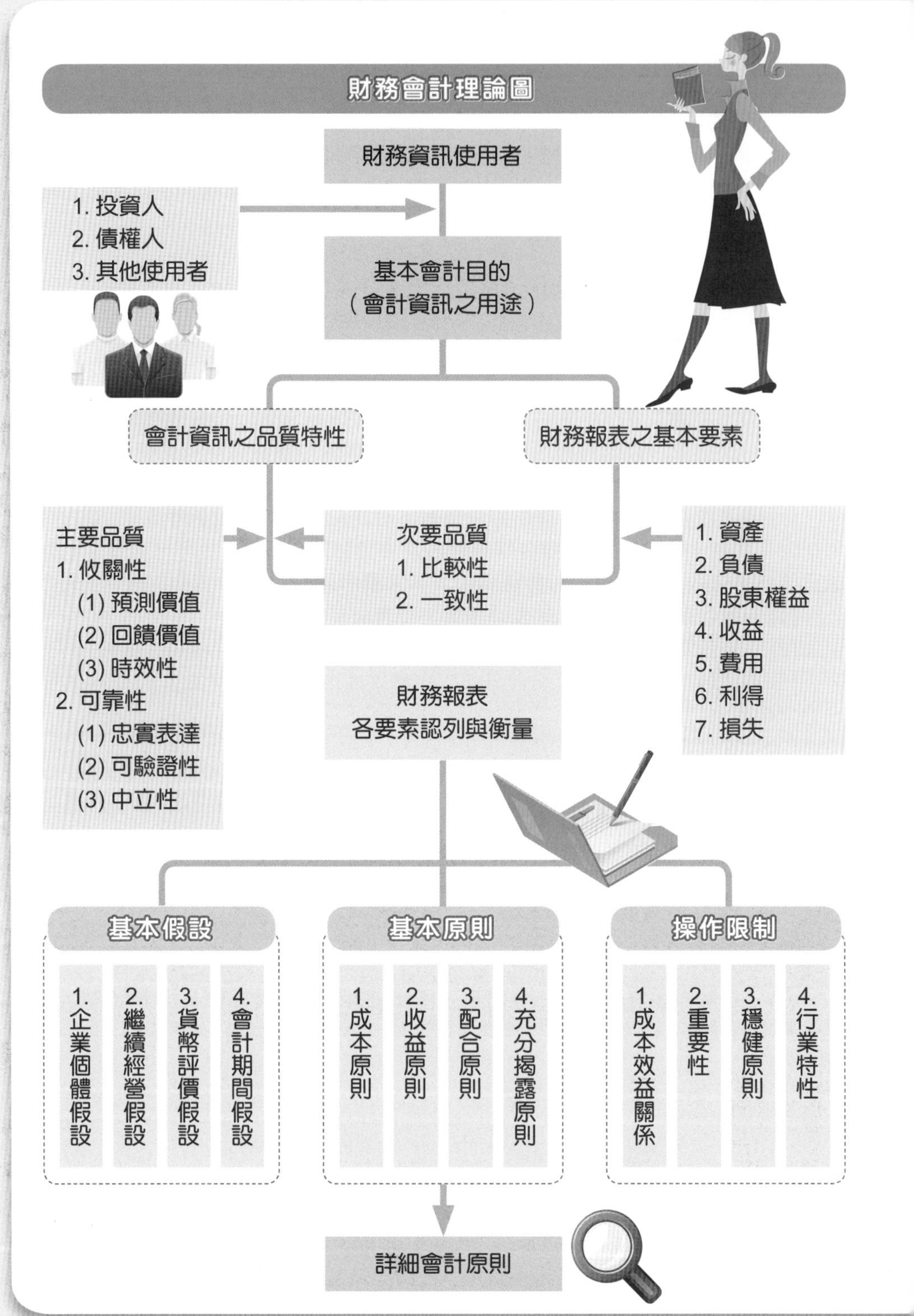

財務會計理論圖

財務資訊使用者

1. 投資人
2. 債權人
3. 其他使用者

基本會計目的
（會計資訊之用途）

會計資訊之品質特性

主要品質
1. 收關性
   (1) 預測價值
   (2) 回饋價值
   (3) 時效性
2. 可靠性
   (1) 忠實表達
   (2) 可驗證性
   (3) 中立性

次要品質
1. 比較性
2. 一致性

財務報表之基本要素

1. 資產
2. 負債
3. 股東權益
4. 收益
5. 費用
6. 利得
7. 損失

財務報表
各要素認列與衡量

基本假設

1. 企業個體假設
2. 繼續經營假設
3. 貨幣評價假設
4. 會計期間假設

基本原則

1. 成本原則
2. 收益原則
3. 配合原則
4. 充分揭露原則

操作限制

1. 成本效益關係
2. 重要性
3. 穩健原則
4. 行業特性

詳細會計原則

(三)貨幣評價假設：任何企業皆應以相同可衡量之貨幣來表達企業之價值(如企業有各種外幣，但皆應以新臺幣為統一與標準之衡量貨幣，因為日幣、美金、馬克，其價值與新臺幣不同，放在一起表達，將造成報表使用者之困擾)，且其貨幣之價值不變或變動不大(故會計之一般會計原則並未採用通貨膨脹之會計處理)。故以臺灣而言，企業應以新臺幣為統一計價基礎。

(四)會計期間假設：就報表之使用者而言，若不將報表按期間區隔劃分，將造成使用者對企業之經營績效與財務狀況之評估、分析、了解不易。故一般而言，企業編製報表以一年(從1月1日至12月31日)為其一會計期間，但亦有某些特殊行業之會計期間為從3月1日至2月29(28)日或從7月1日至6月30日。

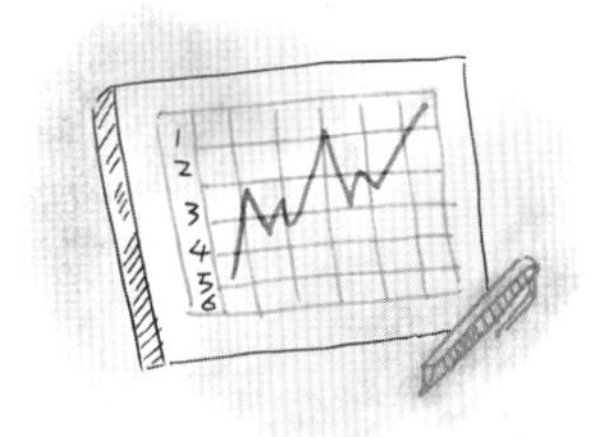

三、基本原則

(一)成本原則：亦稱歷史成本原則。即資產取得時，應以其取得時之成本為入帳與評價之基礎，而不得隨意更改。如購買之機器以購入時之成本入帳，雖市場價值浮動，但不得修改其機器之成本。但此原則被報表使用者(投資人)大力批判，因為如此將無法反應企業之真實價值(如通貨急速膨脹或緊縮時間，易引起財務資訊之扭曲)，會影響決策之判定。

(二)收益原則：依據美國財務會計準則委員會所發布之「財務會計觀念公報」規定，收益應符合下列兩條件時，始可認列：

1. 已實現或可實現：已實現為商品或勞務已交換現金或對現金之請求權；可實現為商品或勞務有公開市場及明確市價時，隨時可出售變現，而無須支付重大損失。

2. 已賺得：賺取收益之活動全部或大部分已完成，所需投入成本亦已全部或大部分投入。

由上述可知，交易雙方當權利義務完成時，即可認列收益。如出售商品但未收現時，即認列收入，因為收益已賺得(商品出售活動全部或大部分已完成，所需投入產品成本亦已全部投入)且已實現(商品或勞務已交換對現金之請求權——應收帳款或應收票據)，符合收益原則。但某些特殊情況下，其收益原則將會改變。例如：農產品有保障收購價格，故生產完成時，以淨變現價值來承認收入；分期付款銷貨按每期收款數額占全部價款的比例來認列已實現之毛利；長期工程合約按工程進度來認列工程利益。

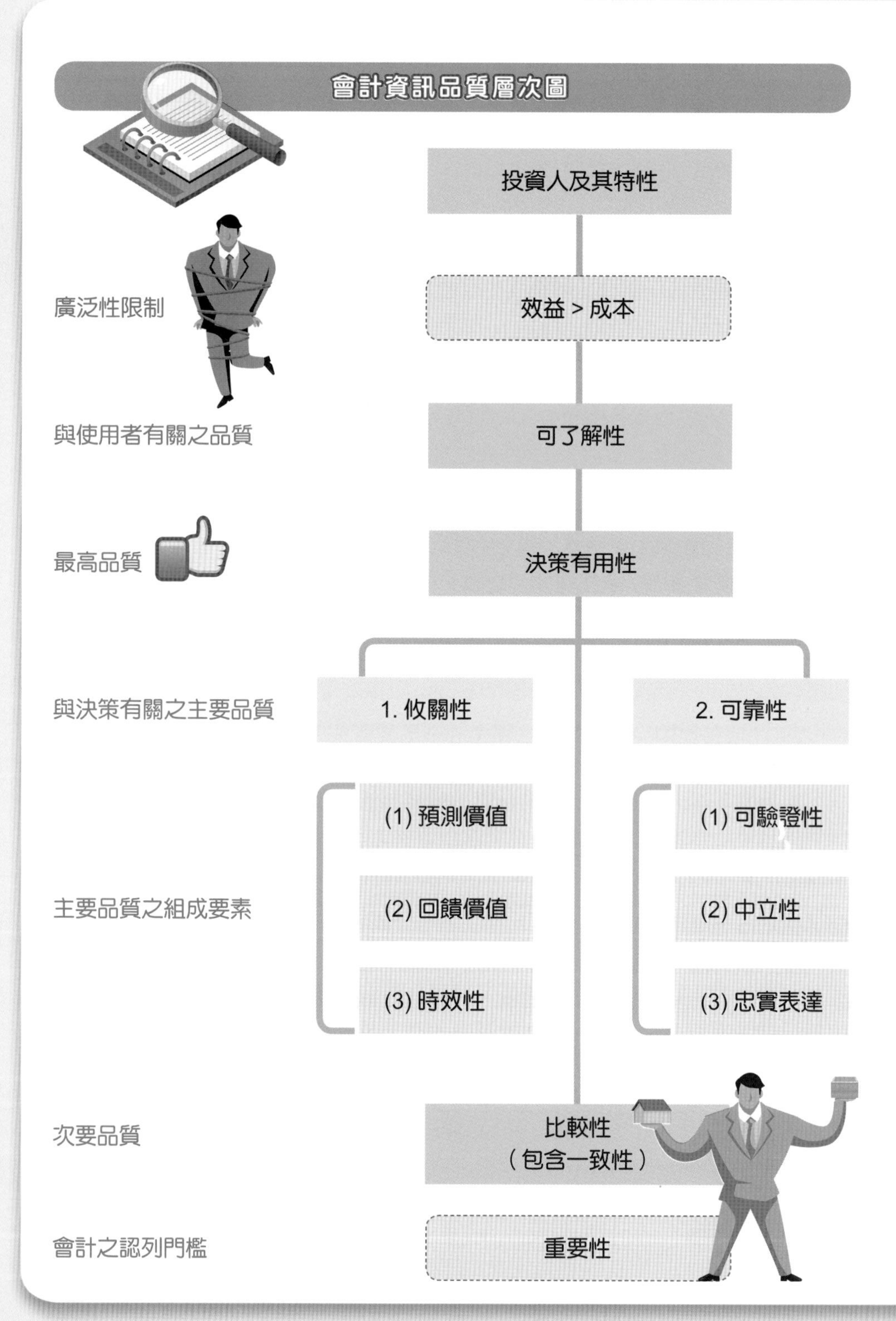
會計資訊品質層次圖
投資人及其特性
廣泛性限制
效益 > 成本
與使用者有關之品質
可了解性
最高品質
決策有用性
與決策有關之主要品質
1. 攸關性
2. 可靠性
主要品質之組成要素
(1) 預測價值
(2) 回饋價值
(3) 時效性
(1) 可驗證性
(2) 中立性
(3) 忠實表達
次要品質
比較性
（包含一致性）
會計之認列門檻
重要性

(三)配合原則：當一收益已經在某一會計期間認列時，與該收益有關之成本（費用）應同時（期間）認列。例如：出售商品，除認列銷貨收入外，亦應認列銷貨成本。而此原則有下列三種方式：

1. 有因果關係而直接認列：例如：出售商品除認列銷貨收入外，亦應認列銷貨成本。
2. 有系統而可合理分攤者：例如：固定資產提列折舊。
3. 立即認列為費用：例如：員工薪資。

(四)充分揭露原則：財務報表之編製者應用各種方法提供資訊予使用者，如財務報表及其附註、補充報表、括弧說明、科目引註。將所有具有相關性資訊提供予使用者。

四、操作限制

(一)成本效益關係：所有資訊之編製或處理皆應考慮其成本與效益，即提供資訊所花之成本高於使用者使用之效益時，得不提供或編製。但實務上，很難判斷什麼是成本效益關係，即什麼資訊不符合此限制，而不提供財務資訊。

(二)重要性：為簡化會計程序與節省成本，若會計資訊遺漏或錯誤，但金額或性質不重要，則可不予討論或修改。故財務會計公報皆揭示公報並不適用重要性項目。由此可知，會計事項或金額若不重要，則可不依一般公認會計原則處理。例如：某項支出金額小，即使此效益長達未來數年，亦可不視為資產，故可直接列入費用處理；又如所得稅法規定，資產在耐用年限二年以內或超過二年但支出未超過新臺幣 8 萬元者，可列入費用。

(三)穩健原則：當企業有多種可選擇之會計原則適用時，但求保守起見，應選擇影響獲利最小的方法來處理，故就資產負債而言，資產應採用評價最低的評價方法，而負債應採用帳列最高者認列。而認列未實現損失，但不認列未實現利益，故財務分析師強烈不同意，因為有低估企業價值之情況。

(四)行業特性：某些行業須採用特殊之會計方法，以使該財務報表達到最有用性。例如：營建業之會計期間長於一年以上，一般而言為三年，而其建築物列為存貨。

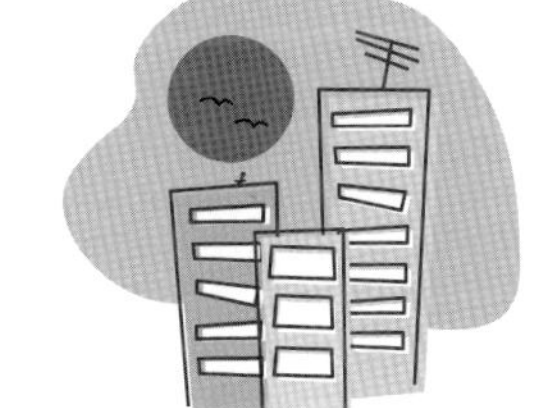

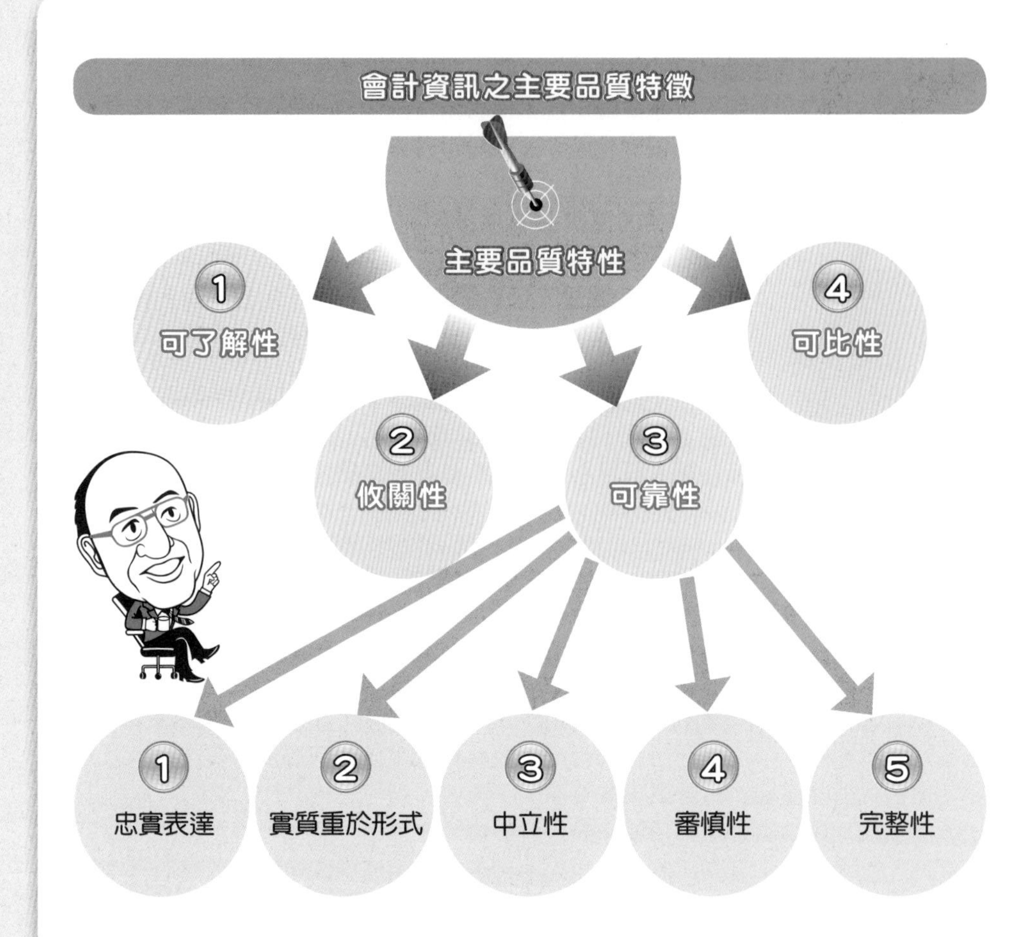

實質重於形式

會計資訊對於股東、債權人、投資大眾等之影響，存在著相互衝突的利害關係，例如：一個會計原則的制訂，對企業有利，可能對股東、債權人不利；反之，對企業不利的，可能對股東、債權人有利。

會計準則的經濟後果，指會計資訊對於資訊提供者及使用者之財富狀況，經濟行為所造成的影響，以及由於此項影響所引發的決策行為。

經濟實質重於法律形式之情況，如產品融資合約，企業將存貨賣給另一企業，同時簽約約定在一定期間，按一定的價格將存貨買回，則該銷貨交易在法律形式上是銷售，但在經濟實質上是以存貨為擔保的融資行為，會計上應按融資交易處理，才能忠實表達該項交易，其資訊才具有可靠性。

過度強調經濟後果的潛在危險，可能迫使會計人員捨棄健全理論，而以比較不理想的會計準則取代。

1-6 制訂會計準則之權威機構

當國際會計準則已成為全球資本市場之單一準則時，影響會計準則之制訂的權威機構有哪些？

一、美國

(一) **FASB**：財務會計準則委員會（Financial Accounting Standards Board, FASB）於 1973 年後取代會計原則委員會，擔任制訂會計準則之機構。其委員會成員為七人，來自產官學界，為發布美國財會準則之單位。

(二) **AICPA**：美國會計師協會（American Institute of Certified Public Accountants, AICPA）其為美國執業會計師所成立之專業機構，其下成立多個委員會。在財務會計準則委員會未成立前，其擔任制訂會計準則之機構。

二、臺灣

(一) **會計研究發展基金會**（The Foundation of Accounting Research and Development）：1984 年成立之獨立制訂會計原則之機構。會計相關準則制定設有臺灣財務報導準則委員會、會計問題研議小組、評價準則委員會、企業會計準則委員會及 XBRI 委員會。

(二) **經濟部商業司**：頒布「商業會計法」以管理各組織。

(三) **證券期貨局（簡稱證期局）**：證券期貨局成立於民國 49 年，當時稱「證券管理委員會」（簡稱證管會，SEC），原來隸屬於經濟部，民國 70 年 7 月 1 日改隸財政部。民國 86 年 4 月 2 日更名為「證券暨期貨管理委員會」。民國 93 年 7 月 1 日改設為「金融監督管理委員會」（簡稱金管會），下設「證券期貨局」（簡稱證期局）。證期局統籌證券及期貨之相關事務，為證券市場之主管機關。

(四) **會計師公會**：底下設數個相關之委員會，以對金管會與會計研究發展基金會提出建言。

三、國際（美國以外之國家，以歐洲國家為主）

國際會計準則委員會（International Accounting Committee, IAC）以融合及統一世界之各國會計為主，發布國際會計準則公報（International Accounting Statements, IAS）。另以國內企業應適用之相關會計法令及原則有哪些？其適用優先順序為何？企業適用會計法原則與各原則之優先順序不論企業規模大小均同，但有些法令在規模小之企業不適用。

美國

財務會計準則委員會

- 財務會計觀念公報 SFAC
- 解釋公報
- 財務會計準則公報 SFAS
- 技術公報

美國會計師協會

- 會計程序委員會 CAP
- 美國會計學會 AAA
- 會計原則委員會 APB
- 美國證券管理委員會 SEC

國內企業適用會計法令優先順序

證券交易法（僅公開發行公司適用）→ 公司法（僅行號不適用）→ 商業會計法 → 證券發行人財務報告編制準則（僅公開發行公司適用）→ 商業會計處理準則 → 財務會計準則公報 → 財務會計準則公報之解釋 → 國際財務會計準則公報 → 會計學理 → 會計文獻

國內企業適用會計法令優先順序

1-7 企業之組織型態與經營活動

一般而言，可將組織型態分為獨資、合夥與公司。而企業之組織 90% 以上皆為公司組織。而公司中又以股份有限公司占公司之 95% 以上。以下介紹相關組織及其經營活動。

一、企業之組織型態

(一) 獨資：為一人出資獨自經營，法律視獨資企業與資本主為單一個體，獨資不具法人地位，惟會計則視為兩個個體，依法律規定資本主對獨資企業負無限清償責任。

(二) 合夥：兩人或兩人以上，共同出資，共負利益與風險。法律上對合夥亦不視為具有法人地位，且合夥人須對合夥組織負無限清償責任。會計上應將合夥組織與合夥人之資產與負債分開列示。一般而言，會計師事務所之服務項目為財務報表之查核、所得稅結算申報書之查核及簽證、投資及工商登記服務、管理顧問服務，以及其他（跨國投資架構、租稅規劃及海外上市股務等）。

(三) 公司：依公司法規定辦理並成立之公司，法律上公司具有獨立人格（法人），享權利與義務。股東（投資人）依其股東之性質分別負相關之清償責任。依公司法規定，公司型態有四種，分別為股份有限公司、有限公司、無限公司與兩合公司（包含有限責任股東及無限責任股東）。又依股份有限公司籌資之資本額大小，可將股份有限公司分為中小企業、公開發行公司與上市、上櫃公司三類。故可知股份有限公司在目前組織之重要性。因為大企業皆為股份有限公司之型態，且依目前法令規定，只有股份有限公司才可上市、上櫃。

二、企業之經營活動

企業依其經營性質可分為服務業、買賣業與製造業。就會計處理之複雜度，其排列為製造業、買賣業與服務業。

(一) 服務業：提供服務與專業知識予顧客（他人）之行業。此行業之特性為無存貨，無須大的工作場所及資本額，如會計師事務所與快遞公司（如，聯邦快遞）等。

(二) 買賣業：企業先購買商品（無須再加工或再生產之產品），再將此商品出售予顧客（他人）。此行業之特性為存貨為可直接出售之商品存貨，俗稱通路，如超商（統一超商）、百貨公司等。

(三) 製造業：購買原物料，再請員工生產、製造、加工、組合與包裝，成為新的產品，再出售予客戶。此行業之特性為存貨，包括原物料、在製品與製成品，需要較大之工作場所及資本額，如成衣廠、晶圓廠（台積電）、腳踏車廠等。

企業之組織型態

1.獨資

例如：小雜貨店。

一人出資獨自經營，不具法人地位，惟會計則視為兩個個體。

2.合夥

例如：會計師或律師事務所。

兩人或兩人以上，共同出資，共負利益與風險。會計上應將合夥組織與合夥人之資產與負債分開列示。

3.公司

公司法規定的公司型態

(1) 股份有限公司→在目前組織之重要性 ★★★★★★

依籌資之資本額大小區分 →
①中小企業
②公開發行公司
③上市、上櫃公司

(2) 有限公司
(3) 無限公司
(4) 兩合公司（包含有限責任股東及無限責任股東）

企業之經營活動

依性質區分		會計處理之複雜度
1. 服務業	提供服務與專業知識予顧客（他人）之行業。 例如：會計師事務所與快遞公司等。	排行三★☆☆☆
2. 買賣業（俗稱通路）	企業先購買商品，再將此商品出售予顧客。 例如：超商、百貨公司等。	排行二★★☆☆
3. 製造業	購買原物料，再生產、製造、加工、組合與包裝，成為新產品出售予客戶。 例如：成衣廠、晶圓廠、腳踏車廠等。	排行一★★★☆

證券發行人財務報告編製準則及商業會計法之規定

● 證券發行人財務報告編製準則　第 **3** 條

發行人財務報告之編製，應依本準則及有關法令辦理之，其未規定者，依一般公認會計原則辦理。

前項所稱一般公認會計原則，係指經本會認可之國際財務報導準則、國際會計準則、解釋及解釋公告。

● 證券發行人財務報告編製準則　第 **4** 條

財務報告指財務報表、重要會計項目明細表及其他有助於使用人決策之揭露事項及說明。

財務報表應包括資產負債表、綜合損益表、權益變動表、現金流量表及其附註或附表。

前項主要報表及其附註，除新成立之事業、第四項所列情況，或本會另有規定者外，應採兩期對照方式編製，主要報表並應由發行人之董事長、經理人及會計主管逐頁簽名或蓋章。

當發行人追溯適用會計政策或追溯重編其財務報告之項目，或重分類其財務報告之項目時，應依國際會計準則第一號相關規定辦理。

● 證券發行人財務報告編製準則　第 **5** 條

財務報告之內容應公允表達發行人之財務狀況、財務績效及現金流量，並不致誤導利害關係人之判斷與決策。

財務報告有違反本準則或其他有關規定，經本會查核通知調整者，應予調整更正。調整金額達本會規定標準時，並應將更正後之財務報告重行公告；公告時應註明本會通知調整理由、項目及金額。

● 商業會計法　第 **6** 條（會計年度）

商業以每年 1 月 1 日起至 12 月 31 日止為會計年度。但法律另有規定，或因營業上有特殊需要者，不在此限。

● 商業會計法　第 **7** 條（記帳本位）

商業應以國幣為記帳本位，至因業務實際需要，而以外國貨幣記帳者，仍應在其決算報表中，將外國貨幣折合國幣。

● 商業會計法　第 **8** 條（文字記載）

商業會計之記載，除記帳數字適用阿拉伯字外，應以我國文字為之；其因事實上之需要，而須加註或併用外國文字，或當地通用文字者，仍以我國文字為準。

● 商業會計法　第 **27** 條（財務報表）

會計項目應按財務報表之要素適當分類，商業得視實際需要增減之。

● 商業會計法　第 **28** 條

財務報表包括下列各種：

一、資產負債表。
二、綜合損益表。
三、現金流量表。
四、權益變動表。
前項各款報表應予必要之附註，並視為財務報表之一部分。

◎商業會計法　第 **28-1** 條

資產負債表係反映商業特定日之財務狀況，其要素如下：
一、資產：指因過去事項所產生之資源，該資源由商業控制，並預期帶來經濟效益之流入。
二、負債：指因過去事項所產生之現時義務，預期該義務之清償，將導致經濟效益之資源流出。
三、權益：指資產減去負債之剩餘權利。

◎商業會計法　第 **28-2** 條

綜合損益表係反映商業報導期間之經營績效，其要素如下：
一、收益：指報導期間經濟效益之增加，以資產流入、增值或負債減少等方式增加權益。但不含業主投資而增加之權益。
二、費損：指報導期間經濟效益之減少，以資產流出、消耗或負債增加等方式減少權益。但不含分配給業主而減少之權益。

◎商業會計法　第 **29** 條

財務報表附註，係指下列事項之揭露：
一、聲明財務報表依照本法、本法授權訂定之法規命令編製。
二、編製財務報表所採用之衡量基礎及其他對瞭解財務報表攸關之重大會計政策。
三、會計政策之變更，其理由及對財務報表之影響。
四、債權人對於特定資產之權利。
五、資產與負債區分流動與非流動之分類標準。
六、重大或有負債及未認列之合約承諾。
七、盈餘分配所受之限制。
八、權益之重大事項。
九、重大之期後事項。
十、其他為避免閱讀者誤解或有助於財務報表之公允表達所必要說明之事項。
商業得視實際需要，於財務報表附註編製重要會計項目明細表。

◎商業會計法　第 **30** 條

財務報表之編製，依會計年度為之。但另編之各種定期及不定期報表，不在此限。

◎商業會計法　第 **32** 條

年度財務報表之格式，除新成立之商業外，應採二年度對照方式，以當年度及上年度之金額併列表達。

第 2 章

會計項目與借貸法則

2-1 如何進入會計世界——先了解會計恆等式

要了解會計之運作，應先了解會計恆等式、會計項目與借貸法則等，如此才能進入會計之世界。

一、學習會計之必要了解之處

對企業交易之會計處理，首先應將企業之交易化成會計語言——分錄，最後才能以財務報表之方式表達。而要了解分錄，則應了解會計項目與借貸法則，若本章學不好，將造成未來學習會計之痛苦，請加強學習及了解。

二、會計恆等式

將企業之交易化成會計恆等式之方式，表示如下：

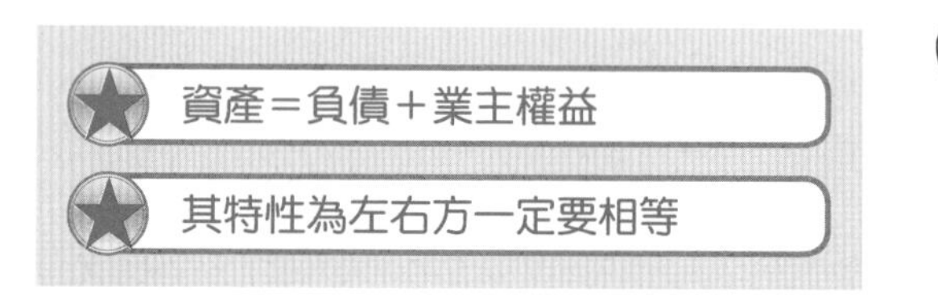

資產＝負債＋業主權益
其特性為左右方一定要相等

此恆等式為複式簿記。所謂複式簿記為一個交易以二種方式表示，如用現金買車，則表示資產（車）增加，但資產（現金）減少。而會計恆等式可表示企業之所有之交易。如，一企業籌資（發行股票）且向銀行借款而募集資金，使得企業之現金（資產 $1,000,000）增加，而欠股東的錢（股東權益 $500,000）增加，及欠銀行的錢（負債 $500,000）增加，故其會計恆等式如下：

資產（現金）＝負債（銀行借款）＋業主權益（股本及資本公積）
$1,000,000 ＝ $500,000 ＋ $500,000
$1,000,000 ＝ $1,000,000
資產＝負債＋業主權益
$

左右方一定要相等。

倒推出：

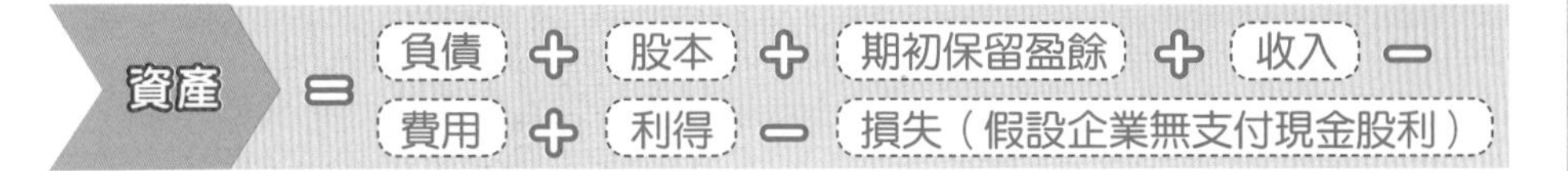

資產
＝
負債
＋
股本
＋
期初保留盈餘
＋
收入
－
費用
＋
利得
－
損失（假設企業無支付現金股利）

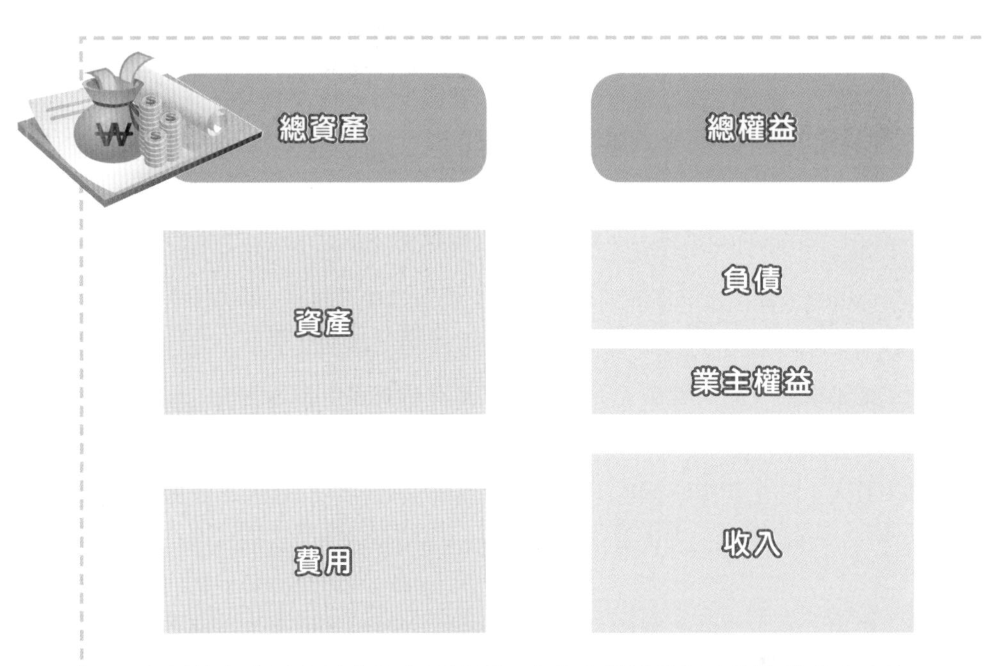

上圖總資產長方形中的費用總額，高度小於總權益方形中的收入高度，其高度差即為產生的盈餘，歸業主或股東享受；反之，如果費用的高度大於收入的高度，所產生的虧損，則由業主或股東承擔。

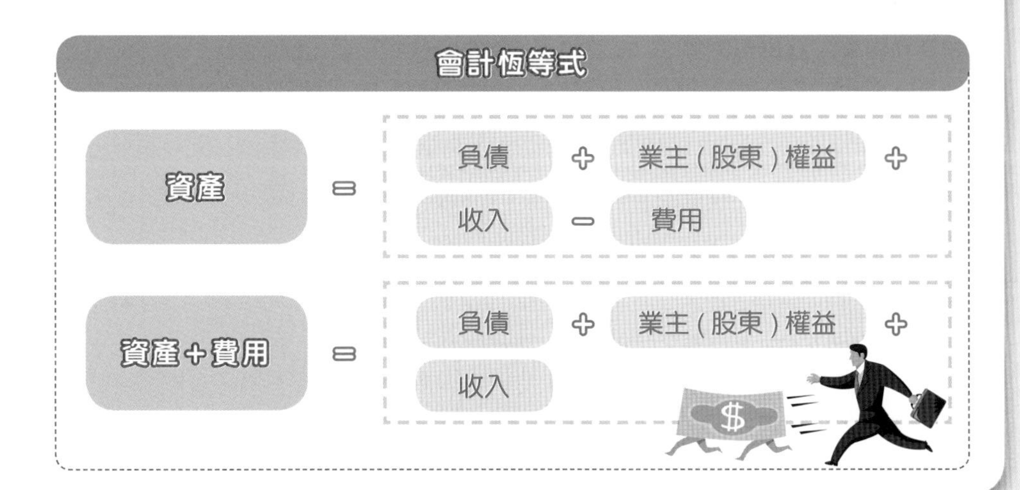

2-2 會計項目

了解會計恆等式後，再來是更進一步認識會計項目，才能了解會計分錄。

一、財務會計準則第一號公報之規定

現在依財務會計準則第一號公報之規定，將會計項目簡分為資產、負債、權益（業主權益）、績效（與績效相關的收益與費損）、收益（收入與利得）、費損（費用與損失）六大類，各大類說明如下：

(一)資產：企業透過交易或其他事項所獲得之經濟資源，能以貨幣衡量，並預期未來能提供經濟效益者，如現金、應收帳款等。

(二)負債：過去之交易或其他經濟事項所產生之經濟義務，能以貨幣衡量，並將以提供勞務或支付經濟資源之方式償付者，如應付帳款、應付公司債等。

(三)業主權益（股東權益）：企業之全部資產減除全部負債後，其餘額屬於企業所有人，稱之為業主權益（股東權益），如股本、資本公積與保留盈餘。

(四)收入：為主要中心業務（出售商品或提供勞務）所產生之資產增加或負債減少者，如銷貨收入（如生產腳踏車之公司所出售腳踏車所得之收入）、勞務收入等。

(五)費用：為主要中心業務（購買存貨或支付勞務）所產生之資產減少或負債增加者。如銷貨成本、管理費用等。

(六)利得：附屬交易（非主要中心業務）所產生之資產增加或負債減少者。如出售廠房利得、出售證券利得等。

(七)損失：附屬交易（非為主要中心業務）所產生之資產減少或負債增加者。如兌換損失、投資損失等。

二、常見的會計項目

(一)資產類（Assets）：企業的資產，按其流動性（變現時間性）大小（長短），又可分為流動資產及非流動資產（不動產、廠房及設備、無形資產與其他資產）。

1. 流動資產（Current Assets）：包括現金、應收帳款、應收票據、短期投資等十二項，說明如下：

(1) 現金（Cash）及約當現金（Cash Equivalent）：現金包含庫存現金、零用金、即期支票與匯票、銀行本票、活期存款、可轉讓定期存單、可解約之定期存款、支票存款等。若另設「銀行存款」之會計項目，則現金僅指庫存現金與零用金。而約當現金包括從投資日起至到期日三個月內之商業本票與國庫券。

常見的會計項目

類別	性質別	舉例
1.資產類	(1) 流動資產	現金、應收帳款、應收票據、短期投資等
	(2) 長期投資	債券投資、股票投資等
	(3) 不動產、廠房及設備	土地、建築物、機器、其他設備及油礦、煤礦、森林等天然資源
	(4) 無形資產	專利權、版權、特許權、商譽等
	(5) 其他資產	存出保證金、待處分資產等
2.負債類	(1) 流動負債	銀行借款、銀行透支、應付帳款、應付票據等
	(2) 長期負債	應付公司債、應付票據、長期借款等
	(3) 或有負債	產品售後服務、為他人保證、賠償訴訟案等
	(4) 其他負債	存入保證金
3.業主權益類	(1) 股本	普通股、特別股、業主權益等
	(2) 保留盈餘	保留盈餘、累積虧損、業主往來
	(3) 資本公積	資本公積、受贈資本
4.收入類	(1) 營業收入	銷貨收入、銷貨折讓、業務收入等
	(2) 非營業收入	利息收入、租金收入、金融資產評價利益等
5.費用類	(1) 銷貨成本	進貨成本、運輸費用
	(2) 營業費用	廣告費、佣金費、呆帳損失等
	(3) 非營業費用	利息費用、資產處分損失

現金及約當現金

約當現金係指短期並具高度流動性之投資，企業持有約當現金之目的在於滿足短期現金之承諾，而非基於投資或其他目的。符合約當現金定義之投資，必須隨時可轉換成定額現金，且價值變動之風險甚小。因此，通常只有短期內（例如：自取得日起三個月內）到期之投資，方可視為約當現金。例如：自投資日起三個月內到期或清償之國庫券、商業本票及銀行承兌匯票等。

(2) 公允價值變動列入損益之金融資產—流動：企業取得該金融資產時，係以分類為交易目的，主要目的為短期內出售或再買回，另外未能符合避險會計之衍 生性金融商品亦應分類到此項下。原始認列時，以公允價值衡量，交易成本列為當年度費用，其後續評價及處分損益皆以公允價值之變動據以衡量。

(3) 持有至到期日金融資產—流動：係指具有固定或可決定之收取金額及固定到期日，且企業其有積極意圖及能力持有至到期日。原始取得時，以公允價值衡量，加計交易成本，後續評價採用利息法攤銷折溢價後之成本衡量。持有至到期日金融資產可歸類為非流動，若將於一年內到期，則應由非流動轉為流動項下。反之，則歸類為非流動。

(4) 備供出售金融資產—流動：企業原始取得時，即指定為備供出售，或非屬持有至到期日之投資、公允價值變動列入損益之金融資產以及放款及應收款等類別。原始認列時，以公允價值衡量，且加計交易成本。後續評價時，以公允價值衡量，變動數列入權益調整項目；處分時，累積之損益一併列入當年度損益。備供出售金融資產亦可分類為流動及非流動，分類方法同上述持有至到期日金融資產。上述持有至到期日金融資產及備供出售金融資產，應注意其有到期之問題者，僅有債券投資，權益證券投資並無到期日之問題，於分類時應加以注意。

(5) 應收票據（Notes Receivable, N/R）：因賒銷商品或勞務而取得客戶所開立之匯票、本票、支票等書面憑證，稱為應收票據；惟實務上之交易以支票較多。

(6) 應收帳款（Accounts Receivable, A/R）：因賒銷商品或勞務而產生對顧客未付款之現金請求（求償）權，稱為應收帳款。

(7) 備抵壞帳（Allowance for Doubtful Account）：在應收票據與應收帳款中，估計無法收回帳款之累積數，稱為備抵壞帳。在資產負債表上，列為應收款項的減項，以抵銷部分可能無法回收之應收帳款或應收票據，因此稱其為一抵銷科目（Contra Account）。在一般情況下，此科目為貸餘。

(8) 應收收益（Accrued Revenue）：凡收益已實現或已賺得但尚未收取者，均屬此項目。例如：應收利息、應收租金等。

(9) 存貨（Inventory）：企業所擁有之資產，能供正常營業出售之用。就買賣業而言，稱「商品存貨」，此存貨無須投入生產，而可直接供營業出售之用；而就製造業而言，依其生產完成程度可分為「原物料」、「在製品」及「製成品」三類。原物料為尚未投入生產者；在製品為投入生產但尚未完工者；製成品為生產完成者。在一會計期間內已出售的部分應轉入銷貨成本，尚未出售的部分則為該期期末存貨。

(10) 用品盤存（Supplies）：企業買入供日常使用之文具用品。購入時以「文具用品」之科目記載屬損益表科目，期末盤存尚未使用的部分轉入「用品盤存」科目。亦有公司採用相反之程序，即購入時以「用品盤存」科目入資產負債表，期末盤點後再將使用之部分轉入「文具用品」科目。

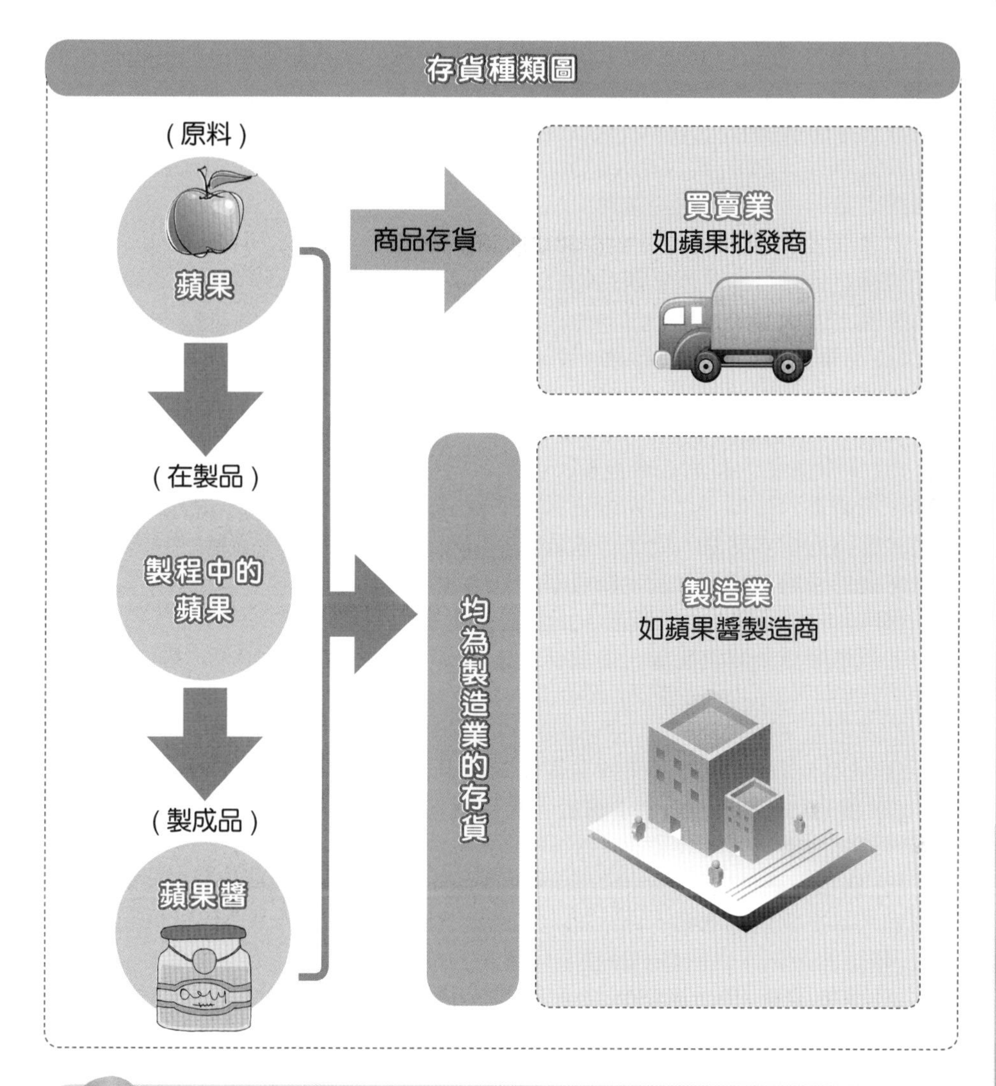

應收票據之特質

票據乃是發票人承諾在特定日或特定期間，無條件支付一定金額給收票人的一種書面承諾；對收票人而言，這種票據稱為應收票據；對發票人而言，則為應付票據。

應收票據具有書面承諾，相較於應收帳款僅是記帳掛欠更有保障。如果應收帳款逾期尚難收回，可用應收票據加以書面承諾及附加利息換取債權人的同意延長支付期限。

應收票據亦可當商家間小額資金借貸的保證工具。對於信用等級較低的顧客或銷售金額較大、支付期限較長的賒帳，應收票據也是很好的保證工具。

(11) 預付費用（Prepaid Expenses）：尚未享受其他個體所提供的產品或勞務（權利）前，先行支付的款項（義務），稱為預付費用。此項資產將隨著勞務之取得享用而消耗，而轉入某項費用之中，如預付保險費、預付房租等。

(12) 其他流動資產（Other Current Assets）：未能屬於上述前項之項目，如質押之銀行存款、進項稅額等。

2. 基金及長期投資（Funds and Long-Term Investments）：指為特定用途而提撥之各類基金及因業務目的而為之長期性投資。

3. 基金及投資：

(1) 持有至到期日金融資產—非流動：未於一年內到期之持有至到期日金融資產。

(2) 備供出售金融資產—非流動：未於一年內到期之備供出售金融資產。

(3) 採權益法之長期股權投資：係為取得控制權或其他財產權，以達其營業目的。具有重大影響力之長期投資應採取權益法評價，被投資公司發生淨利或淨損時，應認列投資損益。此外，投資成本與股權淨值之差額，應進行分析，將投資成本超過可辨認淨資產公允價值部分列為商譽，每年定期進行減損測試。

(4) 以成本衡量之金融資產：不具重大影響力且無客觀公平市價之基金及股票等，以原始認列成本衡量。後續若發生減損，應認列減損損失，此損失不得迴轉。

4. 不動產、廠房及設備（Property, Plant and Equipment）：

(1) 土地（Land）：企業購買供營業使用之土地，而非供出售者。

(2) 建築物（Building）：屬於「房屋或廠房」，供營業所使用之房屋、廠房等均屬之，供出售者非屬之。

(3) 機器設備（Machinery and Equipment）：供生產部門營業使用之各種設備，非主要供出售者。

(4) 儀器設備：供研發測試營業使用之各種設備，非供主要出售者。

(5) 運輸設備（Transportation Equipment）：購買供營業使用之大小客貨車或供董事長或主管使用之公務車均屬之，非供主要出售者。

(6) 生財器具或辦公設備（Office Equipment）：供辦公或營業使用之各項辦公設備均屬之，如桌、椅、沙發、電腦等，非供主要出售者。

(7) 累計折舊（Accumulated Depreciation）：上述之建築物、機器設備、儀器設備、運輸設備及生財器具等項目（不含土地），隨著使用及時間等因素而磨損，效用逐漸減少，依據配合原則，每年應將資產成本按一定之方式分攤之，並轉為折舊費用。而避免違反歷史成本原則，不得改變資產之原始成本，故另設一抵銷科目位於原資產之下，稱之為「累計折舊」，以抵銷資產成本之一部分。

5. 遞耗資產（Depletable Assets）：指資產價值隨開採、砍伐或使用而耗竭之自然資源。如，森林、礦產等。

6. 無形資產（Intangible Assets）：無形資產指企業所有無實體存在之

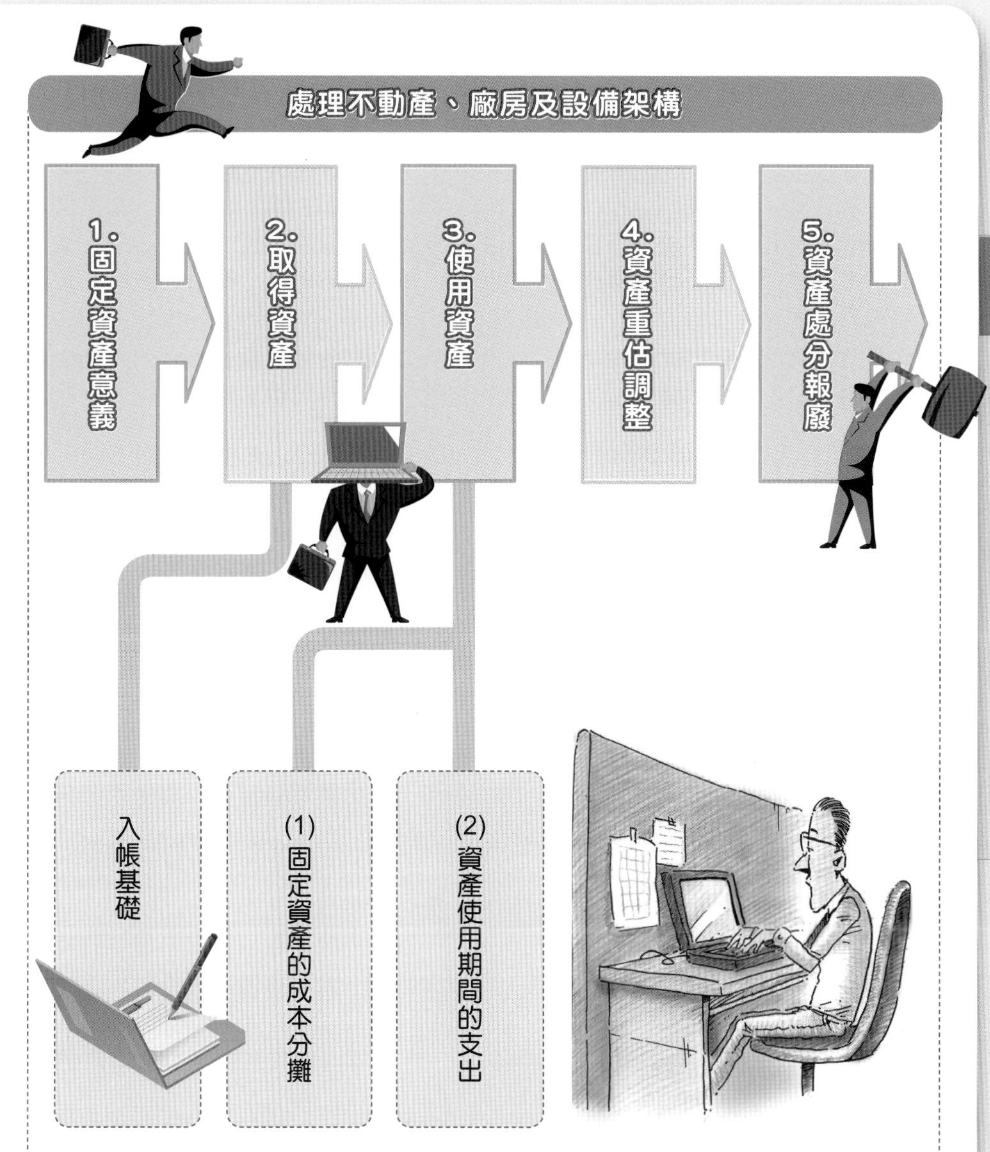

商譽之介紹

商譽是依存於企業的一個不可明確辨認的無形資產，主要是由企業的優良管理技巧，先進的技術及良好的顧客關係所產生的，因此脫離企業就無法存在了。投資相等的資金於商譽好的企業，應該比投資於普通的企業可以獲得較多的利潤，因此只有當有人願意高價收購企業時，才能明確計算商譽。

經濟資源，可供營業使用，並產生經濟效益者。包括專利權（Patent）、商標（Trademark）、商譽（Goodwill）、特許權（Franchises）、版權（Copyright）等。無形資產按原始成本入帳，其後因經濟效益之遞減而須將其成本分攤，稱之為攤銷（Amortization）。無形資產在資產負債表上之表達方式為成本減去累計攤銷後之淨額列帳，由於無形資產無實體且未來價值不明確，故不另設「累計攤銷」科目以作為抵銷科目。此為與不動產、廠房及設備之表達方式不同之處。

7. 其他資產（Other Assets）：凡不屬於上列之各類資產者，則列入其他資產項目內。如「存出保證金」、「遞延所得稅資產－非流動」科目。

(二) 負債類（Liabilities）：企業之負債，按到期日之先後及性質不同，可分為流動負債、長期負債與其他負債。

1. 流動負債（Current Liabilities）：於一年或一個營業週期內償還的債務。

(1) 銀行透支（Overdrafts）：與往來銀行約定，當企業之支票存款不足兌付時，由銀行代為暫時墊付者。

(2) 短期借款（Short-Term Loans）：向金融機構或他人借入款項，而須於一年或一個營業週期內以流動資產償還者。

(3) 應付票據（Notes Payable, N/P）：企業賒購材料、商品或勞務或融資所簽發之匯票、本票、支票等書面憑證，一般而言，實務上使用支票為多。

(4) 應付帳款（Accounts Payable, A/P）：企業賒購材料、商品或勞務而產生應付而未付之債務，稱為應付帳款。

(5) 應付費用（Accrued Expenses）：其他非因賒購商品或勞務所產生應付而未付之債務，如應付薪資、應付利息、應付所得稅等。

(6) 預收收益（Unearned Revenue）：指預先收取款項而尚未提供財貨或勞務予其他個體者，如預收雜誌收益、預收房租等。此項負債將隨著財貨或勞務之提供而逐漸轉出為相關收益。

2. 長期負債（Long-Term Liabilities）：一年或一個營業週期以上方需償付之債務。

(1) 應付公司債（Bonds Payable）：企業發行公司債時，約定一定日期，支付一定本金，並按期支付一定利息給公司債購買人。公司債償還日期通常在若干年以上，故屬長期負債。若時間的經過，公司債償付日為下一年或下一個營業週期內，則應將應付公司債由長期負債中轉出而移至流動負債項下。

(2) 長期借款（Long-Term Loans）：指企業借貸之款項，其到期日在一年或一個營業週期以上者。若時間之經過，公司借款之償付日在下一年度或下一個營業週期內，則應將長期借款由長期負債轉入流動負債項下。

3. 其他負債（Other Liabilities）：凡不屬於上列流動與長期負債者，均屬於其他負債，如「存入保證金」、「遞延所得稅負債－非流動」。

或有負債入帳原則

或有負債發生之可能性	金額之確定程序	
	確定或能合理估計者	不能合理估計者
很有可能	應預計入帳。	不預計入帳，應附註揭露其性質，並說明金額無法估計。
有可能	不預計入帳，但應附註揭露其性質及金額（或合理的金額範圍）。	同上。
極少可能	不預計入帳，揭露與否均可。	同左。

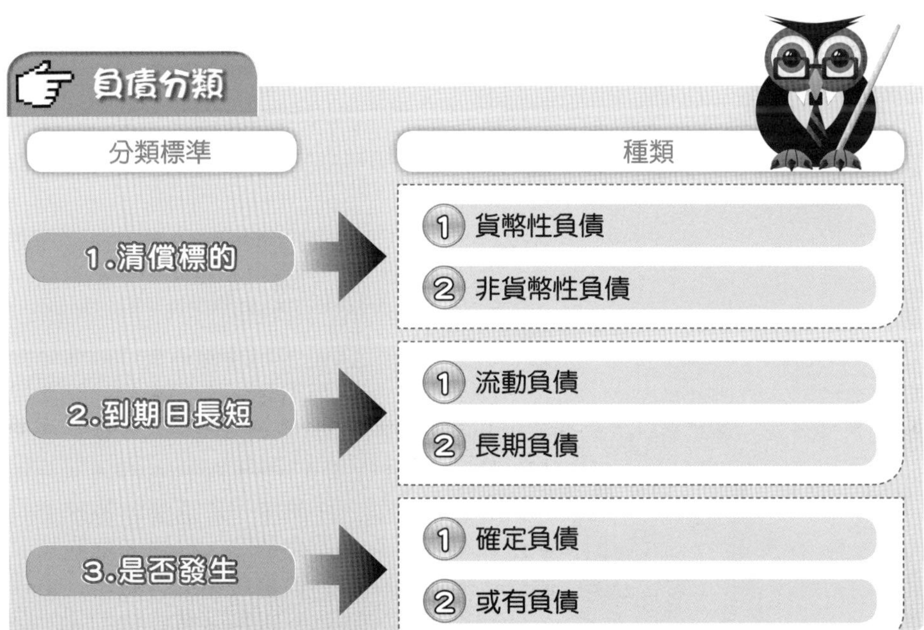

負債分類
分類標準
種類
1.清償標的
① 貨幣性負債
② 非貨幣性負債
2.到期日長短
① 流動負債
② 長期負債
3.是否發生
① 確定負債
② 或有負債

(三)業主權益類（Owner's Equity）：業主權益為資產扣除負債後之剩餘價值，又稱為淨資產（Net Assets）或淨值。隨著企業組織之不同型態而有其不同名稱，茲說明如下：

1. 獨資企業：業主權益又稱為業主資本，其下設有「資本主往來」或「業主往來」科目，以因應資本主提用。

2. 合夥企業：稱為合夥人資本，其下設有「合夥人往來」科目，以因應合夥人之經常性資本往來，各合夥人均應分別設置「資本」帳戶與「資本主往來」帳戶。合夥企業之特徵與其優缺點，茲整理說明如右圖。

3. 公司組織：公司組織之業主權益又稱為股東權益，其下主要可分為股本、資本公積及保留盈餘等。

(1) 股本（Capital Stock）：依法登記並經政府主管機關核准，由股東繳足之資本總額，稱之為股本。股本可分為普通股股本（Common Stock）與特別股股本（Preferred Stock）兩種。

(2) 資本公積（Paid-in Capital in Excess of Par）：繳入之股本超過面值的部分，皆屬於此一項目，例如：股本溢價、庫藏股票交易、資產重估增值等。

(3) 保留盈餘（Retained Earnings）：企業營運所產生之盈餘，尚未以股利方式分配給股東，而保留下來供企業使用者，稱為保留盈餘，其中包括法定盈餘公積、特別盈餘公積及未分配盈餘。

(4) 長期投資未實現跌價損失（Unrealized Capital Gains or Losses）：長期股權投資，若以成本與市價孰低法處理者，股票市價下跌時應認列「未實現跌價損失」，此科目為股東權益之減項。

(5) 累積換算調整數：因外幣交易或外幣財務報表換算而產生者。

(四)收入類（Revenue）：企業之收入，依性質來源之不同，可分為營業收入與營業外收入。

1. 營業收入（Operating Revenue）：

(1) 銷貨收入（Sales）：銷售貨品之所得，為企業主要或中心營業（公司登記中主要營業項目）範圍，無論是現銷或賒銷所得，均屬於銷貨收入，如華碩出售其主機板所得之收入，為銷貨收入。

(2) 銷貨退回（Sales Return）：企業售出之貨品，因品質不良或損壞而遭顧客退回稱之。銷貨退回為銷貨收入之減項。如客戶因 IBM 之電腦有問題而予以退貨（錢），則就 IBM 公司而言，此為銷貨退回。

(3) 銷貨折讓（Sales Allowance）：企業售出之貨品，因品質不良或部分損壞，而由顧客要求折減價格稱之。折讓亦為銷貨收入之減項，往往與銷貨退回合併為一「銷貨退回與折讓」科目。如客戶購買瑕疵品，但

合夥企業之介紹

1. 合夥企業的特徵

(1) 非法律個體，但係會計個體

(2) 合夥人互為代理

(3) 負連帶無限責任

(4) 合夥之財產共有

(5) 以合夥契約分配損益

(6) 合夥權轉讓受限制

2. 合夥企業的優點

(1) 容易組成及解散

(2) 經營較具彈性

(3) 易於發揮合夥人特長

3. 合夥企業的缺點

(1) 難以籌集大額資金

(2) 缺乏持續性

(3) 合夥人對合夥之債務負連帶無限責任

(4) 缺乏組織靈活性

若其價格為正常價之八成，故此二成之價格為銷貨折讓。

(4) 銷貨折扣（Sales Discount）：企業銷貨時，為及早取得現金所給予顧客之折扣，又稱現金折扣，如企業為使客戶可提早還款，而在某一時點之前償還者，給予一定比率之優待（如僅需償還款項之 98%，而 2% 則為現金折扣）。

(5) 勞務收入（Service Revenue）：企業提供勞務而獲取之報酬稱之，如快遞公司收取之快遞服務款項，屬勞務收入。

2. 營業外收入（Non-Operating Revenue）：為企業主要或中心營業活動外所產生之收益。一般而言，包括利息收入、佣金收入、房租收入、兌換收益、商品盤盈、其他收入等。

(五) 費用類（Revenue）：費用係指企業為產生收入而投入對財貨勞務之支出或耗用。若一項支出於發生時即為企業帶來經濟效益，而此經濟效益並不及於未來，則歸之為「費用」項目；若一項支出的發生對企業產生未來的經濟效益，則應將此支出資本化，作為「資產」的一部分，而不歸類為費用，此為資本支出（資產）與收益支出（費用）之劃分。費用依其性質可分為銷貨成本、營業費用與營業外費用，故屬收益支出。

1. 銷貨成本（Cost of Goods Sold）：企業製造或購買貨品以供銷售，賺取利潤。在一定會計期間內，已售出的存貨部分即為銷貨成本，未售出的部分轉為期末存貨。買賣業其銷貨成本之組成項目為期初存貨、本期進貨、進貨運費、進貨退出與折讓（減項）、進貨折扣（減項）與期末存貨（減項）。而製造業十分複雜，以後再述明。

2. 營業費用（Operating Expenses）：又稱為銷管研發費用，為企業因銷貨、管理與研發活動所產生之支出。費用以部門劃分，一般而言，總經理室、財會部、總務部、管理部、資訊部等屬管理費用，業務部屬銷售費用，研發部門屬研發費用，行銷企劃部有的企業分為銷售費用，有的企業分為管理費用。

(1) 銷售費用：為業務部門所發生之所有費用，其中包括薪資、銷貨運費、佣金支出、廣告支出、壞帳費用、交際費、水電費、郵電費、差旅費、保險費、折舊、稅捐等。

(2) 管理費用：為管理部門所發生之費用，其中包括薪資費用、文具用品、租金支出、水電費、郵電費、差旅費、保險費、修理維護費用、折舊、折耗、攤銷、稅捐等。

(3) 研發費用：為研發部門所發生之所有費用，其中包括薪資費用、文具用品、租金支出、水電費、郵電費、差旅費、保險費、修理維護費用、折舊、折耗、攤銷、稅捐等。

3. 營業外費用（Non-operating Expenses）：企業正常營運活動外所產生的支出，例如：利息支出、投資損失、兌換損失、商品盤損、其他損失等。

銷貨收入認列條件

① 已賺得

賺取該項收入所需投入的成本已全部投入或大部分都已投入。

② 已實現 或 可實現

已實現：商品已經出售而收取現金或獲得求償權。

可實現：商品有公開市場及市價且可隨時出售兌現或求償權。

銷貨收入認列時點

1. 交貨時已符合認列條件而認列銷貨收入

賣場結帳時，已符合已賺得及已實現的認列條件。

2. 交貨前已符合認列條件而認列銷貨收入

農產品在生產完成後、交貨前賣場結帳時，已符合已賺得條件且有確定市價可隨時出售而可認列銷貨收入。

3. 交貨後已符合認列條件而認列銷貨收入

分期付款商品交貨時，已符合已賺得的銷貨收入認列條件，但尾款能否全部收齊則未確定，因此銷貨收入能按分期收到的款項認列銷貨收入。

2-3 借貸法則

借貸法則為一種增加及減少之計算方法，其原則為有借必有貸，借貸必相等。就像天平一樣，左邊為借方，右邊為貸方。資產、費用及股利為列在天平之左方（其中資產之借方為加項，其貸方為減項），負債、業主權益及收入列在天平之右邊（其中負債及業主權益之借方為減項，其貸方為加項），如下圖所示。

借貸法則天平圖

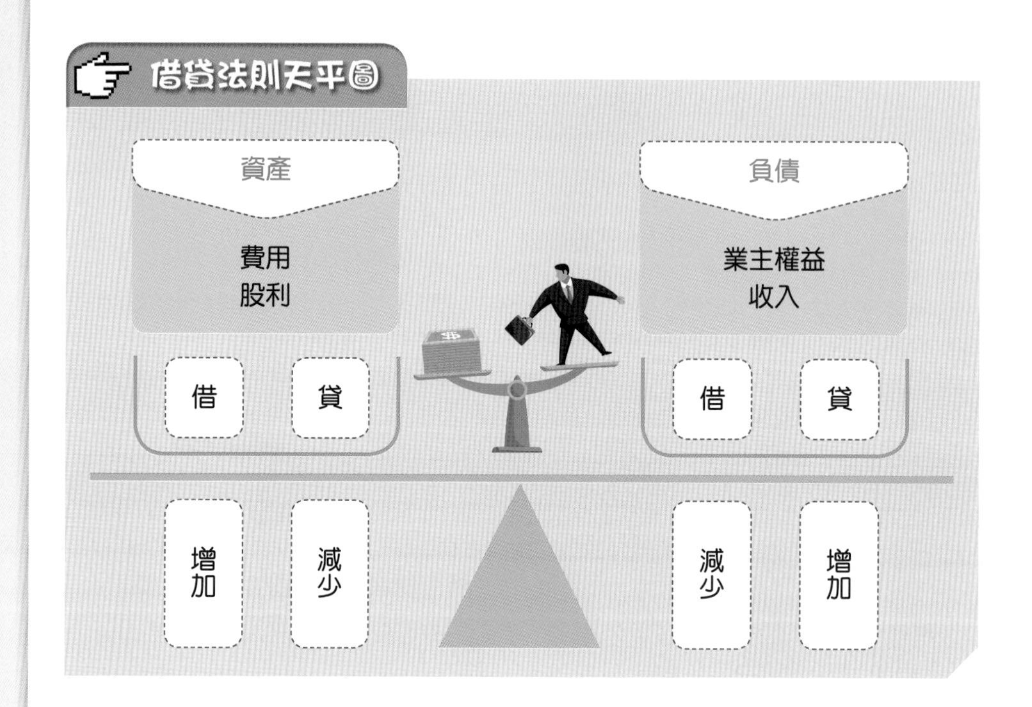

會計項目與借貸之關係

科目	增加	減少	正常為借貸方
1.資產	借	貸	借
2.負債	貸	借	貸
3.業主權益	貸	借	貸
4.收入	貸	借	貸
5.費用	借	貸	借
6.股利	借	貸	借

2-4 財務報表之意義、格式及其相關性

財務報表是企業交易之會計處理的最後表達方式，會計資訊之使用者均可透過各種財務報表蒐集與決策有關之各項財務資訊，以適當的方法加以整理及分析，以導出各項財務資訊所隱含之重要關係，並解釋結果以供各類決策之參考。

一、財務報表之意義

資產負債表表示企業之資產、負債與股東權益之總累積狀況，此報表表達之數字為累積數，表示存量之概念，且屬靜態報表。

綜合損益表表示企業某期間內之經營情況，此報表表達之數字為當期數，表示流量之概念，且屬動態報表。

業主權益變動表表示企業股東之總權益狀況，此報表表達之數字為累積數，表示存量之概念，且屬靜態報表。而業主權益變動表可包含保留盈餘表，一般而言，初級會計中以保留盈餘表表達。

現金流量表表示企業某段期間內營業活動、投資活動與融資活動之淨現金流量，此報表表達之數字為當期數，表示流量之概念，且屬動態報表。

現金流量表編製之基本原則

現金流量表以現金及約當現金為編製基礎、以現金流量總額報導為基本原則、以現金流量淨額報導為例外。
所謂約當現金是指同時具備下列條件的短期且具有高度流動性的投資，包含：

1. 隨時可以轉換成定額現金者。
2. 即將到期並且利率的變動對其價值的影響極微小。

根據國際會計準則公報第七號「現金流量表」中規定，若銀行透支可隨時償還，視為企業整體現金管理的一部分，此情況下，銀行透支應包含在現金及約當現金的組成部分中。

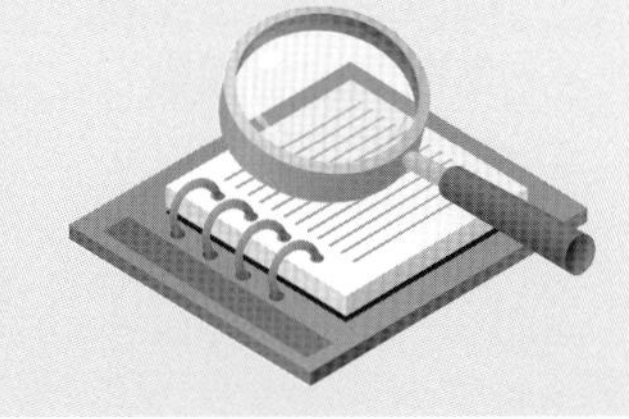

二、財務報表之相關性

由下圖可知財務報表有其關聯性，綜合損益表之本期淨利將結轉至保留盈餘表項下之本期淨利，而保留盈餘表之期末保留盈餘，將列示於資產負債表之業主權益項下之保留盈餘，而現金流量表之結餘數（期末現金數）等於資產負債表之現金數。由此可知，資產負債表是所有資料之綜合數，資料產生之順序如下：

1. 綜合損益表產生之本期淨利結轉至保留盈餘表項下之本期淨利。
2. 保留盈餘表之期末保留盈餘結轉至資產負債表之保留盈餘。
3. 利用資產負債表之現金數，編製現金流量表之結餘數（期末現金數）。

亦可知其編製順序為：

1. 綜合損益表。
2. 保留盈餘表。
3. 資產負債表。
4. 現金流量表。

財務報表關聯圖

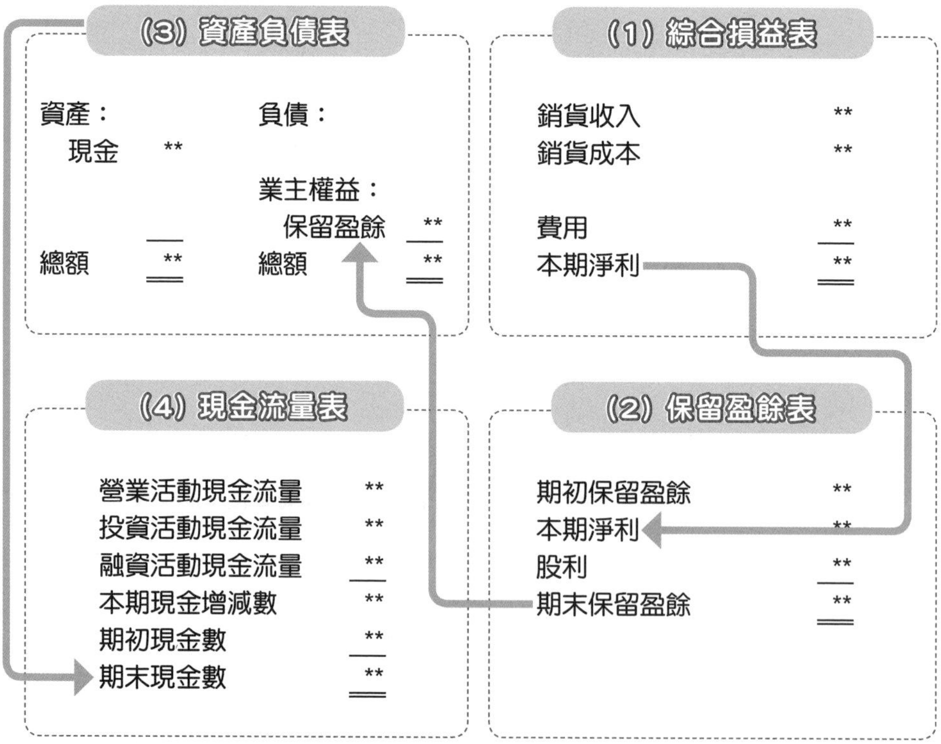

(3) 資產負債表

資產：		負債：	
現金	**		
		業主權益：	
		保留盈餘	**
總額	**	總額	**

(1) 綜合損益表

銷貨收入	**
銷貨成本	**
費用	**
本期淨利	**

(4) 現金流量表

營業活動現金流量	**
投資活動現金流量	**
融資活動現金流量	**
本期現金增減數	**
期初現金數	**
期末現金數	**

(2) 保留盈餘表

期初保留盈餘	**
本期淨利	**
股利	**
期末保留盈餘	**

2-5 會計項目、借貸法則及財務報表關聯性

從下圖所示，當會計交易發生時，應先放入會計恆等式中，並找出適用之會計項目及其適用之借貸法則，以期會計恆等式符合此會計交易，之後即可得出資產負債表、損益表、保留盈餘表及現金流量表，而財務報表之關聯性為損益表之本期淨利會流入保留盈餘表中，而保留盈餘表之期末保留盈餘將會列入資產負債表中股東權益中之保留盈餘科目。而資產負債表之現金應列入現金流量表之期末現金數。

財務報表、會計項目與借貸法則之關聯圖

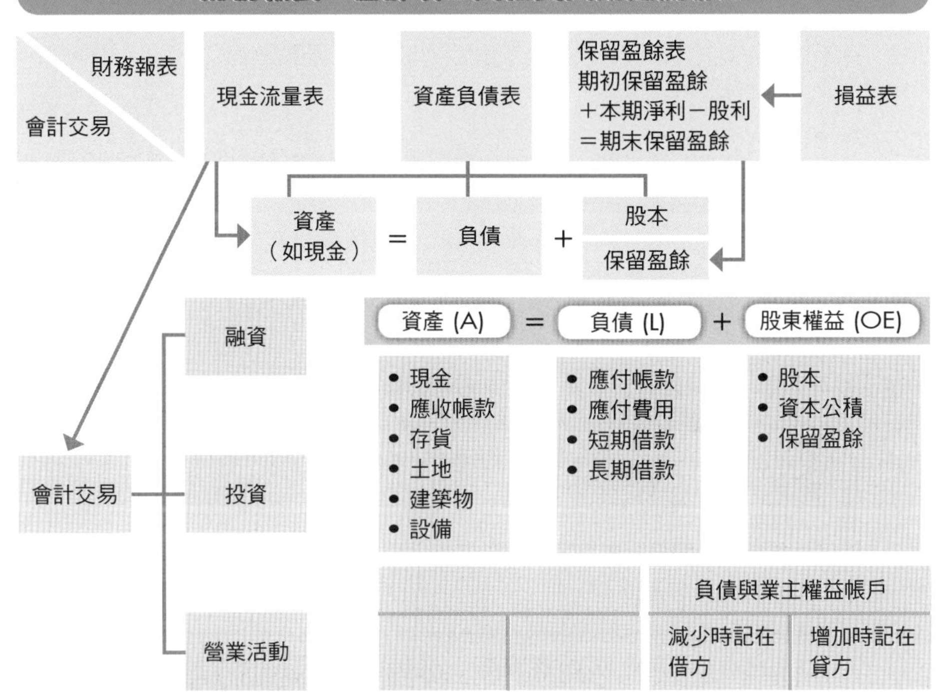

會計項目與借貸法則表

資產類科目		負債類科目		業主權益類科目				
（借）增加	（貸）減少	（借）減少	（貸）增加	（借）減少		（貸）增加		實帳戶
				費用類科目		收益類科目		
				（借）增加	（貸）減少	（借）減少	（貸）增加	虛帳戶

證券發行人財務報告編製準則及商業會計法之規定

證券發行人財務報告編製準則　第一節　資產負債表　第 9 條

資產應作適當之分類。流動資產與非流動資產應予以劃分。但如按流動性之順序表達所有資產能提供可靠而更攸關之資訊者，不在此限。

各資產項目預期於資產負債表日後十二個月內回收之總金額，及超過十二個月後回收之總金額，應分別在財務報告表達或附註揭露。

流動資產係指企業預期於其正常營業週期中實現該資產，或意圖將其出售或消耗；主要為交易目的而持有該資產；預期於資產負債表日後十二個月內實現該資產；現金或約當現金，但不包括於資產負債表日後逾十二個月用以交換、清償負債或受有其他限制者。

流動資產至少應包括下列各項目：

一、現金及約當現金：

（一）庫存現金、活期存款及可隨時轉換成定額現金且價值變動風險甚小之短期並具高度流動性之定期存款或投資。

（二）發行人應揭露現金及約當現金之組成部分，及其用以決定該組成項目之政策。

二、透過損益按公允價值衡量之金融資產－流動：

（一）持有供交易之金融資產：

1. 取得之主要目的為短期內出售。
2. 於原始認列時即屬合併管理之可辨認金融工具組合之一部分，且有證據顯示近期該組合為短期獲利之操作模式。
3. 除財務保證合約或被指定且為有效避險工具外之衍生金融資產。

（二）除依避險會計指定為被避險項目外，原始認列時被指定為透過損益按公允價值衡量之金融資產。

（三）透過損益按公允價值衡量之金融資產應按公允價值衡量。

三、備供出售金融資產－流動：

（一）非衍生金融資產且被指定為備供出售。

（二）非衍生金融資產且非屬下列金融資產：

1. 透過損益按公允價值衡量之金融資產。
2. 持有至到期日金融資產。
3. 以成本衡量之金融資產。
4. 無活絡市場之債務工具投資。
5. 應收款。

（三）備供出售金融資產應按公允價值衡量。

四、避險之衍生金融資產－流動：依避險會計指定且為有效避險工具之衍生金融資產，應以公允價值衡量。

五、以成本衡量之金融資產－流動，指同時符合下列條件者：

（一）持有無活絡市場公開報價之權益工具投資，或與此種無活絡市場公開報價權益工具連結且須以交付該等權益工具交割之衍生工具。

（二）公允價值無法可靠衡量。

六、無活絡市場之債務工具投資－流動：

（一）無活絡市場公開報價，且具固定或可決定收取金額之債務工具投資，且同時符合下列條件者：

1. 未分類為透過損益按公允價值衡量。
2. 未指定為備供出售。
3. 未因信用惡化以外之因素，致持有人可能無法回收幾乎所有之原始投資。

（二）無活絡市場之債務工具投資應以攤銷後成本衡量。

七、應收票據，指應收之各種票據：

（一）應收票據應以有效利息法之攤銷後成本衡量。但未附息之短期應收票據若折現之影響不大，得以原始發票金額衡量。

（二）應收票據業經貼現或轉讓者，應就該應收票據之風險及報酬與控制之保留程度，評估是否符合國際會計準則第三十九號除列條件，並應依國際財務報導準則第七號規定揭露。

（三）因營業而發生之應收票據，應與非因營業而發生之其他應收票據分別列示。

（四）金額重大之應收關係人票據，應單獨列示。

（五）提供擔保之票據，應於附註中說明。

（六）資產負債表日應評估應收票據無法收現之金額，提列適當之備抵呆帳。

八、應收帳款，指因出售商品或勞務而發生之債權：

（一）應收帳款應以有效利息法之攤銷後成本衡量。但未付息之短期應收帳款若折現之影響不大，得以原始發票金額衡量。

（二）應收帳款業經貼現或轉讓者，應就該應收帳款之風險及報酬與控制之保留程度，評估是否符合國際會計準則第三十九號除列條件，並應依國際財務報導準則第七號規定揭露。

（三）金額重大之應收關係人帳款，應單獨列示。

（四）資產負債表日應評估應收帳款無法收現之金額，提列適當之備抵呆帳。

（五）分期付款銷貨之未實現利息收入，應列為應收帳款之減項。款項收回期間超過一年部分，並應附註說明各年度預期收回之金額。

（六）設定擔保應收帳款應於附註中揭露。

九、其他應收款，指不屬於應收票據、應收帳款之其他應收款項：

（一）資產負債表日應評估其他應收款無法收回之金額，提列適當之備抵呆帳。

（二）備抵呆帳應分別列為應收票據、應收帳款及其他應收款之減項。各該項目如為更明細之劃分者，備抵呆帳亦比照分別列示。

十、本期所得稅資產：與本期及前期有關之已支付所得稅金額超過該等期間應付金額之部分。

十一、存貨：

（一）符合下列任一條件之資產：

1. 持有供正常營業過程出售者。

2. 正在製造過程中以供正常營業過程出售者。

3. 將於製造過程或勞務提供過程中消耗之原料或物料（耗材）。

（二）存貨之會計處理，應依國際會計準則第二號規定辦理。

（三）存貨應以成本與淨變現價值孰低衡量，當存貨成本高於淨變現價值時，應將成本沖減至淨變現價值，沖減金額應於發生當期認列為銷貨成本。

（四）存貨有提供作質、擔保或由債權人監視使用等情事，應予註明。

十二、預付款項：包括預付費用及預付購料款等。

十三、待出售非流動資產：

（一）指依出售處分群組之一般條件及商業慣例，於目前狀態下，可供立即出售，且其出售必須為高度很有可能之非流動資產或待出售處分群組內之資產。

（二）待出售非流動資產及待出售處分群組之衡量、表達與揭露，應依國際財務報導準則第五號規定辦理。

（三）分類為待出售之資產或處分群組於不符合國際財務報導準則第五號規定條件時，應停止將該資產或處分群組分類為待出售。

十四、其他流動資產：不能歸屬於以上各類之流動資產。

非流動資產係指流動資產以外，具長期性質之有形、無形資產及金融資產。非流動資產至少應包括下列各項目：

一、持有至到期日金融資產－非流動：

（一）指具有固定或可決定之付款金額及固定到期日，且企業有積極意圖及能力持有至到期日之非衍生金融資產。但下列項目除外：

1. 原始認列時指定為透過損益按公允價值衡量。

2. 指定為備供出售。

3. 符合放款及應收款定義。

（二）持有至到期日金融資產應以攤銷後成本衡量。

二、採用權益法之投資：

（一）採用權益法之投資之評價及表達應依國際會計準則第二十八號規定辦理。

（二）認列投資損益時，關聯企業編製之財務報告若未符合本準則，應先按本準則調整後，再據以認列投資損益，採用權益法所用之關聯企業財務報告日期應與投資者相同，若有不同時，應對關聯企業財務報告日期與投資者財務報告日期間所發生之重大交易或事件之影響予以調整，在任何情況下，關聯企業與投資者之資產負債表日之差異不得超過三個月。若會計師依審計準則公報第五十一號規定判斷關聯企業對投資者財務報告公允表達影響重大者，關聯企業之財務報告應經會計師依照「會計師查核簽證財務報表規則」與一般公認審計準則之規定辦理查核。

（三）採用權益法之投資有提供作質，或受有約束、限制等情事者，應予註明。

三、不動產、廠房及設備：

（一）指用於商品或勞務之生產或提供、出租予他人或供管理目的而持有，且預期使用期間超過一個會計年度之有形資產項目。

（二）不動產、廠房及設備之後續衡量應採成本模式，其會計處理應依國際會計準則第十六號規定辦理。

（三）不動產、廠房及設備之各項組成若屬重大，應單獨提列折舊。

（四）不動產、廠房及設備具有不同耐用年限，或以不同方式提供經濟效益，或適用不同折舊方法、折舊率者，應在附註中分別列示重大組成部分之類別。

四、投資性不動產：

（一）指為賺取租金或資本增值或兩者兼具，而由所有者或融資租賃之承租人所持有之不動產。

（二）投資性不動產之會計處理應依國際會計準則第四十號規定辦理，後續衡量採用公允價值模式者，應依下列規定辦理：

1. 公允價值之評價應採收益法。但未開發之土地無法以收益法評價者，應採用土地開發分析法。

2. 採收益法評價應依下列規定辦理：

（1）現金流量：應依現行租賃契約、當地租金或市場相似比較標的租金行情評估，並排除過高或過低之比較標的，有期末價值者，得加計該期末價值之現值。

（2）分析期間：收益無一定期限者，分析期間以不逾十年為原則，收益有特定期限者，則應依剩餘期間估算。

（3）折現率：限採風險溢酬法，以一定利率為基準，加計投資性不動產之個別特性估算。所稱一定利率為基準，不得低於中華郵政股份有限公司牌告二年期郵政定期儲金小額存款機動利率加三碼。

3. 公允價值之評價應依下列規定辦理：

（1）持有投資性不動產單筆金額未達實收資本額百分之二十及新臺幣三億元者，得採自行估價或委外估價。

（2）持有投資性不動產單筆金額達實收資本額百分之二十或新臺幣三億元以上者，應取得專業估價師出具之估價報告，或自行估價並請會計師就合理性出具複核意見。

（3）持有投資性不動產單筆金額達總資產百分之十以上者，應取具二家以上專業估價師出具之估價報告，或取具聯合估價師事務所二位估價師出具之估價報告，或取具一位專業估價師出具之估價報告，並請會計師就合理性出具複核意見。

4. 發行人應於資產負債表日依下列規定檢討評估公允價值之有效性，以決定是否重新出具估價報告，達本目之3、（2）、（3）標準者均應至少每年取具專業估價師估價報告及會計師合理性複核意見：

（1）採委外估價者，應請估價師檢視原估價報告，或請會計師就原委外估價報告之有效性出具複核意見。

（2）採自行估價並請會計師就合理性出具複核意見者，應請會計師就原自行估價報告之有效性出具複核意見。

（3）未達本準則規定應委外估價或請會計師複核之標準，並採自行估價者，得自行評估原估價報告之有效性，或請會計師就原自行估價報告之有效性出具複核意見。

（三）投資性不動產後續衡量採公允價值模式者，其揭露除依國際會計準則第四十號規定辦理外，應於附註揭露下列資訊：

1. 勘估標的之現行租賃契約重要條款、當地租金行情及市場相似比較標的評估租金行情。
2. 投資性不動產目前狀態、過去收益之數額及變動狀態、目前合理淨收益推估之依據及理由。
3. 未來各期現金流入與現金流出之變動狀態如何決定及決定之依據。
4. 收益資本化率或折現率之調整及決定之依據及理由。
5. 收益價值推估過程、引用計算參數及估價結果之適當及合理性說明。
6. 採土地開發分析法之理由、土地開發分析計畫重點、總體經濟情形之預估、估計銷售總金額、利潤率及資本利息綜合利率。前揭資訊與前期如有重大差異時，應說明理由及其對公允價值之影響。
7. 採委外估價者，應揭露委外估價之估價事務所、估價師姓名及估價日期。經會計師出具合理性複核意見者，應揭露複核會計師及所屬事務所之名稱、複核結論及複核報告日等資訊。
8. 應分別揭露委外估價與自行估價之公允價值評價結果。經會計師就合理性出具複核意見者，應予註明。

（四）公允價值採委外估價者，應由具備我國不動產估價師資格且符合下列條件之估價師進行估價，並應遵循不動產估價師法、不動產估價技術規則等相關規定，及參考財團法人中華民國會計研究發展基金會（以下簡稱會計基金會）發布之相關評價準則公報辦理：

1. 須具備四年以上之不動產估價實務經驗，如具備不動產估價相當科系畢業領有畢業證書，須具備三年以上之不動產估價實務經驗。
2. 未曾因不動產估價業務上有關詐欺、背信、侵占、偽造文書等犯罪行為，經法院判決有期徒刑以上之罪。
3. 最近三年無票信債信不良紀錄及最近五年無遭受不動產估價師懲戒委員會懲戒之紀錄。
4. 不得為發行人之關係人或有實質關係人之情形。

（五）公允價值採自行估價者，除依本準則規定外，應參考會計基金會發布之相關評價準則公報，並依下列規定辦理：

1. 建立估價之作業流程並納入內部控制制度，包括估價人員之專業資格與條件、取得及分析資訊、評估價值、估價報告之製作及相關文件之保存。
2. 估價報告之內容應列示所依據資訊及結論之理由，並由權責人員簽章，其內容至少應包括勘估標的之基本資料、估價基準日、標的物區域內不動產交易之比較實例、估價之假設及限制條件、估價方法及估價執行流程、估價結論及估價報告日等。

（六）具備會計師法規定執業資格之會計師就發行人委外估價或自行估價報告之合理性出具複核意見者，應符合下列條件：

1. 具備四年以上辦理發行人財務報告查核簽證之經驗，或具備四年以上辦理財務報告查核簽證之經驗並參加評價相關訓練達九十小時以上且取得及格證書。
2. 未曾因辦理發行人財務報告查核簽證或出具不動產估價合理性複核意見業務上有關詐欺、背信、侵占、偽造文書等犯罪行為，經法院判決有期徒刑以上之罪。

3. 最近三年無票信債信不良紀錄及最近五年無遭受會計師懲戒委員會懲戒之紀錄。

4. 不得為發行人、出具估價報告之估價師或於發行人自行估價報告簽章之權責人員之關係人或有實質關係人之情形，或為發行人財務報告之簽證會計師。

（七）會計師就發行人委外估價或自行估價報告之合理性出具複核意見者，應依本準則及下列規定辦理：

1. 承接案件前應審慎評估專業能力與訓練、實務經驗及獨立性。執行複核案件前應充分瞭解財務報告編製相關法令、國際財務報導準則及不動產估價等與所複核案件相關之規定，並不得接受委任提出公允價值結論。

2. 進行複核案件應妥善規劃及執行適當作業流程，以形成結論並據以出具複核意見書；相關執行程序、蒐集資料及作成結論應詳實登載於複核案件工作底稿。

3. 執行複核程序時，應就估價報告之範圍、所使用之資料來源、估價所使用參數及估價方法、估價所採用之資訊及所執行之調查、估價人員所作各項調整、估價推論過程等事項逐項評估其完整性、正確性及合理性，並確認符合本準則及相關法令規定。複核發行人自行估價報告時應另就發行人自行估價之作業流程等內部控制制度設計與執行之有效性逐項分析。

4. 發行人委外估價或自行估價報告使用假設、估計、參數或土地開發分析使用資訊與前期有重大差異時，應予分析確定有合理依據，與不動產估價師或自行估價人員有不同意見者，應提出理由。

5. 複核報告內容至少應包括委任人、複核會計師及所屬事務所之名稱及地址、複核之目的及用途、複核案件之重大假設及限制、所執行複核工作之範圍、複核程序所採用之主要資訊、複核結論、複核報告日等，並聲明複核意見真實且正確、具備專業性與獨立性及遵循主管法令規定等事項。

（八）發行人之子公司持有投資性不動產者，亦應依本款規定辦理。

（九）發行人股票無面額或每股面額非屬新臺幣十元者，本款第二目之 3 有關單筆投資性不動產金額達實收資本額百分之二十之估價標準，以資產負債表歸屬於母公司業主之權益百分之十計算之。

五、無形資產：

（一）指無實體形式之可辨認非貨幣性資產，並同時符合具有可辨認性、可被企業控制及具有未來經濟效益。

（二）無形資產之後續衡量應採成本模式，其會計處理應依國際會計準則第三十八號規定辦理。

六、生物資產：指與農業活動有關具生命之動物或植物，生物資產之會計處理應依國際會計準則第四十一號規定辦理。

七、遞延所得稅資產：指與可減除暫時性差異、未使用課稅損失遞轉後期及未使用所得稅抵減遞轉後期有關之未來期間可回收所得稅金額。

八、其他非流動資產：不能歸類於以上各類之非流動資產。探勘及評估資產之後續衡量應採成本模式，其會計處理應依國際財務報導準則第六號規定辦理。

前二項有關透過損益按公允價值衡量之金融資產、避險之衍生金融資產、備供出售金融資產、以成本衡量之金融資產、無活絡市場之債務工具投資、持有至到期日金融資產、應收票據、應收帳款、其他應收款項目之會計處理，應依國際會計準則第三十九號規定辦理。

發行人應於資產負債表日對第三項及第四項有關備供出售金融資產、以成本衡量之金融資產、無活絡市場之債務工具投資、持有至到期日金融資產、應收票據、應收帳款、其他應收款、採用權益法之投資、不動產、廠房及設備、採成本模式衡量之投資性不動產、無形資產、探勘及評估資產等項目評估是否有減損之客觀證據，若存在此類證據，應依國際會計準則第三十九號及第三十六號規定，認列減損損失金額。

第三項及第四項有關透過損益按公允價值衡量之金融資產、避險之衍生金融資產、備供出售金融資產、無活絡市場之債務工具投資、持有至到期日金融資產、應收票據、應收帳款、其他應收款、待出售非流動資產、投資性不動產、生物資產等項目有關公允價值之衡量及揭露，應依國際財務報導準則第十三號規定辦理。

第三項及第四項有關透過損益按公允價值衡量之金融資產、避險之衍生金融資產、備供出售金融資產、以成本衡量之金融資產、無活絡市場之債務工具投資、持有至到期日金融資產、生物資產等項目，應依流動性區分為流動與非流動。

● 證券發行人財務報告編製準則　第一節　資產負債表　第 10 條

負債應作適當之分類。流動負債與非流動負債應予以劃分。但如按流動性之順序表達所有負債能提供可靠而更攸關之資訊者，不在此限。

各負債項目預期於資產負債表日後十二個月內清償之總金額，及超過十二個月後清償之總金額，應分別在財務報告表達或附註揭露。

流動負債係指企業預期於其正常營業週期中清償該負債；主要為交易目的而持有該負債；預期於資產負債表日後十二個月內到期清償該負債，即使於資產負債表日後至通過財務報告前已完成長期性之再融資或重新安排付款協議；企業不能無條件將清償期限遞延至資產負債表日後至少十二個月之負債，負債之條款可能依交易對方之選擇，以發行權益工具而導致其清償者，並不影響其分類。流動負債至少應包括下列各項目：

一、短期借款：

（一）包括向銀行短期借入之款項、透支及其他短期借款。

（二）短期借款應依借款種類註明借款性質、保證情形及利率區間，如有提供擔保品者，應註明擔保品名稱及帳面金額。

（三）向金融機構、股東、員工、關係人及其他個人或機構之借入款項，應分別註明。

二、應付短期票券：

（一）為自貨幣市場獲取資金，而委託金融機構發行之短期票券，包括應付商業本票及銀行承兌匯票等。

（二）應付短期票券應以有效利息法之攤銷後成本衡量。但未付息之短期應付短期票券若折現之影響不大，得以原始票面金額衡量。

（三）應付短期票券應註明保證、承兌機構及利率，如有提供擔保品者，應註明擔保品名稱及帳面金額。

三、透過損益按公允價值衡量之金融負債－流動：

（一）持有供交易之金融負債：

1. 其發生主要目的為短期內再買回。
2. 於原始認列時即屬合併管理之可辨認金融工具組合之一部分，且有證據顯示近期該組合為短期獲利之操作模式。
3. 除財務保證合約或被指定且為有效避險工具外之衍生金融負債。

（二）除依避險會計指定為被避險項目外，原始認列時被指定透過損益按公允價值衡量之金融負債。

（三）透過損益按公允價值衡量之金融負債應按公允價值衡量。但指定為透過損益按公允價值衡量之金融負債，其公允價值變動金額屬信用風險所產生者，除避免會計配比不當之情形或屬放款承諾及財務保證合約須認列於損益外，應認列於其他綜合損益。

四、避險之衍生金融負債－流動：依避險會計指定且為有效避險工具之衍生金融負債，應以公允價值衡量。

五、以成本衡量之金融負債－流動：與無活絡市場公開報價之權益工具連結，並以交付該權益工具交割之衍生工具負債，且其公允價值無法可靠衡量者。

六、應付票據，指應付之各種票據：

（一）應付票據應以有效利息法之攤銷後成本衡量。但未付息之短期應付票據若折現之影響不大，得以原始發票金額衡量。

（二）因營業而發生與非因營業而發生之應付票據，應分別列示。

（三）金額重大之應付銀行、關係人票據，應單獨列示。

（四）已提供擔保品之應付票據，應註明擔保品名稱及帳面金額。

（五）存出保證用之票據，於保證之責任終止時可收回註銷者，得不列為流動負債，但應於財務報告附註中說明保證之性質及金額。

七、應付帳款：

（一）因賒購原物料、商品或勞務所發生之債務。

（二）應付帳款應以有效利息法之攤銷後成本衡量。但未付息之短期應付帳款若折現之影響不大，得以原始發票金額衡量。

（三）因營業而發生之應付帳款，應與非因營業而發生之其他應付款項分別列示。

（四）金額重大之應付關係人款項，應單獨列示。

（五）已提供擔保品之應付帳款，應註明擔保品名稱及帳面金額。

八、其他應付款：不屬於應付票據、應付帳款之其他應付款項，如應付稅捐、薪工及股利等。經股東會決議通過之應付股息紅利，如已確定分派辦法及預定支付日期者，應加以揭露。

九、本期所得稅負債：指尚未支付之本期及前期所得稅。

十、負債準備－流動：

（一）指不確定時點或金額之負債。

（二）負債準備之會計處理應依國際會計準則第三十七號規定辦理。

（三）負債準備應於發行人因過去事件而負有現時義務，且很有可能需要流出具經濟效益之資源以清償該義務，及該義務之金額能可靠估計時認列。

（四）發行人應於附註中將負債準備區分為員工福利負債準備及其他項目。

十一、與待出售非流動資產直接相關之負債：指依出售處分群組之一般條件及商業慣例，於目前狀態下，可供立即出售，且其出售必須為高度很有可能之待出售處分群組內之負債。

十二、其他流動負債：不能歸屬於以上各類之流動負債。

非流動負債係指非屬流動負債之其他負債，至少應包括下列各項目：

一、應付公司債（含海外公司債）：發行人發行之債券。

（一）發行債券須於附註內註明核定總額、利率、到期日、擔保品名稱、帳面金額、發行地區及其他有關約定限制條款等。如所發行之債券為轉換公司債者，並應註明轉換辦法及已轉換金額。

（二）應付公司債之溢價、折價為應付公司債之評價項目，應列為應付公司債之加項或減項，並按有效利息法，於債券流通期間內加以攤銷，作為利息費用之調整項目。

二、長期借款：

（一）包括長期銀行借款及其他長期借款或分期償付之借款等。長期借款應註明其內容、到期日、利率、擔保品名稱、帳面金額及其他約定重要限制條款。

（二）長期借款以外幣或按外幣兌換率折算償還者，應註明外幣名稱及金額。

（三）向股東、員工及關係人借入之長期款項，應分別註明。

（四）長期應付票據及其他長期應付款項應以有效利息法之攤銷後成本衡量。

三、遞延所得稅負債：指與應課稅暫時性差異有關之未來期間應付所得稅金額。

四、其他非流動負債：不能歸屬於以上各類之非流動負債。

前二項有關透過損益按公允價值衡量之金融負債、避險之衍生金融負債、以成本衡量之金融負債、應付票據、應付帳款、其他應付款項目之會計處理，應依國際會計準則第三十九號規定辦理。

第三項及第四項有關透過損益按公允價值衡量之金融負債、避險之衍生金融負債、應付票據、應付帳款、其他應付款、與待出售非流動資產直接相關之負債、應付公司債、長期借款等項目有關公允價值之衡量及揭露，應依國際財務報導準則第十三號規定辦理。

第三項及第四項有關透過損益按公允價值衡量之金融負債、避險之衍生金融負債、以成本衡量之金融負債、負債準備等項目，應依流動性區分為流動與非流動。

● 證券發行人財務報告編製準則　第一節　資產負債表　第 **11** 條

資產負債表之權益項目與其內涵及應揭露事項如下：

一、歸屬於母公司業主之權益：

（一）股本：

1. 股東對發行人所投入之資本，並向公司登記主管機關申請登記者。但不包括符合負債性質之特別股。
2. 股本之種類、每股面額、額定股數、已發行且付清股款之股數、期初與期末流通在外股數之調節表、各類股本之權利、優先權及限制、由發行人或由其子公司或關聯企業持有發行人之股份、保留供選擇權與股票銷售合約發行（轉讓、轉換）之股份及特別條件等，均應附註揭露。

3. 發行可轉換特別股及海外存託憑證者，應揭露發行地區、發行及轉換辦法、已轉換金額及特別條件。

（二）資本公積：指發行人發行金融工具之權益組成部分及發行人與業主間之股本交易所產生之溢價，通常包括超過票面金額發行股票溢價、受領贈與之所得及其他依本準則相關規範所產生者等。資本公積應按其性質分別列示，其用途受限制者，應附註揭露受限制情形。

（三）保留盈餘（或累積虧損）：由營業結果所產生之權益，包括法定盈餘公積、特別盈餘公積及未分配盈餘（或待彌補虧損）等。

1. 法定盈餘公積：依公司法之規定應提撥定額之公積。
2. 特別盈餘公積：因有關法令、契約、章程之規定或股東會決議由盈餘提撥之公積。
3. 未分配盈餘（或待彌補虧損）：尚未分配亦未經指撥之盈餘（未經彌補之虧損為待彌補虧損）。
4. 盈餘分配或虧損彌補，應俟股東大會決議後方可列帳。但有盈餘分配或虧損彌補之議案者，應於當期財務報告附註揭露。

（四）其他權益：包括國外營運機構財務報表換算之兌換差額、備供出售金融資產未實現損益、現金流量避險中屬有效避險部分之避險工具利益及損失、重估增值等累計餘額。

（五）庫藏股票：庫藏股票應按成本法處理，列為權益減項，並註明股數。

二、非控制權益：

（一）指子公司之權益中非直接或間接歸屬於母公司之部分。

（二）企業於併購時，有關被併購者之非控制權益組成部分，應依國際財務報導準則第三號規定衡量。

（三）發行人應依國際財務報導準則第十二號規定揭露具重大性之非控制權益之子公司及該非控制權益等資訊。

發行人得選擇將確定福利計畫之再衡量數認列於保留盈餘或其他權益並於附註中揭露。確定福利計畫之再衡量數認列於其他權益者，後續期間不得重分類至損益或轉入保留盈餘。

● 證券發行人財務報告編製準則　第二節　綜合損益表　第 **12** 條

發行人應將某一期間認列之所有收益及費損項目表達於單一綜合損益表，其內容包含損益之組成部分及其他綜合損益之組成部分。

前項認列於損益之收入及費用應以功能別為分類基礎，並揭露性質別之額外資訊，包括折舊與攤銷費用及員工福利費用等。

當收益或費損項目重大時，發行人應於綜合損益表或附註中單獨揭露其性質及金額。

綜合損益表至少包括下列項目：

一、收入：
（一）營業收入：包括商品銷售收入及勞務提供收入等。
（二）其他收入：包括他人使用企業資產產生之利息、權利金及股利收入等。
（三）收入之認列及衡量應依國際會計準則第十八號規定辦理。
（四）建造合約收入之認列與衡量應依國際會計準則第十一號規定辦理，發行人應將因合約工作應向客戶收取之帳款總額列報為資產，及因合約工作應支付予客戶之帳款總額列報為負債。

二、營業成本：本期內因商品銷售或勞務提供等所應負擔之成本。

三、財務成本：包括各類負債之利息、公允價值避險工具與調整被避險項目之損益、現金流量避險工具公允價值變動自權益分類至損益等項目，扣除符合資本化部分。

四、採用權益法認列之關聯企業及合資損益之份額：發行人按其所享有關聯企業及合資權益之份額，以權益法認列關聯企業及合資權益之損益。

五、所得稅費用（利益）：指包含於決定本期損益中，與當期所得稅及遞延所得稅有關之彙總數。

六、停業單位損益：
（一）指停業單位之稅後損益，及構成停業單位之資產或處分群組於按公允價值減出售成本衡量時或於處分時所認列之稅後利益或損失。
（二）停業單位損益之表達與揭露應依國際財務報導準則第五號規定辦理。

七、當期損益：本報導期間之盈餘或虧損。

八、其他綜合損益，係按性質分類之其他綜合損益之各組成部分，包括採用權益法認列之關聯企業及合資之其他綜合損益份額：
（一）後續可能重分類至損益之項目：包括國外營運機構財務報表換算之兌換差額、備供出售金融資產未實現評價損益、現金流量避險中屬有效避險部分之避險工具利益及損失等。
（二）不重分類至損益之項目：包括重估增值、確定福利計畫之再衡量數等。

九、綜合損益總額。

十、本期損益歸屬於非控制權益及母公司業主之分攤數。

十一、本期綜合損益總額歸屬於非控制權益及母公司業主之分攤數。

十二、每股盈餘：
（一）歸屬於母公司普通股權益持有人之繼續營業單位損益及歸屬於母公司普通股權益持有人之損益之基本與稀釋每股盈餘。
（二）每股盈餘之計算及表達，應依國際會計準則第三十三號規定辦理。

第三節　權益變動表　第 **13** 條

權益變動表至少應包括下列內容：

一、本期綜合損益總額，並分別列示歸屬於母公司業主之總額及非控制權益之總額。

二、各權益組成部分依國際會計準則第八號所認列追溯適用或追溯重編之影響。

三、各權益組成部分期初與期末帳面金額間之調節，並單獨揭露來自下列項目之變動：
（一）本期淨利（或淨損）。
（二）其他綜合損益。
（三）與業主（以其業主之身分）之交易，並分別列示業主之投入及分配予業主，以及未導致喪失控制之對子公司所有權權益之變動。
發行人應於權益變動表或附註中，表達本期認列為分配予業主之股利金額及其相關之每股股利金額。

◎第四節　現金流量表　第 14 條

現金流量表係提供報表使用者評估發行人產生現金及約當現金之能力，以及發行人運用該等現金流量需求之基礎，即以現金及約當現金流入與流出，彙總說明企業於特定期間之營業、投資及籌資活動，其表達與揭露應依國際會計準則第七號規定辦理。

◎商業會計法　第 10 條（會計基礎）

會計基礎採用權責發生制；在平時採用現金收付制者，俟決算時，應照權責發生制予以調整。
所謂權責發生制，係指收益於確定應收時，費用於確定應付時，即行入帳。決算時收益及費用，並按其應歸屬年度作調整分錄。
所稱現金收付制，係指收益於收入現金時，或費用於付出現金時，始行入帳。

◎商業會計法　第 28 條（財務報表之分類）

財務報表包括下列各種：
一、資產負債表。
二、綜合損益表。
三、現金流量表。
四、權益變動表。
前項各款報表應予必要之附註，並視為財務報表之一部分。

◎第六章　認列與衡量　第 41 條

資產及負債之原始認列，以成本衡量為原則。

◎第 41-1 條

資產、負債、權益、收益及費損，應符合下列條件，始得認列為資產負債表或綜合損益表之會計項目：
一、未來經濟效益很有可能流入或流出商業。
二、項目金額能可靠衡量。

◎第 41-2 條

商業在決定財務報表之會計項目金額時，應視實際情形，選擇適當之衡量基礎，包括歷史成本、公允價值、淨變現價值或其他衡量基礎。

◎第 42 條

資產之取得，係由非貨幣性資產交換而來者，以公允價值衡量為原則。但公允價值無法可靠衡量時，以換出資產之帳面金額衡量。受贈資產按公允價值入帳，並視其性質列為資本公積、收入或遞延收入。

◎第 43 條

存貨成本計算方法得依其種類或性質，採用個別認定法、先進先出法或平均法。存貨以成本與淨變現價值孰低衡量，當存貨成本高於淨變現價值時，應將成本沖減至淨變現價值，沖減金額應於發生當期認列為銷貨成本。

◎第 44 條

金融工具投資應視其性質採公允價值、成本或攤銷後成本之方法衡量。
具有控制能力或重大影響力之長期股權投資，採用權益法處理。

◎第 45 條

應收款項之衡量應以扣除估計之備抵呆帳後之餘額為準，並分別設置備抵呆帳項目；其已確定為呆帳者，應即以所提備抵呆帳沖轉有關應收款項之會計項目。因營業而發生之應收帳款及應收票據，應與非因營業而發生之應收帳款及應收票據分別列示。

◎第 46 條

折舊性資產，應設置累計折舊項目，列為各該資產之減項。資產之折舊，應逐年提列。資產計算折舊時，應預估其殘值，其依折舊方法應先減除殘值者，以減除殘值後之餘額為計算基礎。資產耐用年限屆滿，仍可繼續使用者，得就殘值繼續提列折舊。

◎第 47 條

資產之折舊方法，以採用平均法、定率遞減法、年數合計法、生產數量法、工作時間法或其他經主管機關核定之折舊方法為準；資產種類繁多者，得分類綜合計算之。

◎第 48 條

支出之效益及於以後各期者，列為資產。其效益僅及於當期或無效益者，列為費用或損失。

◎第 49 條

遞耗資產，應設置累計折耗項目，按期提列折耗額。

◎第 50 條

購入之商譽、商標權、專利權、著作權、特許權及其他無形資產，應以實際成本為取得成本。前項無形資產自行發展取得者，以登記或創作完成時之成本作為取得成本，其後之研究發展支出，應作為當期費用。但中央主管機關另有規定者，不在此限。

◎第 51 條

商業得依法令規定辦理資產重估價。

◎第 52 條

依前條辦理重估或調整之資產而發生之增值，應列為未實現重估增值。經重估之資產，應按其重估後之價額入帳，自重估年度翌年起，其折舊、折耗或攤銷之計提，均應以重估價值為基礎。

● 第 53 條

預付費用應為有益於未來，確應由以後期間負擔之費用，其衡量應以其有效期間未經過部分為準。

● 第 54 條

各項負債應各依其到期時應償付數額之折現值列計。但因營業或主要為交易目的而發生或預期在一年內清償者，得以到期值列計。公司債之溢價或折價，應列為公司債之加項或減項。

● 第 55 條

資本以現金以外之財物抵繳者，以該項財物之公允價值為標準；無公允價值可據時，得估計之。

● 第 56 條

會計事項之入帳基礎及處理方法，應前後一貫；其有正當理由必須變更者，應在財務報表中說明其理由、變更情形及影響。

● 第 57 條

商業在合併、分割、收購、解散、終止或轉讓時，其資產之計價應依其性質，以公允價值、帳面金額或實際成交價格為原則。

● 第七章　損益計算　第 58 條

商業在同一會計年度內所發生之全部收益，減除同期之全部成本、費用及損失後之差額，為本期綜合損益總額。

● 第 59 條

營業收入應於交易完成時認列。分期付款銷貨收入得視其性質按毛利百分比攤算入帳；勞務收入依其性質分段提供者得分段認列。前項所稱交易完成時，在採用現金收付制之商業，指現金收付之時而言；採用權責發生制之商業，指交付貨品或提供勞務完畢之時而言。

● 第 60 條

與同一交易或其他事項有關之收入及費用，應適當認列。

第 61 條

商業有支付員工退休金之義務者，應於員工在職期間依法提列，並認列為當期費用。

● 第 62 條

申報營利事業所得稅時，各項所得計算依稅法規定所作調整，應不影響帳面紀錄。

● 第 64 條

商業對業主分配之盈餘，不得作為費用或損失。但具負債性質之特別股，其股利應認列為費用。

● 商業會計法　第 65 條（決算）

商業之決算，應於會計年度終了後二個月內辦理完竣；必要時得延長二個半月。

◎商業會計法　第 **66** 條（決策報表）

商業每屆決算應編製下列報表：

一、營業報告書。

二、財務報表。

營業報告書之內容，包括經營方針、實施概況、營業計畫實施成果、營業收支預算執行情形、獲利能力分析、研究發展狀況等；其項目格式，由商業視實際需要訂定之。

決算報表應由代表商業之負責人、經理人及主辦會計人員簽名或蓋章負責。

第 3 章
會計循環

3-1 營業循環與會計循環

營業循環與會計循環因企業的經營性質可分為製造業、買賣業與服務業。

一、營業循環

一般而言，企業的營業活動包括投入現金購買商品，將商品售出而產生應收款項，最後將應收款項收現等過程。由於這些過程周而復始地不斷循環，因此稱為營業循環。而營業循環的內容可依營業性質的不同而有下列之循環過程：

(一)製造業：若屬製造業為企業以發行股份或借款所得之現金購買原物料，加以生產加工後，再將該存貨出售予客戶而轉換成應收帳款，最後向客戶將應收帳款收回現金。

(二)買賣業：若屬買賣業，為企業以發行股份或借款所得之現金購買商品存貨，再直接將該存貨出售予客戶而轉換成應收帳款，最後向客戶將應收帳款收回現金。

(三)服務業：若屬服務業為企業提供勞務而發生應收帳款，最後再向客戶將應收帳款收回現金。

二、會計循環

所謂會計循環是指分錄、過帳、試算、調整、結帳與編製財務報表之程序。一般上市上櫃公司採月結制，故此循環每月發生一次，而會計循環是要將企業之交易化成會計語言，並經過會計程序後，產生會計結果（即會計報表），此種程序如同電腦程序一樣，資料輸入電腦經中央處理後輸出結果。

三、會計基礎

要了解會計循環前，應先了解會計基礎。所謂會計基礎為會計交易時，入帳之時點。會計之基礎可分為下列三種：

(一)應計基礎：收入、費用、利得與損失之認列，以權責發生時，予以認列並入帳，而不論現金收付與否。一般公認會計原則（GAAP）皆以此基礎為認列原則，如出售商品時未收到錢，企業仍應以出售時認列銷貨收入，因為權利（向賣方收取款項）與義務（已提供賣方商品）已發生。

(二)現金基礎：以收付現金時，當作收入與費用之認列時點，但此原則不為一般公認會計原則所接受。如出售商品時，不於出售時認列銷貨收入，而等到企業收到貨款時，始認列銷貨收入。

(三)修正基礎：為便於某些行業，平時以現金基礎記錄交易，期末再調整為應計基礎。

各種行業營業循環圖

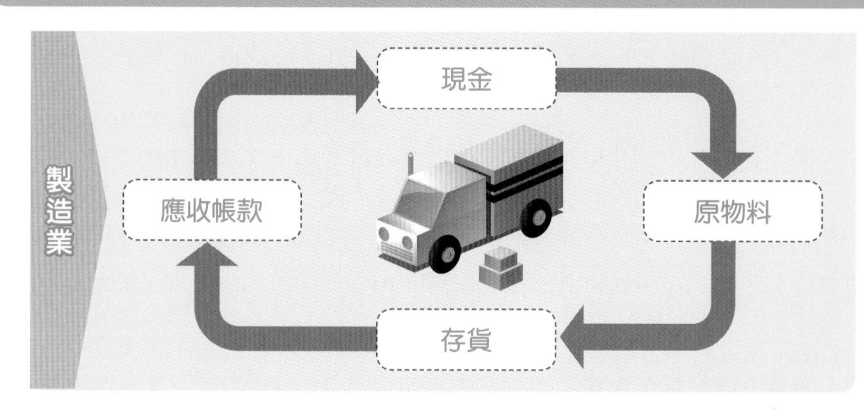

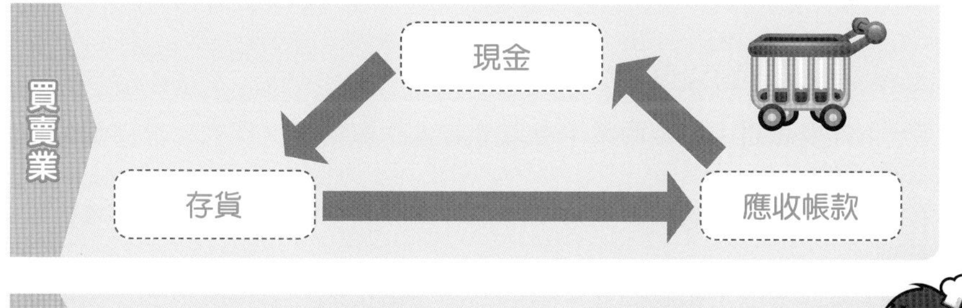

會計程序與電腦程序之關聯圖

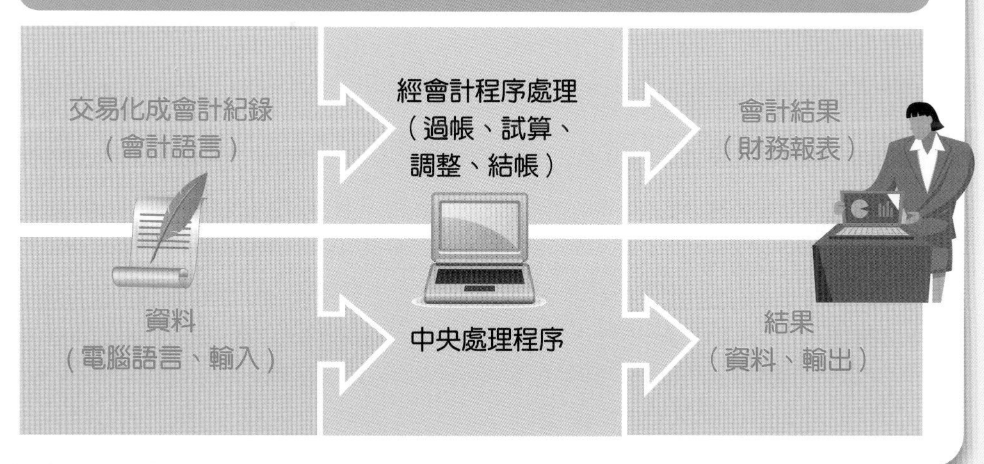

3-2 分錄（分解）

要了解分錄，應先了解會計科目與借貸法則，而分錄就是把交易化成會計語言並將之分解之過程。如企業購買汽車一輛，共計 $10,000，此交易化成會計語言，為：

（借）交通設備	10,000	
（貸）現金		10,000

由上述分錄而言，此企業交通設備（汽車）增加（資產借方）$10,000，而現金減少（資產貸方）$10,000，即企業購買汽車一輛，共計 $10,000，將此交易予以分解化成兩個會計科目——交通設備與現金，有借必有貸，借貸必相等。實務上作分錄，先要有交易憑證後，再將分錄記錄在記帳憑證中（傳票）。之後再轉入帳簿（日記帳）之中。但依商業會計法（第 16~21 條）之規定，其相關條文之內容如下：

一、交易之原始憑證種類（第 16 條）

(一) 外來憑證：自其商業本身以外之人所取得者。例如：得自他公司之發票或其他單據。

(二) 對外憑證：給與其商業本身以外之人者。如開給他公司之本公司發票或其他單據。

(三) 內部憑證：由其商業本身自行製存者。如計算折舊之表、內部轉撥計價表。

二、記帳憑證之種類（第 17 條）

(一) 收入傳票：記錄其交易之以現金收入為借方之分錄的憑證。

(二) 支出傳票：記錄其交易之以現金支出為貸方之分錄的憑證。

(三) 轉帳傳票：記錄其交易之非以現金收入為借方與以現金支出為貸方之分錄的憑證。

三、會計帳簿之種類（第 20 條、第 21 條）

(一) 序時帳簿：以交易發生之時間順序而記錄之帳簿。而其又分為下列兩種：

1. 普通序時帳簿：以一切交易且對特種序時帳之結餘數為序時登記而設立之帳簿。如日記帳等。

2. 特種序時帳簿：以特種交易為序時登記而設立之帳簿，如現金簿、銷貨簿、進貨簿等。

(二) 分類帳簿：以交易歸屬之會計科目而記錄之帳簿。

惟老師在教授學生時，常用：

2022 1/1 （借）XXXX（會計科目） *****（金額）
（貸）XXXX（會計科目） *****（金額）

來替代將分錄記在日記帳，且貸方會計科目會往後空兩格再開始書寫。

日記帳總類

二分法	1.現金簿				2.普通日記簿
四分法	1.現金簿		2.進貨簿	3.銷貨簿	4.普通日記簿
五分法	1.現金收入簿	2.現金支出簿	3.進貨簿	4.銷貨簿	5.普通日記簿
備註	特種日記簿				普通日記簿

日記帳之格式

現金收入簿 第 頁

年		會計科目	摘要	類頁	銀行存款	現金
月	日					

現金支出簿 第 頁

年		會計科目	摘要	類頁	銀行存款	現金
月	日					

進貨簿 第 頁

年		會計科目	摘要	類頁	現購	賒購
月	日					

銷貨簿 第 頁

年		會計科目	摘要	類頁	現銷	賒銷
月	日					

日記簿 第 頁

年		會計科目	摘要	類頁	借方金額	貸方金額
月	日					

3-3 過帳（結合）

過帳即是將記錄於日記帳之分錄（兩個會計科目）過帳至總分類帳之程序，就是將相同之會計科目各金額總結到一起之程序。因為所有交易經由分錄之方式予以分解為許多會計科目，再經由將相同會計科目之金額加減之過程，即可將所有交易化成會計結果。

一、分類帳的種類與格式

一般而言，依商業會計法第 23 條規定，企業必須設置之會計帳簿普通序時簿及總分類帳簿，但其會計組織健全且使用總分類帳科目日計表者，得免設普通序時帳簿。另外製造業或營業範圍較大者，得設置記錄成本之帳簿，或必要之特種時帳簿及各種明細分類帳簿。

依商業會計法第 22 條之規定，分類帳之種類可分為下列兩種：

(一) 總分類帳簿： 記錄各統馭帳科目而設者。

(二) 明細分類帳簿： 記錄各統馭帳科目之明細金額而設者。

其中總分類帳之格式又可分為右圖所示之餘額式帳戶和標準式帳戶。

但實務上，使用餘額式帳戶之格式為總分類帳與明細分類帳之格式為多。

惟老師常用 T 字帳替代上述總分類帳之餘額式帳戶來教授學生。

二、過帳之程序

一般來說，過帳的程序包含下列四個步驟：

(一) 找出分錄： 找出要過帳之所有分錄。

(二) 會計科目依序分類： 將過帳之會計科目按資產負債表科目，再按綜合損益表科目為順序，依序過入該會計科目之總分類帳中。

(三) 過入分錄中之會計科目予以打勾： 以表示該科目之金額已過入該總分類帳之中。

(四) 是否過入總分類帳： 檢查各分錄之金額皆過入總分類帳之中。

三、轉換新頁時應注意事項

(一) 採標準式者： 應將借貸金額欄，劃一加減線分別加總，在最後一行摘要欄內註明「過次頁」，或「轉次頁」字樣，結轉次頁，而在新頁之首行之摘要欄內註明「承前頁」或「接上頁」字樣，並將前頁之借貸方合計數，分別填入借方金額欄及貸方金額欄內，日期不用填，日頁欄打「✓」代表該金額並非來自日記簿。

(二) 採餘額式者： 則須將借貸合計數及餘額，一併結轉於次頁。

總分類帳之格式

1.餘額式帳戶

○○科目							第　頁
年		摘要	日頁	借方金額	貸方金額	借貸	餘額
月	日						

2.標準式帳戶

○○科目											第　頁
年		摘要	日頁	借方金額	貸方金額	年		摘要	日頁	借方金額	貸方金額
月	日					月	日				

T字帳

釋例：甲公司 2022 年 2 月 1 日發生以下分錄：

2022 2/1	現金	1,000,000	
	股本		1,000,000

其 T 字帳表達如下：

現金

2022 2/1　1,000,000	

股本

	2022 2/1　1,000,000

惟老師教學時常用 T 字帳授課，其為總分類帳之餘額式帳戶格式。

3-4 試算表

由於將分錄過入總帳後，可能會有分錄金額寫錯而借貸不等，或過帳錯誤（會計科目或金額），為使帳簿金額錯誤，故先採試算表予以檢驗，若發現問題可予以修正。

一、試算表定義

一般而言，利用借貸法則，總借方等於總貸方之特性，編製試算表，得到檢測之結果。但試算表無法保證帳務處理之正確。

試算表是執行試算之工具，其以總分類帳為編製之基礎，而總分類帳的資料是依據日記簿的各個分錄過帳得出的數字，因此日記簿上的分錄之借貸金額應相等，其過帳後之總和也應與其一致。

二、試算表包含項目

(一) **表首**：包括企業名稱，試算表字樣分行標示。
(二) **日期欄**：記載試算表編製時日，也是總分類帳各帳戶記錄的截止日期。
(三) **會計科目欄**：用來列示總分類帳各帳戶的科目名稱。
(四) **借（貸）方餘額欄**：用來記載總分類帳中各帳戶借方或貸方的餘額。
(五) **合計欄**：用來列示各帳戶借方及貸方餘額得合計數。

三、試算表之功用

試算表有何功用呢？一般來說，試算表具有下列三種功用，即 1. 驗證會計記錄與計算有無錯誤；2. 表示財務狀況及經營成果的概況，以及 3. 作為編製財務報表的根據。

四、試算表使用之時點

何時使用試算表呢？通常使可分為調整前試算表與調整後試算表兩種，其編製時點如下：

(一) **調整前試算表**：期末尚未進行調整分錄前編製者。
(二) **調整後試算表**：期末已進行調整分錄前編製者。

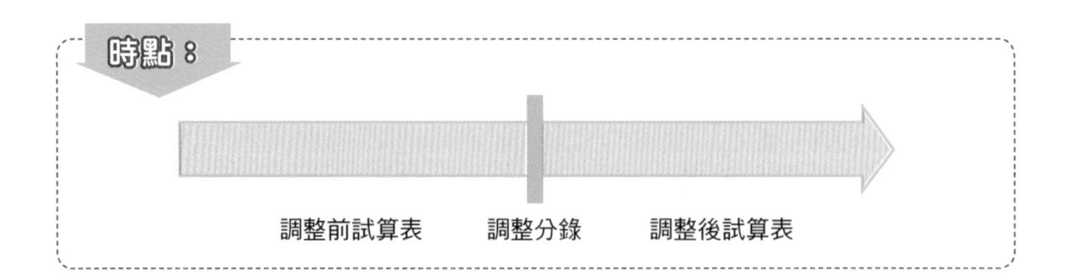

五、試算表錯誤之追查

(一)順查法：按照會計處理之程序（分錄、過帳、試算），逐筆追查。

(二)逆查法：依會計處理之逆向順序（試算、過帳、分錄），逐筆追查。

(三)速查法：包含下列兩種方式：

1. 若借貸總額的差數為 2 之倍數，則可能為重複過帳或借貸錯置。
2. 若借貸總額的差數為 9 之倍數，則可能是金額數字移位或錯置。

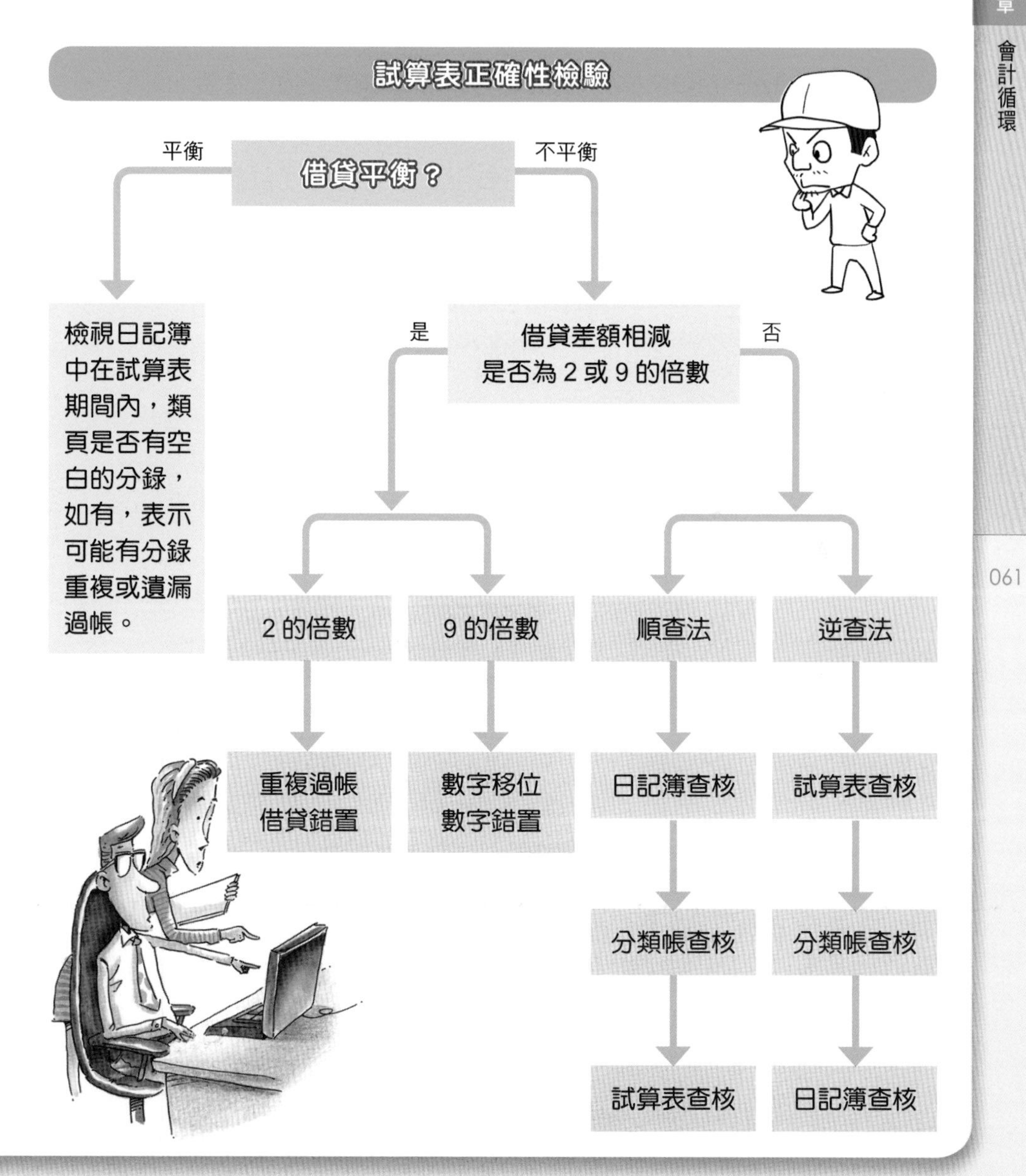

六、試算表編製步驟

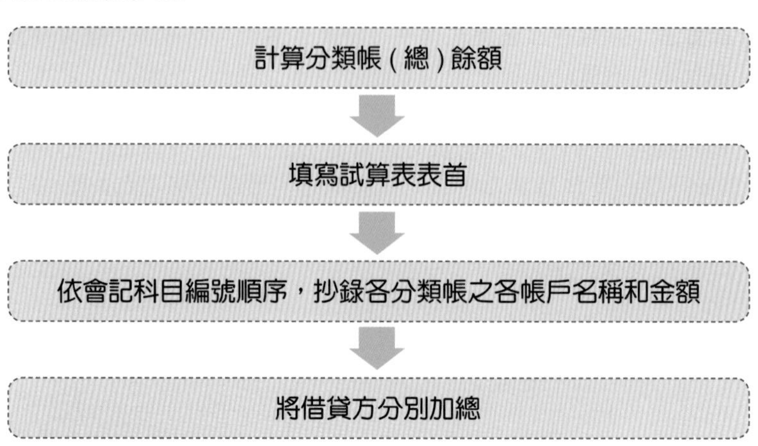

七、試算表分類

○○公司
總額餘額式試算表
年　月　日

類頁	會計科目	借方餘額	貸方餘額
	合計		

○○公司
總額試算表
年　月　日

借方餘額	借方總額	類頁	會計科目	貸方總額	貸方餘額
			合計		

○○公司
總額試算表
年　月　日

類頁	會計科目	借方餘額	貸方餘額
	合計		

註1：試算表是在調整分錄前所編製之試算表，故稱調整前試算表；反之則為調整後試算表。
註2：總額試算表分成兩種，上為總額餘額式試算表，下表為總額式試算表。

八、錯誤追查時之各查核重點

(一)試算表：如何確定試算表是否正確，可進行以下查核，即 1. 將試算表上之借貸金額重新加總，以及 2. 表上各科目之數字，逐一與總分類帳中之各帳戶核對。

(二)總分類帳：如何確定總分類帳是否正確，可進行以下查核，即 1. 總分類帳上之各帳戶借貸總額和餘額重新計算加總，以及 2. 日記簿上逐筆核對至總分類帳。

(三)日記簿：若前述程序仍未發現錯誤情況，則應逐筆檢視各交易其金額是否平衡。

九、無法經試算表發現之錯誤情況

下列僅舉例，並非包含全部：

(一)會計科目借貸方寫反，但金額正確：例如：償還銀行存款：

(借)銀行借款	10,000	
(貸)現金		10,000

但分錄卻寫成：

(借)現金	10,000	
(貸)銀行借款		10,000

如此仍借貸相等，而查不出錯誤。

(二)會計科目使用錯誤，但金額正確：例如：支付預付水電費用：

(借)預付費用	10,000	
(貸)現金		10,000

但分錄卻寫成：

(借)水電費	10,000	
(貸)現金		10,000

如此仍借貸相等，而查不出錯誤。

(三)分錄借貸方同時漏列：若該交易發生，但於分錄過帳或試算表編製時同時遺漏，其會使得借貸方同時減少，如此仍借貸相等，而查不出錯誤。

(四)分錄借貸方同時重複：若該交易發生，但於分錄過帳或試算表編製時同時重複，其會使得借貸方同時增加，如此仍借貸相等，而查不出錯誤。

(五)借方或貸方偶然發生同數的錯誤：可能在分錄、過帳或編製試算表時，A 交易借(貸)方少計(多計)，而另一 B 交易也發生相同金額的借(貸)方多計(少計)，兩個錯誤使得該錯誤抵銷，如此仍借貸相等，而查不出錯誤。

十、試算表小結

試算表借貸方總額不相等時，可以肯定其帳務處理必然有錯，然而借貸方總額相等時，卻無法保證帳務處理完全正確，未出錯。

3-5 調整（調整分錄及其過帳）

調整係將某些屬於此會計期間之收入與費用，利用調整分錄及過帳之方式，將屬於此會計期間之收入與費用歸屬於該年度，以使損益之歸屬正確，亦使各期股東之股利分配能正確。惟調整分錄有兩個特性，一是分錄發生在資產負債表日（如，年結制為 12 月 31 日，而月結制為每月最後一日）；二是分錄之會計科目中並無現金科目。

一、調整分錄項目

(一) 應計項目（Accrued Items）：

1. 應收收益(Accrued Revenues)：應收帳款、應收利息、其他。
2. 應付費用(Accrued Expenses)：應付利息、應付薪資、應付帳款、其他。

(二) 遞延項目（Deferred Items）：

1. 預收收益（Revenues Collected in Advance）：預收租金、其他。
2. 預付費用（Prepaid Expenses）：預付保費、用品盤存、其他。
3. 估計項目（Estimated Items）：壞帳、折舊、其他。

二、調整分錄分類

(一) 應計項目：應收收益（應收利息、應收股利）與應付費用（應付薪資、應付利息、應付所得稅）。

【釋例】甲公司於 2021 年 7 月 1 日貸款予東華公司 $1,000,000，利息 10%，共五年，於 2021 年 12 月 31 日之調整分錄為：

應收利息	50,000	
利息收入		50,000

(二) 遞延項目：預收收益（預收租金、預收保費）與預付費用（預付保費、預付水電費）。

【釋例】甲公司 2021 年 12 月 1 日預收一年租金 $12,000，而於 12 月 31 日之調整分錄為：（$12,000 / 12 ＝ $1,000）

預收租金	1,000	
租金收入		1,000

(三) 估計項目：壞帳費用、折舊費用等。

【釋例】甲公司於 2021 年 12 月 31 日，預估 2021 年度之壞帳費用為 $2,000，而於 12 月 31 日之調整分錄為：

壞帳費用	2,000	
備抵壞帳		2,000

【釋例】甲公司會計採記實轉虛，試作 2022 年底作調整分錄：

2021/ 3/1	購買土地 $5,000,000 與建築物 $1,200,000，一半款項付現，一半款項向銀行辦理長期借款，其耐用年限為 20 年，估計殘值為 0。
2022/ 2/15	購買文具用品 $70,000，期末盤點時，僅存 20,000。
2022/ 3/1	預付一年水電費 $ 60,000。
2022/ 5/31	預付一年保險費 $120,000。
2022/ 8/ 1	預收租金兩年 $120,000。
2022/12/31	未支付 12 月分之薪水 $8,000。
2022/12/31	估 2022 年度之壞帳費用為 $5,000。

日記簿　　　　第　頁

2022年		會計科目	摘要	類頁	借方金額	貸方金額
月	日					
12	31	折舊費用			60,000	
		累計折舊				60,000
12	31	文具用品			50,000	
		用品盤存				50,000
12	31	水電費			50,000	
		預付水電費				50,000
12	31	保險費			70,000	
		預付保險費				70,000
12	31	預收租金			25,000	
		租金收入				25,000
12	31	薪資費用			8,000	
		應付薪資				8,000
12	31	壞帳費用			5,000	
		備抵壞帳				5,000

註：1.土地為永久性資產，故無法確定其耐用年限。

建築物折舊費用（$1,200,000－0）÷20＝$60,000

2.文具用品$70,000－$20,000＝$50,000

3.水電費$60,000 $\times\frac{10}{12}$＝$50,000

4.保險費$120,000 $\times\frac{7}{12}$＝$70,000

5.租金收入$120,000 $\times\frac{5}{24}$＝$25,000

3-6 結帳（結帳分錄及其過帳）

財務報表中，資產負債表與業主權益變動表之數字表示企業開業至今之累積數，故會計科目屬實帳戶，永久存在；而綜合損益表、現金流量表屬當期數之會計科目，其表示企業當期之金額，故會計科目屬虛帳戶，結帳時將收入與費用項目互轉，得出之本期損益，再將本期損益轉至保留盈餘中。

一、虛帳戶之結帳

虛帳戶結帳應將綜合損益表會計科目（收入與費用）結轉至資產負債表之實帳戶之會計科目（保留盈餘）。若不處理此程序，將使虛帳戶之綜合損益表科目之金額結轉累計至下年度，而使綜合損益表之虛帳戶金額之設計錯誤。其結帳之步驟如右圖並說明如下：

1. 將收入結轉至「本期損益」科目。如：

××收入	*****	
本期損益		*****

2. 將費用結轉至「本期損益」科目。如：

本期損益	*****	
××費用		*****

3. 將股利結轉至「保留盈餘」科目。如：

保留盈餘	*****	
股利		*****

4. 將本期損益結轉至「保留盈餘」科目。

(1) 若為本期淨利，如：

本期損益	*****	
保留盈餘		*****

(2) 若為本期淨損，如：

保留盈餘	*****	
本期損益		*****

此方式是要將總明細帳之綜合損益表科目結轉為 $0，以避免將當期數結轉至次期。

二、實帳戶之結帳

(一) 英美式結轉法（差額結轉法）：期末各實帳戶餘額之結帳，一律直接在分類帳上結轉，而不經由任何分錄之轉帳，我國多採用此法。

(二) 大陸式結轉法（分錄結轉法）：期末結帳時，必須在日記簿內作成結帳分錄，再將分錄過帳，以結束舊帳，次年度開帳時，再作開帳分錄，登入新帳冊。

虛帳戶結帳的步驟

收入類結轉至「本期損益」科目 → 費用類結轉至「本期損益」科目 → 股利結轉至「保留盈餘」科目 → 本期損益結轉至「保留盈餘」科目

【釋例】甲公司 2021 年底各帳戶餘額如下：

會計科目	餘額	會計科目	餘額
現　　金	$ 78,575	應付帳款	$103,000
銀行存款	190,000	應付票據	6,500
應收帳款	154,000	股　　本	200,000
存　　貨	237,800	服務收入	610,000
薪津費用	141,425	交際費	200,000
租金費用	15,700	廣告費	100,000
租金收入	22,000	利息費用	37,000
佣金收入	25,000	保留盈餘	188,000

【試作】虛帳戶結帳分錄。

日記簿　　第　頁

2021年		會計科目	摘要	類頁	借方金額	貸方金額
月	日					
12	31	租金收入			22,000	
		佣金收入			25,000	
		服務收入			610,000	
		本期損益				657,000
12	31	本期損益			494,125	
		薪津費用				141,425
		租金費用				15,700
		交際費				200,000
		廣告費				100,000
		利息費用				37,000
12	31	本期損益			162,875	
		保留盈餘				162,875

3-7 編製財務報表

財務報表的編製有其順序及其編製要點，其中可以某一特定期間與時點區分靜態或動態報表。

一、編表之順序

（一）綜合損益表：某一企業個體於某一特定期間其營業活動結果的動態報表。

（二）業主權益變動表：某一企業個體於某一特定期間業主權益中項目增減之動態報表。業主權益變動較少之企業，得以保留盈餘表取代。

（三）財務狀況表：某一企業個體在某一特定時點財務狀況表的靜態報表。

（四）現金流量表：某一企業個體於某一特定期間內營業活動、投資活動、籌資活動等現金流入與流出關係的會計報表。

二、綜合損益表編製要點

（一）表頭：企業名稱、報表名稱，以及報表的涵蓋期間。

（二）格式：如右圖所示並說明如下：

1. 單站式綜合損益表：將所有的損益科目劃分成收益和費損兩類，將餘額分別加總後，以收益總額減去費損總額，求得本期淨利（損）。

2. 多站式綜合損益表：將綜合損益表的內容分成銷貨毛利、營業損益、本期損益三個階段。

三、業主權益變動表編製要點

（一）表頭：企業名稱、報表名稱以及報表的涵蓋期間。

（二）內容：期初保留盈餘加（減）本期純益減分配項目等於期末保留盈餘。

四、財務狀況表（資產負債表）編製要點

（一）表頭：企業名稱、報表名稱以及會計期間終了日。

（二）內容：先將會計科目分成資產、負債、業主權益三大類，再將各會計科目歸類到適當的子科目項下，並依流動性大小排列。

五、現金流量表編製要點

（一）表頭：企業名稱、報表名稱以及報表的涵蓋期間。

（二）格式：可分為直接法與間接法兩種。

1. 直接法：將權責基礎制綜合損益表直接逐項改成現金基礎制綜合損益表，計算當期營業活動之淨現金流量。

2. 間接法：以本期淨利為基礎，作必要之調整後，計算當期營業活動之淨現金流量。

單站式綜合損益表

○○公司 綜合損益表 年　月　日至　年　月　日		
	小計	合計
收入：		
銷貨收入		
××收入		
費用：		
銷貨成本		
××費用		
本期損益		

多站式綜合損益表

○○公司 綜合損益表 年　月　日至　年　月　日		
	小計	合計
銷貨淨額		
減：銷貨成本		
銷貨毛利		
減：營業費用		
營業淨利		
營業外收入		
減：營業外費用		
本期損益		

資產負債表

○○公司 資產負債表 年　月　日					
資產	流動性大		負債		
流動資產			流動負債		
現金			應付帳款		
流動資產合計			負債總額		
無形資產			業主權益		
專利權	流動性小		業主資本		
無形資產合計			業主權益總額		
資產總計			負債及業主權益總計		

3-8 工作底稿

由上述之會計循環中可知，在此計算下，非常容易錯誤，故工作底稿以調整前試算表為基礎，加入調整分錄，以得到調整後試算表，進而得到綜合損益表與資產負債表。所以，工作底稿係結合試算表、調整分錄、調整後試算表、綜合損益表與資產負債表，如此將使計算之錯誤率降低。

一、結算工作底稿的格式

1. 八欄式工作底稿。
2. 十欄式工作底稿：最常用被使用，請見右圖所示。
3. 十二欄式工作底稿。

二、編製工作底稿步驟

1. 填寫表頭。
2. 填寫調整前之試算表。
3. 編製調整分錄。
4. 完成調整後之試算表。
5. 編製綜合損益表和資產負債表。
6. 計算本期損益與完成工作底稿。

如果同一筆調整，其借貸方應以字母或符號相互索引。

三、調整分錄

轉回分錄係指將期末所作的調整分錄，按借貸相反方式予以轉回，即借記原貸方科目，貸記原借方科目。轉回分錄的目的在於使前後年度的帳務處理一致。

(一)期末所作調整分錄是否必須轉回，說明如下：

1. 應收收入及應付費用：可作，也可不作轉回分錄。
2. 估計項目：不可作轉回分錄。
3. 預收收入及預付費用：是否要轉回分錄，須俟平時帳務處理而定。

(二)會計記帳基礎：

1. 權責基礎（先實後虛）法：平時會計處理採用此方法時，不可作轉回分錄。
2. 聯合基礎（先虛後實）法：平時會計處理採用此方法時，可作轉回分錄。

四、會計循環與會計帳簿關係圖

由會計循環與會計帳簿關係如右圖所示，更可對會計循環有全面之綜合了解。

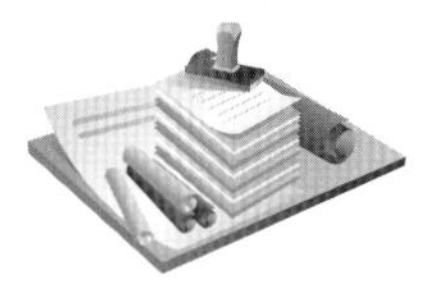

十欄式工作底稿

○○公司 工作底稿 年　月　日										
會計科目	試算表		調整項目		調整後試算表		綜合損益表		資產負債表	
	借方	貸方	借方	貸方	借方	貸方	借方	貸方	借方	貸方
本期損益										
合　　計										

註：工作底稿的編製， 是會計循環中必須的工作，不是選擇性的程序。

會計循環與會計帳簿關係圖

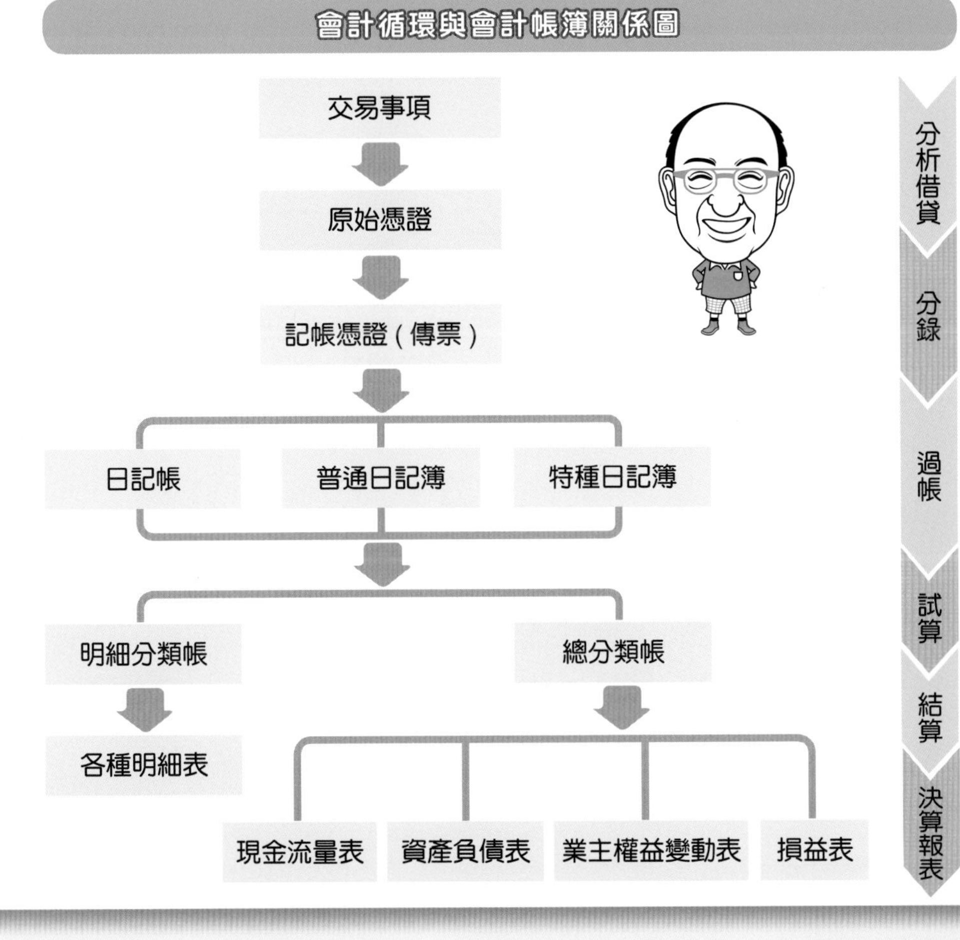

3-9 綜合釋例

東吳公司成立於 20X2 年 1 月 1 日，該公司之會計基礎為聯合基礎制（先虛後實），永續盤存制。

1/1，20X2	東吳公司成立，資本 $10,000,000，收現。
3/1，20X2	購買土地 $5,000,000 與建築物 $1,200,000，一半款項付現，一半款項向銀行辦理長期借款，建築物估計之耐用年限為 20 年，殘值為 0。
7/1，20X2	購買機器設備 $1,000,000，付現，其耐用年限為 10 年，殘值為 0。
8/1，20X2	支付差旅費 $40,000，付現。
9/1，20X2	向供應商賒購存貨，100 臺電視機 $500,000（每臺 $5,000）。
10/1，20X2	支付水電費 $10,000，付現。
11/1，20X2	支付薪資費用 $100,000，付現。
12/1，20X2	銷售商品 50 個，售價每個 $7,000，共計 $350,000，其銷售之存貨成本為 $250,000（50×5,000），收到客戶支票一張。
12/1，20X2	支付廣告費 $50,000，付現。

試作：(1) 上述分錄　(2) 過至總分類帳之餘額式帳戶
(3) 編製調整前試算表　(4) 期末調整分錄
(5) 將調整分錄過帳　(6) 編製調整後試算表
(7) 結帳分錄　(8) 將結帳分錄過帳
(9) 編製綜合損益表　(10) 編製保留盈餘表
(11) 編製財務狀況表　(12) 編製現金流量表
(13) 編製十欄式工作底稿

解答：

(1) 分錄

日記簿　第　頁

20X2年		會計科目	摘要	類頁	借方金額	貸方金額
月	日					
1	1	現金	股東投資	1	10,000,000	
		股本		30		10,000,000

3	1	土地	購買土地	16	5,000,000	
		建築物	及建築物	18	1,200,000	
		現金		1		3,100,000
		長期借款		28		3,100,000
7	1	機器設備	購買機器設備	20	1,000,000	
		現金		1		1,000,000
8	1	差旅費	支付旅費	67	40,000	
		現金		1		40,000
9	1	存貨	賒購存貨	4	500,000	
		應付帳款		21		500,000
10	1	水電費	支付水電費	65	10,000	
		現金		1		10,000
11	1	薪資費用	支付薪資	63	100,000	
		現金		1		100,000
12	1	應收票據	賒銷	2	350,000	
		銷貨收入		51		350,000
		銷貨成本		61	250,000	
		存貨		4		250,000
12	1	廣告費	支付廣告費	68	50,000	
		現金		1		50,000

※類頁為過入總分類帳（可相對應）之頁次。

(2) 過帳——總分類帳

現金							第1頁
20X2年		摘要	日頁	借方金額	貸方金額	借貸	餘額
月	日						
1	1	發行股份		10,000,000		借	10,000,000
3	1	購買不動產、廠房及設備			3,100,000	借	6,900,000
7	1	購買機器			1,000,000	借	5,900,000
8	1	支付差旅費			40,000	借	5,860,000

10	1	支付水電費			10,000	借	5,850,000
11	1	支付薪資			100,000	借	5,750,000
12	1	支付廣告費			50,000	借	5,700,000

應收票據							第2頁
20X2年		摘要	日頁	借方金額	貸方金額	借貸	餘額
月	日						
12	1	賒銷		350,000		借	350,000

存貨							第4頁
20X2年		摘要	日頁	借方金額	貸方金額	借貸	餘額
月	日						
9	1	賒購		550,000		借	550,000
12	1	出售商品			250,000	借	300,000

土地							第16頁
20X2年		摘要	日頁	借方金額	貸方金額	借貸	餘額
月	日						
3	1	購買不動產、廠房及設備		5,000,000		借	5,000,000

建築物							第18頁
20X2年		摘要	日頁	借方金額	貸方金額	借貸	餘額
月	日						
3	1	購買建築物		1,200,000		借	1,200,000

機器設備							第20頁
20X2年		摘要	日頁	借方金額	貸方金額	借貸	餘額
月	日						
7	1	購買機器設備		1,000,000		借	1,000,000

應付帳款							第26頁
20X2年		摘要	日頁	借方金額	貸方金額	借貸	餘額
月	日						
9	1	賒購貨品			500,000	貸	500,000

長期借款							第28頁
20X2年		摘要	日頁	借方金額	貸方金額	借貸	餘額
月	日						
3	1	向銀行借款			3,100,000	貸	3,100,000

股本							第30頁
20X2年		摘要	日頁	借方金額	貸方金額	借貸	餘額
月	日						
1	1	發行股份			10,000,000	貸	10,000,000

銷貨收入							第51頁
20X2年		摘要	日頁	借方金額	貸方金額	借貸	餘額
月	日						
12	1	銷售商品			350,000	貸	350,000

銷貨成本							第61頁
20X2年		摘要	日頁	借方金額	貸方金額	借貸	餘額
月	日						
12	1	銷售商品		250,000		借	250,000

薪資費用							第63頁
20X2年		摘要	日頁	借方金額	貸方金額	借貸	餘額
月	日						
11	1	支付薪資		100,000		借	100,000

水電費							第65頁
20X2年		摘要	日頁	借方金額	貸方金額	借貸	餘額
月	日						
10	1	支付水電費		10,000		借	10,000

差旅費							第67頁
20X2年		摘要	日頁	借方金額	貸方金額	借貸	餘額
月	日						
8	1	支付差旅費		40,000		借	40,000

廣告費							第68頁
20X2年		摘要	日頁	借方金額	貸方金額	借貸	餘額
月	日						
12	1	支付廣告費		50,000		借	50,000

(3) 調整前試算表

東吳公司 餘額試算表 20X2年12月31日			
類頁	會計科目	借方餘額	貸方餘額
1	現金	5,700,000	
2	應收票據	350,000	
4	存貨	250,000	
16	土地	5,000,000	
18	建築物	1,200,000	
20	機器設備	1,000,000	
26	應付帳款		500,000
28	長期借款		3,100,000
30	股本		10,000,000
51	銷貨收入		350,000

61	銷貨成本	250,000	
63	薪資費用	100,000	
65	水電費	10,000	
67	差旅費	40,000	
68	廣告費	50,000	
	合計	13,950,000	13,950,000

(4) 延續第 (1) 題解答之日記帳繼續把調整分錄往下記錄。

日記簿						第 頁
20X2年		會計科目	摘要	類頁	借方金額	貸方金額
月	日					
12	31	折舊費用	提列折舊	69	50,000	
		累計折舊－建築物		19		50,000
12	31	折舊費用	提列折舊	69	50,000	
		累計折舊－機器設備		21		50,000

建築物折舊費用：$(\$1,200,000-\$0)\div 20\times\frac{10}{12}=\$50,000$

機器設備折舊費用：$(\$1,000,000-\$0)\div 10\times\frac{6}{12}=\$50,000$

(5) 將 (4) 之調整分錄過帳——總分類帳

累計折舊－建築物							第19頁
20X2年		摘要	日頁	借方金額	貸方金額	借貸	餘額
月	日						
12	31	提列折舊費用		50,000		貸	50,000

累計折舊－機器設備							第21頁
20X2年		摘要	日頁	借方金額	貸方金額	借貸	餘額
月	日						
12	31	提列折舊費用		50,000		貸	50,000

折舊費用							第69頁
20X2年		摘要	日頁	借方金額	貸方金額	借貸	餘額
月	日						
12	31	提列折舊費用		50,000		借	50,000
12	31	提列折舊費用		50,000		借	100,000

(6) 調整後試算表

東吳公司
餘額試算表
20X2年12月31日

類頁	會計科目	借方餘額	貸方餘額
1	現金	5,700,000	
2	應收票據	350,000	
4	存貨	250,000	
16	土地	5,000,000	
18	建築物	1,200,000	
19	累計折舊—建築物		50,000
20	機器設備	1,000,000	
21	累計折舊—機器設備		50,000
26	應付帳款		500,000
28	長期借款		3,100,000
30	股本		10,000,000
51	銷貨收入		350,000
61	銷貨成本	250,000	
63	薪資費用	100,000	
65	水電費	10,000	
67	差旅費	40,000	
68	廣告費	50,000	
69	折舊費用	100,000	
	合計	14,050,000	14,050,000

(7) 結帳分錄——延續第 (4) 題解答之日記帳繼續把結帳分錄往下記錄。

日記簿						第　頁
20X2年		會計科目	摘要	類頁	借方金額	貸方金額
月	日					
12	31	銷貨收入	結轉收入	51	350,000	
		本期損益		71		350,000
12	31	本期損益	結轉費用	71	550,000	
		銷貨成本		61		250,000
		薪資費用		63		100,000
		水電費		65		10,000
		差旅費		67		40,000
		廣告費		68		50,000
		折舊費用		69		100,000
12	31	保留盈餘		33	200,000	
		本期損益		71		200,000

(8) 依前之總分類帳所示，新的分錄應予以過入總分類帳中。

僅列示相關帳戶

保留盈餘							第33頁
20X2年		摘要	日頁	借方金額	貸方金額	借貸	餘額
月	日						
12	31	本期損益結轉		200,000		借	200,000

銷貨收入							第51頁
20X2年		摘要	日頁	借方金額	貸方金額	借貸	餘額
月	日						
12	1	銷售商品			350,000	貸	350,000
12	31	結轉收入		350,000		借	0

銷貨成本							第61頁
20X2年		摘要	日頁	借方金額	貸方金額	借貸	餘額
月	日						
12	1	銷售商品		250,000		借	250,000
12	31	結轉費用			250,000	借	0

薪資費用							第63頁
20X2年		摘要	日頁	借方金額	貸方金額	借貸	餘額
月	日						
11	1	支付薪資		100,000		借	100,000
12	31	結轉費用			100,000	借	0

水電費							第65頁
20X2年		摘要	日頁	借方金額	貸方金額	借貸	餘額
月	日						
10	1	支付水電費		10,000		借	10,000
12	31	結轉費用			10,000	借	0

差旅費							第67頁
20X2年		摘要	日頁	借方金額	貸方金額	借貸	餘額
月	日						
8	1	支付差旅費		40,000		借	40,000
12	31	結轉費用			40,000	借	0

廣告費							第68頁
20X2年		摘要	日頁	借方金額	貸方金額	借貸	餘額
月	日						
12	1	支付廣告費		50,000		借	50,000
12	31	結轉費用			50,000	借	0

折舊費用							第69頁
20X2年		摘要	日頁	借方金額	貸方金額	借貸	餘額
月	日						
12	31	提列折舊費用		50,000		借	50,000
12	31	提列折舊費用		50,000		借	100,000
12	31	結轉費用			100,000	借	0

本期損益							第71頁
20X2年		摘要	日頁	借方金額	貸方金額	借貸	餘額
月	日						
12	31	收入結轉			350,000	貸	350,000
12	31	費用結轉		550,000		借	200,000
12	31	結轉保留盈餘			200,000	借	0

(9) 編製綜合損益表

東吳公司 綜合損益表 20X2年1月1日至20X2年12月31日		
	小計	合計
銷貨淨額		$ 350,000
減：銷貨成本		250,000
銷貨毛利		$ 100,000
減：薪資費用	$ 100,000	
水電費	10,000	
差旅費	40,000	
廣告費	50,000	
折舊費用	100,000	$ 300,000
本期損益		($ 200,000)

(10) 編製保留盈餘表

東吳公司 保留盈餘表 20X2年1月1日至20X2年12月31日		
	小計	合計
期初保留盈餘		$ 0
本期淨損		(200,000)
期末保留盈餘		($ 200,000)

(11) 編製財務狀況表

東吳公司 財務狀況表 20X2年12月31日					
資產				負債及權益	
會計科目	金額	金額	金額	會計科目	金額
流動資產				流動負債	
現金		$5,700,000		應付帳款	$ 500,000
應收票據		350,000		長期負債	
存貨		250,000	$ 6,300,000	長期借款	3,100,000
不動產、廠房及設備：				負債總額	$ 3,600,000
土地		5,000,000			
建築物	1,200,000			業主權益	
累計折舊—建築物	(50,000)	1,150,000		股本	$10,000,000
機器設備	1,000,000			保留盈餘	($ 200,000)
累計折舊—機器設備	(50,000)	950,000	7,100,000	業主權益總額	$ 9,800,000
資產總額			$13,400,000	負債及業主權益總額	$13,400,000

(12) 編製現金流量表

東吳公司 現金流量表 20X2年1月1日至20X2年12月31日		
營業活動之現金流量：		
本期淨損		$ (200,000)
折舊費用		100,000
應付帳款增加數		500,000
減：應收票據增加數	$ 350,000	
存貨增加數	250,000	(600,000)
營業活動之淨現金增加（減少數）		(200,000)
投資活動之現金流量：		
購買機器設備	(1,000,000)	
購買土地及建築物	(3,100,000)	
投資活動之淨現金增加（減少數）		(4,100,000)
籌資活動之現金流量：		
發行股份		10,000,000
籌資活動之淨現金增加（減少數）		10,000,000
本期現金增減數		5,700,000
期初現金數		0
期末現金數		$ 5,700,000

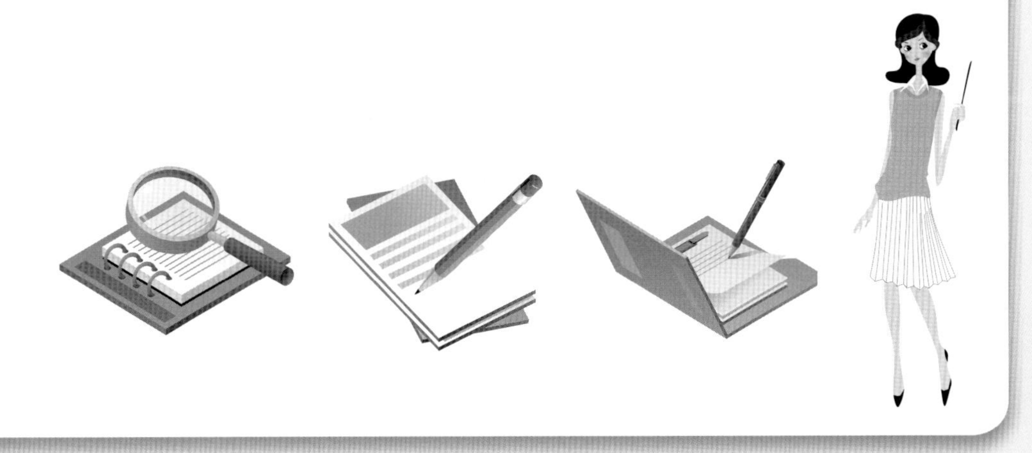

(13) 編製工作底稿

會計科目	試算表		調整分錄		調整後試算表		綜合損益表		財務狀況表	
	借方	貸方	借方	貸方	借方	貸方	借方	貸方	借方	貸方
現金	5,700,000				5,700,000				5,700,000	
應收票據	350,000				350,000				350,000	
存貨	250,000				250,000				250,000	
土地	5,000,000				5,000,000				5,000,000	
建築物	1,200,000				1,200,000				1,200,000	
累計折舊—建築物				50,000		50,000				50,000
機器設備	1,000,000				1,000,000				1,000,000	
累計折舊—機器設備				50,000		50,000				50,000
應付帳款		500,000				500,000				500,000
長期借款		3,100,000				3,100,000				3,100,000
股本		10,000,000				10,000,000				10,000,000
銷貨收入		350,000				350,000		350,000		
銷貨成本	250,000				250,000		250,000			
薪資費用	100,000				100,000		100,000			
水電費	10,000				10,000		10,000			
差旅費	40,000				40,000		40,000			
廣告費	50,000				50,000		50,000			
折舊費用			100,000		100,000		100,000			
本期損益								200,000	200,000	
合計	13,950,000	13,950,000	100,000	100,000	14,050,000	14,050,000	550,000	550,000	13,700,000	13,700,000

商業會計法之規定

◎ 商業會計法　第 6 條

商業以每年一月一日起至十二月三十一日止為會計年度。但法律另有規定，或因營業上有特殊需要者，不在此限。

◎ 商業會計法　第 7 條

商業應以國幣為記帳本位，至因業務實際需要，而以外國貨幣記帳者，仍應在其決算表中，將外國貨幣折合國幣。

◎ 商業會計法　第 10 條

會計基礎採用權責發生制，在平時採用現金收付制者，俟決算時，應照權責發生制予以調整。

所謂權責發生制，係指收益於確定應收時，費用於確定應付時，即行入帳。決算時收益及費用，並按其應歸屬年度作調整分錄。

所稱現金收付制，係指收益於收入現金時，或費用於付出現金時，始行入帳。

◎ 商業會計法　第 11 條

凡商業之資產、負債或業主權益發生增減變化之事項，稱為會計事項。

會計事項涉及其商業本身以外之人，而與之發生權責關係者，為對外會計事項；不涉及其商業本身以外之人者，為內部會計事項。

會計事項之記錄，應用雙式簿記方法為之。

◎ 商業會計法　第 15 條

商業會計憑證分左列二類：

一、原始憑證：證明事項之經過，而為造具記帳憑證所根據之憑證。

二、記帳憑證：證明處理會計事項人員之責任，而為記帳所根據之憑證。

◎ 商業會計法　第 16 條

原始憑證，其種類規定如下：

一、外來憑證：係自其商業本身以外之人所取得者。

二、對外憑證：係給與其商業本身以外之人者。

三、內部憑證：係由其商業本身自行製存者。

◎ 商業會計法　第 17 條

記帳憑證，其種類規定如下：

一、收入傳票。

二、支出傳票。

三、轉帳傳票。

前項所稱轉帳傳票，得視事實需要，分為現金轉帳傳票及分錄轉帳傳票。各種傳票，得以顏色或其他方法區別之。

● 商業會計法　第 **20** 條

會計帳簿分下列二類：
一、序時帳簿：以會計事項發生之時序為主而為記錄者。
二、分類帳簿：以會計事項歸屬之會計科目為主而為記錄者。

● 商業會計法　第 **21** 條

序時帳簿分下列二種：
一、普通序時帳簿：以對於一切事項為序時登記或並對於特種序時帳項之結數為序時登記而設者，如日記簿或分錄簿等屬之。
二、特種序時帳簿：以對於特種事項為序時登記而設者，如現金簿、銷貨簿、進貨簿等屬之。

● 商業會計法　第 **22** 條

分類帳簿分下列二種：
一、總分類帳簿：為記載各統馭科目而設者。
二、明細分類帳簿：為記載各統馭科目之明細科目而設者。

● 商業會計法　第 **23** 條

商業必須設置之帳簿，為普通序時帳簿及總分類帳簿。製造業或營業範圍較大者，並得設置記錄成本之帳簿，或必要之特種序時帳簿及各種明細分類帳簿。但其會計組織健全，使用總分類帳科目日計表者，得免設普通序時帳簿。

● 商業會計法　第 **28** 條

財務報表包括下列各種：
一、資產負債表。
二、綜合損益表。
三、現金流量表。
四、權益變動表。
前項各款報表應予必要之附註，並視為財務報表之一部分。
第一項資產負債表及綜合損益表，商業得視實際需要，另編各科目明細表及成本計算表。

● 商業會計法　第 **64** 條

商業對業主分配之盈餘，不得作為費用或損失。但具負債性質之特別股，其股利應認列為費用。

● 商業會計法　第 **65** 條

商業之決算，應於會計年度終了後二個月內辦理完竣；必要時得延長二個半月。

● 商業會計法　第 **66** 條

商業每屆決算應編製下列報表：
一、營業報告書。
二、財務報表。
營業報告書之內容，包括經營方針、實施概況、營業計畫實施成果、營業收支預算執行情形、獲利能力分析、研究發展狀況等；其項目格式，由商業視實際需要訂定之。
決算報表應由代表商業之負責人、經理人及主辦會計人員簽名或蓋章負責。

◉ 商業會計法　第 **67** 條

有分支機構之商業，於會計年度終了時，應將其本、分支機構之帳目合併辦理決算。

◉ 商業會計法　第 **68** 條

商業負責人應於會計年度終了後六個月內，將商業之決算報表提請商業出資人、合夥人或股東承認。
商業出資人、合夥人或股東辦理前項事務，認為有必要時，得委託會計師審核。
商業負責人及主辦會計人員，對於該年度會計上之責任，於第一項決算報表獲得承認後解除。但有不法或不正當行為者，不在此限。

Date ___/___/___

第 4 章 會計憑證、傳票制度與帳簿組織

4-1 會計憑證

所有之交易皆須憑證予以證明，而其憑證之作用為記錄之證明、查核之依據、責任之表明、傳票之代用，以及帳簿之套寫五種。

一、原始憑證之種類

依商業會計法第 15 條規定，商業原始憑證可分為下列兩類：

(一) 原始憑證：證明會計事項之經過，而為造具記帳憑證所根據之憑據。

(二) 記帳憑證：證明處理會計事項人員之責任，而為記帳所根據之憑證。

二、憑證之種類

依商業會計法第 16 條規定，憑證可分為三類，茲説明如下並舉例如右圖：

(一) 外來憑證：自商業本身以外之人所取得者，如得自他公司之發票或其他單據。

(二) 對外憑證：給與其商業本身以外之人者，如開給他公司之本公司發票或其他單據。

(三) 內部憑證：由其商業本身自行製存者，如計算折舊之表、內部轉撥計價表。

三、企業現行憑證

而企業之現行憑證如下，由此得知，實務上，企業在製作分錄之前應先將會計憑證準備好，以茲證明交易之正確性及實際發生性，故會計憑證實屬重要。

1. 資本核定其股票或收據之存根。
2. 財產、原物料、產品請（訂）購之書據契約、購入之發票或收據、驗收之報告證明等。
3. 財產、原物料、產品報廢、捐贈與移轉時之相關報告及單據。
4. 財產、原物料、產品出售時之發貨單、發票或收據之存根。
5. 現金票據證券收付存取移轉保管之報告及相關證明文件。
6. 基金、投資之相關收據、契約與證明文件。
7. 公司債發行之合約與單據，及其他長期債款舉債之合約與單據。
8. 預付暫付款發生及移轉之收據及相關單據。
9. 預收或其他債務所發生及移轉之收據及相關單據。
10. 相關費用之發票及相關證明單據。
11. 薪資、工資、津貼、獎金、退休金、佣金、旅費等相關表單與單據。
12. 各項收入之發票或收據之證明單據。
13. 各項成本計算表之單據。
14. 其他單據等。

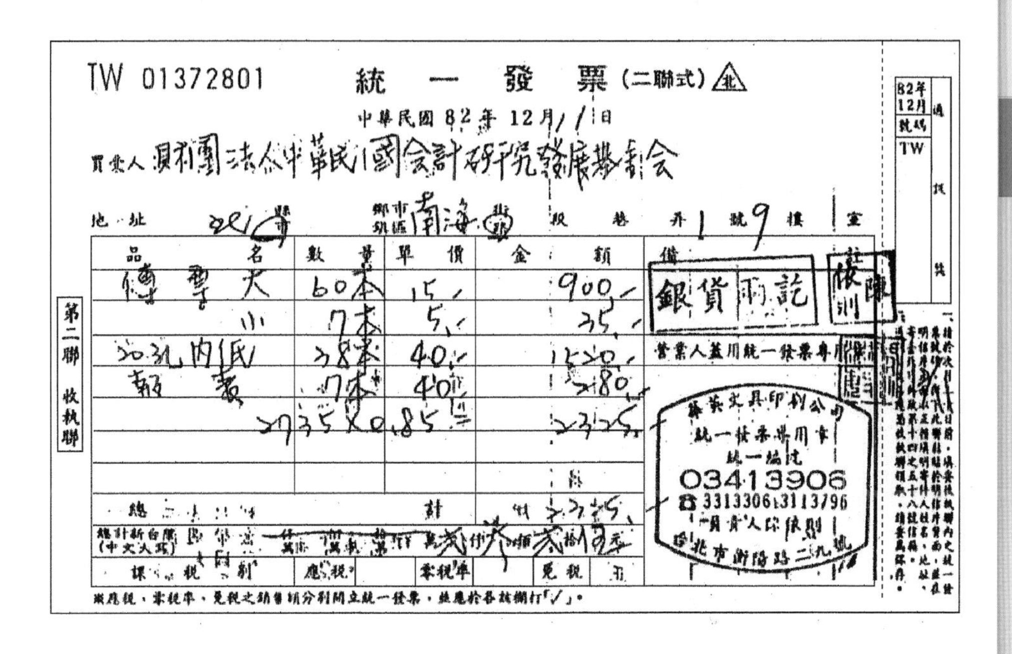
TW 01372801 統 一 發 票（二聯式）北

中華民國 82 年 12 月 11 日

買受人 財團法人中華民國會計研究發展基金会

地址 南海 1 號 9 樓

第二聯 收執聯

品名	數量	單價	金額	備註
會計學 大	60本	15	900	
小	7本	5	35	
20孔內紙	38本	40	1520	
報表	7本	40	280	
2735×0.85 =			2325	
總計			2325	

總計新台幣（中文大寫）貳仟參佰貳拾伍元

課稅別　應稅　零稅率　免稅

營業人蓋用統一發票專用章

統一發票專用章　統一編號 03413906　☎ 3313306.3113796

銀貨兩訖

※應稅、零稅率、免稅之銷售額應分別開立統一發票，並應於各該欄打「✓」。

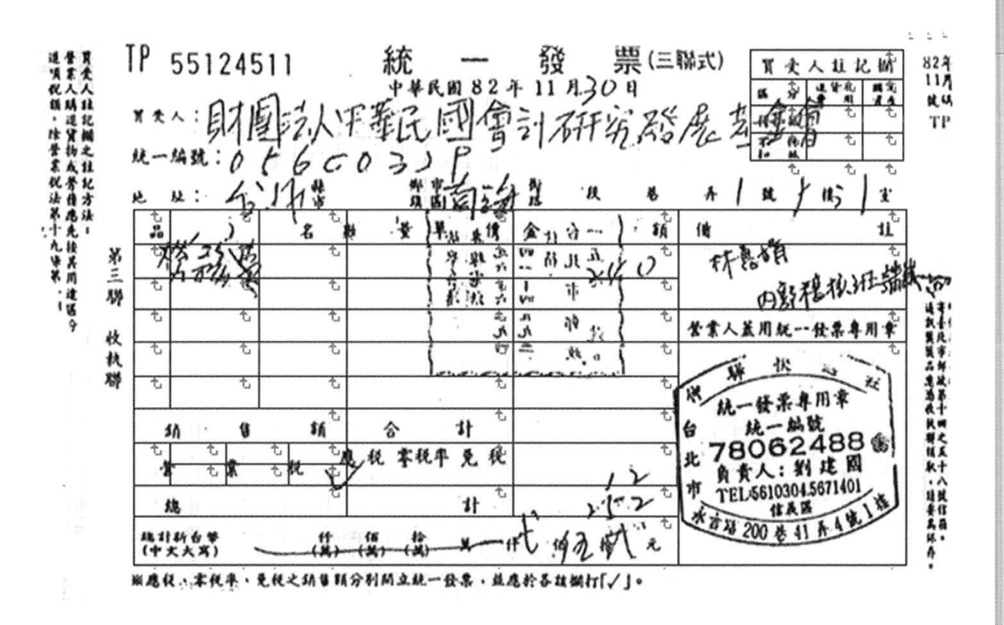
TP 55124511 統 一 發 票（三聯式）

中華民國 82 年 11 月 30 日

買受人：財團法人中華民國會計研究發展基金會

統一編號：05660321

地址：南海 1 號 1 樓

第三聯 收執聯

品名	數量	單價	金額	備註
營業稅			2410	林嘉贈 內部稽核研討會
銷售額合計				
營業稅			120	
總計			2530	

總計新台幣（中文大寫）貳仟伍佰參拾元

營業人蓋用統一發票專用章

統一發票專用章　統一編號 78062488　負責人：劉建國　TEL:5610304.5671401　永吉路200巷31弄4號1樓

※應稅、零稅率、免稅之銷售額應分別開立統一發票，並應於各該欄打「✓」。

4-2 傳票制度

一般企業與銀行業所採用的傳票是不一樣的。前者採用複合式傳票，而後者則採用單式傳票。

一、傳票之種類

依商業會計法第 17 條規定，傳票可分為三類，玆說明如下並分別舉三個傳票格式之案例：

(一) 收入傳票：記錄其交易之以現金收入為借方之分錄的憑證。

(二) 支出傳票：記錄其交易之以現金支出為貸方之分錄的憑證。

(三) 轉帳傳票：記錄其交易之非以現金收入為借方與以現金支出為貸方之分錄的憑證。

一般而言，企業大都採用所謂複式傳票，即上述三類傳票。而銀行業則採用所謂單式傳票，包括現金收入傳票、現金支出傳票、轉帳收入傳票與轉帳支出傳票。

二、傳票編製須知

而傳票之編製應注意下列項目，即 1. 原始憑證是否齊全，並注意其張數；2. 會計科目是否適當及編號是否正確；3. 摘要是否簡單明瞭；4. 金額是否與原始憑證相符；5. 明細數是否等於合計數；6. 收款人或付款人是否與原始憑證之計載一致；7. 數字若有更改，是否已由更改人簽章證明；以及 8. 其他應注意之事項。

所以實務上，企業作分錄時，應將會計科目之金額記錄於傳票上，為使傳票更具查核性及正確性，於傳票後附會計傳票，以玆證明之。

傳票格式之一

總號	
分號	

現金收入傳票

(貸)　　　　年　月　日

科目	分頁	摘要	金額												附單據張
			十	億	千	百	十	萬	千	百	十	元	角	分	
合計															

核准　會計　覆核　登帳　出納　製單

傳票格式之二

支出傳票　　　　　　　　　　第　　頁

製票：中華民國　　年　　月　　日支字第　　號　付款：中華民國　　年　　月　　日支字第　　號

借方科目及符號		摘要	原始憑證		金									額	記帳簽章
			種類	號數	千	百	十	萬	千	百	十	元	角	分	
總分類帳															日計表
明細分類帳															
															明細帳補助帳

領款人		領付	中華民國　　年　　月　　日支票第　　號			
總分類帳貸方科目及符號		本傳票應付款	口　收	實　付	現金支出	
單據　　件					公庫存款支出	

機關長官　　主辦會計人員　　主辦出納人員　　付款員　　覆核　　製表

傳票格式之三

轉帳傳票

中華民國　　年　　月　　日　　轉字　　號　第　　頁

會計科目	摘要	原始憑證		金																					額	記帳簽章
		種類	號數	借										方	貸									方	
				億	千	百	十	萬	千	百	十	元	角	分	億	千	百	十	萬	千	百	十	元	角	分	
																										日計表
																										補助帳
案據		附件張數																								

機關長官　　主辦會計人員　　覆核　　製表

4-3 帳簿組織

帳簿組織是指會計帳簿的種類、格式和各種帳簿之間的相互關係。

一、會計帳簿之種類

依商業會計法第 20 到 21 條規定，會計帳簿可分為序時帳簿及分類帳簿兩大類，茲說明如下：

(一) 序時帳簿：以會計事項發生之時間順序而記錄之帳簿；又分為下列兩種：

1. 普通序時帳簿：以對於一切事項為序時登記或並對於特種序時帳項之結數為序時登記而設立之帳簿，如日記簿或分錄簿等。

日記帳之種類

二分法	四分法	五分法	備註
1.現金簿	1.現金簿	1.現金收入簿	（特種日記簿）
		2.現金支出簿	（特種日記簿）
	2.進貨簿	3.進貨簿	（特種日記簿）
	3.銷貨簿	4.銷貨簿	（特種日記簿）
2.普通日記簿	4.普通日記簿	5.普通日記簿	（普通日記簿）

2. 特種序時帳簿：以對於特種事項為序時登記而設立之帳簿，如現金簿、銷貨簿、進貨簿等。（見右圖之日記帳之格式）

(二) 分類帳簿：以會計事項歸屬之會計科目為主而記錄之帳簿；又分為下列兩種：

1. 總分類帳簿：記載各統馭科目而設者。
2. 明細分類帳簿：記載各統馭科目之明細科目而設者。

總分類帳及明細分類帳之格式——餘額式帳戶

×××科目							第　頁
年		摘要	日頁	借方金額	貸方金額	借貸	餘額
月	日						

總分類帳及明細分類帳之格式——標準式帳戶

第　頁

年		摘要	日頁	借方金額	貸方金額	年		摘要	日頁	借方金額	貸方金額
月	日					月	日				

日記帳之格式

現金收入簿　第　頁

年		會計科目	摘要	類頁	銀行存款	現金
月	日					

現金支出簿　第　頁

年		會計科目	摘要	類頁	銀行存款	現金
月	日					

進貨簿　第　頁

年		會計科目	摘要	類頁	現購	賒購
月	日					

銷貨簿　第　頁

年		會計科目	摘要	類頁	現銷	賒銷
月	日					

日記簿　第　頁

年		會計科目	摘要	類頁	借方金額	貸方金額
月	日					

二、會計帳簿處理程序

依商業會計法規定，非根據真實事項，不得造具任何會計憑證，並不得在會計帳簿表冊作任何記錄。故會計帳簿處理程序依規定如下：

1. 會計帳簿之登記應根據記帳憑證為之。
2. 根據記帳憑證計入日記帳，再據以過入總分類帳，同時根據記帳憑證（原始憑證）過入有關之明細分類帳。
3. 帳簿記載內容應與記帳憑證相同。
4. 傳票之編製及分類帳之登記應每日為之。
5. 總分類帳與明細分類帳之結算應於每月終了前為之。
6. 帳簿之錯誤應立即更正之。
7. 結帳前應作調整。

另從「交易之種類」及「混合交易之記載方法」兩表所示，可將交易分錄區分現金交易、轉帳交易、混合交易三種不同交易，再按相關之方法予以記入到相關帳簿中。

交易之種類

現金交易	轉帳交易	混合交易
交易之分錄中借方或貸方，僅有現金科目。	交易之分錄中借方或貸方，無現金科目。	交易之分錄中借方或貸方有現金科目，亦有其他科目。

混合交易之記載方法

重記單過法	拆開分記法	虛存虛欠法	虛收虛入法
混合交易之同時，在現金簿（僅記載現金交易部分）與日記簿（記載混合交易部分）重複記錄，過帳時僅將現金簿之現金科目與其他帳簿之非現金科目過帳，以避免重複過帳。	將混合交易拆開為現金交易與轉帳交易，再分別記錄於其相關之帳簿中。	將混合交易中屬現金科目者改臨時存欠，並將交易視為轉帳交易，記錄於相關帳簿之中，再將臨時存欠於現金簿中沖轉。	將混合交易視為現金交易，記入現金簿中，再將虛收虛付現金之部分，在現金簿中沖轉。

三、會計報表要經過嚴密處理

由下圖可知，會計憑證、會計傳票、帳簿組織與會計循環之關係，一定要經過嚴密之處理後（各種程序），使能得出會計報表。

交易發生時要準備原始憑證，再依此憑證記入至傳票上（分錄）及相關帳簿（日記帳、普通日記簿或特種日記簿），再過入到總及明細分類帳中，再經過調整結算等之程序，最後編製出財務報表。

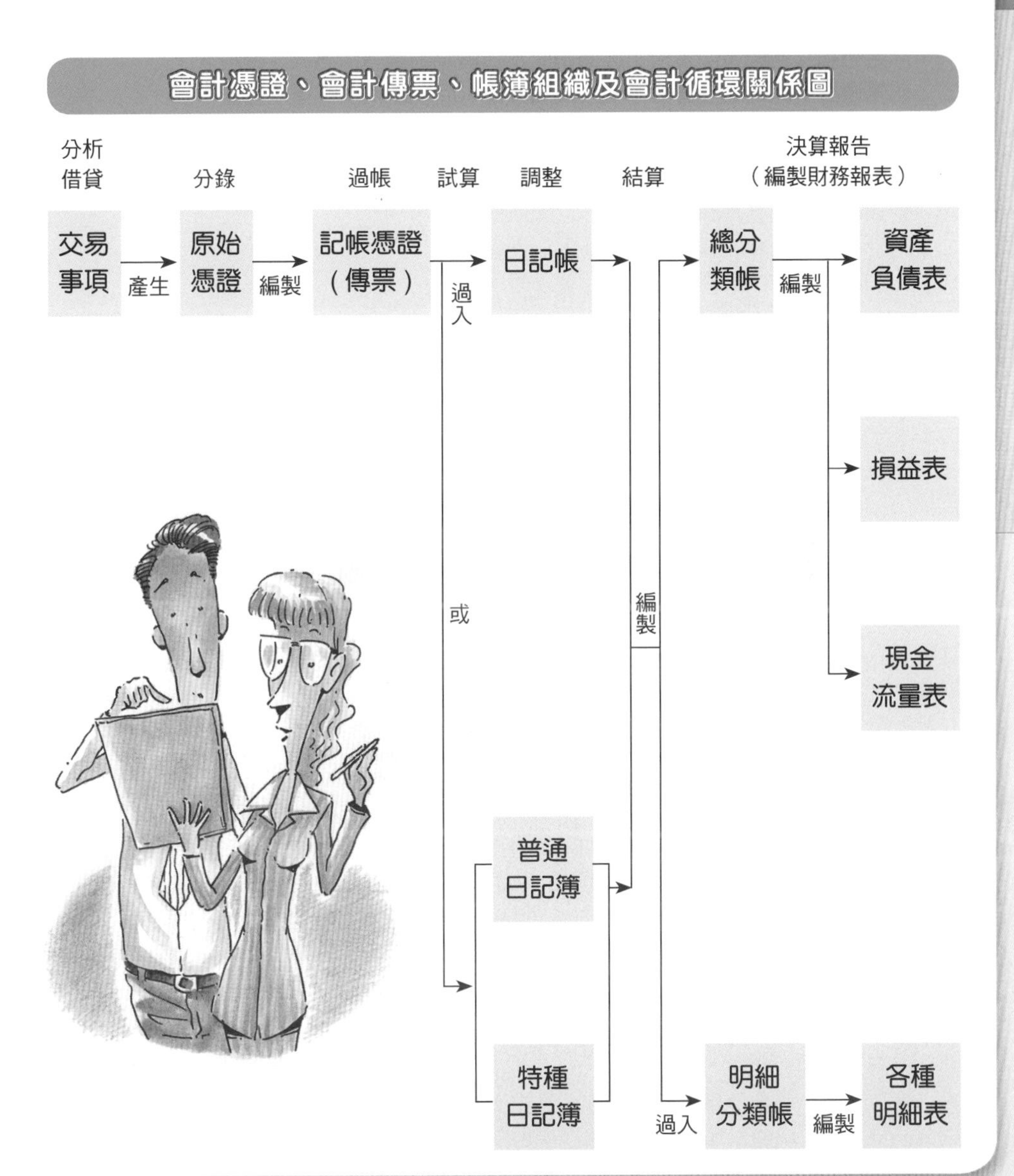

商業會計法之規定

商業會計法　第 14 條

會計事項之發生，均應取得、給予或自行編製足以證明之會計憑證。

商業會計法　第 15 條

商業會計憑證分下列二類：

一、原始憑證：證明會計事項之經過，而為造具記帳憑證所根據之憑證。

二、記帳憑證：證明處理會計事項人員之責任，而為記帳所根據之憑證。

商業會計法　第 16 條

原始憑證，其種類規定如下：

一、外來憑證：係自其商業本身以外之人所取得者。

二、對外憑證：係給與其商業本身以外之人者。

三、內部憑證：係由其商業本身自行製存者。

商業會計法　第 17 條

記帳憑證，其種類規定如下：

一、收入傳票。

二、支出傳票。

三、轉帳傳票。

前項所稱轉帳傳票，得視事實需要，分為現金轉帳傳票及分錄轉帳傳票。各種傳票，得以顏色或其他方法區別之。

商業會計法　第 18 條

商業應根據原始憑證，編製記帳憑證，根據記帳憑證，登入會計帳簿。但整理結算及結算後轉入帳目等事項，得不檢附原始憑證。

商業會計事務較簡或原始憑證已符合記帳需要者，得不另製記帳憑證，而以原始憑證，作為記帳憑證。

商業會計法　第 19 條

對外會計事項應有外來或對外憑證；內部會計事項應有內部憑證以資證明。

原始憑證因事實上限制無法取得，或因意外事故毀損、缺少或滅失者，除依法令規定程序辦理外，應根據事實及金額作成憑證，由商業負責人或其指定人員簽名或蓋章，憑以記帳。

無法取得原始憑證之會計事項，商業負責人得令經辦及主管該事項之人員，分別或共同證明。

商業會計法　第 20 條

會計帳簿分下列二類：

一、序時帳簿：以會計事項發生之時序為主而為記錄者。

二、分類帳簿：以會計事項歸屬之會計項目為主而記錄者。

◎商業會計法　第 21 條
序時帳簿分下列二種：
一、普通序時帳簿：以對於一切事項為序時登記或並對於特種序時帳項之結數為序時登記而設者，如日記簿或分錄簿等屬之。
二、特種序時帳簿：以對於特種事項為序時登記而設者，如現金簿、銷貨簿、進貨簿等屬之。

◎商業會計法　第 22 條
分類帳簿分下列二種：
一、總分類帳簿：為記載各統馭會計項目而設者。
二、明細分類帳簿：為記載各統馭會計項目之明細項目而設者。

◎商業會計法　第 23 條（必須設置之會計帳簿）
商業必須設置之會計帳簿，為普通序時帳簿及總分類帳簿。製造業或營業範圍較大者，並得設置記錄成本之帳簿，或必要之特種序時帳簿及各種明細分類帳簿；但其會計組織健全，使用總分類帳科目日記表者，得免設普通序時帳簿。

◎商業會計法　第 24 條
商業所置會計帳簿，均應按其頁數順序編號，不得毀損。

◎商業會計法　第 25 條
商業應設置會計帳簿目錄，記明其設置使用之帳簿名稱、性質、啟用停用日期，由商業負責人及經辦會計人員會同簽名或蓋章。

◎商業會計法　第 26 條
商業會計帳簿所記載之人名帳戶，應載明其人之真實姓名，並應在分戶帳內註明其住所，如為共有人之帳戶，應載明代表人之真實姓名及住所。
商業會計帳簿所記載之財物帳戶，應載明其名稱、種類、價格、數量及其存置地點。

◎商業會計法　第 33 條
非根據真實事項，不得造具任何會計憑證，並不得在會計帳簿表冊作任何記錄。

◎商業會計法　第 34 條（交易記錄之時序與時效性）
會計事項應按發生次序逐日登帳，至遲不得超過二個月。

◎商業會計法　第 35 條
記帳憑證及會計帳簿，應由代表商業之負責人、經理人、主辦及經辦會計人員簽名或蓋章負責。但記帳憑證由代表商業之負責人授權經理人、主辦或經辦會計人員簽名或蓋章者，不在此限。

◎商業會計法　第 36 條（憑證、帳簿報表之保存）
會計憑證，應按日或按月裝訂成冊，有原始憑證者，應附於記帳憑證之後。
會計憑證為權責存在之憑證或應予永久保存或另行裝訂較便者，得另行保管。但須互註日期及編號。

◎ 商業會計法　第 37 條

對外憑證之繕製，應至少自留副本或存根一份；副本或存根上所記該事項之要點及金額，不得與正本有所差異。

前項對外憑證之正本或存根均應依次編定字號，並應將其副本或存根，裝訂成冊；其正本之誤寫或收回作廢者，應將其粘附於原號副本或存根之上，其有缺少或不能收回者，應在其副本或存根上註明其理由。

◎ 商業會計法　第 38 條（憑證、帳簿報表之保存）

各項會計憑證，除應永久保存或有關未結會計事項者外，應於年度決算程序辦理終了後，至少保存五年。

各項會計帳簿及財務報表，應於年度決算程序辦理終了後，至少保存十年。但有關未結會計事項者，不在此限。

◎ 商業會計法　第 39 條（憑證、帳簿報表之保存）

會計事項應取得並可取得之會計憑證，如因經辦或主管該項人員之故意或過失，致該項會計憑證毀損、缺少或滅失而致商業遭受損害時，該經辦或主管人員應負賠償之責。

◎ 商業會計法　第 40 條

商業得使用電子方式處理全部或部分會計資料；其有關內部控制、輸入資料之授權與簽章方式、會計資料之儲存、保管、更正及其他相關事項之辦法，由中央主管機關定之。

採用電子方式處理會計資料者，得不適用第三十六條第一項及第三十七條第二項規定。

第 5 章
現金

5-1　現金之定義及其管理與內部控制

5-2　零用金制度

5-3　銀行存款調節表

證券發行人財務報告編製準則及商業會計法之規定

5-1 現金之定義及其管理與內部控制

會計學認為只要符合三種條件，即屬現金；而現金人人愛，更應注意管理。

一、現金之定義

現金之定義有三種，一是交易之媒介或可轉變成交易媒介，如臺灣之交易媒介為新臺幣。二是可自由運用或動用（提領）者，而未限制其用途者，如備償性之存款，其運用受限，故非屬現金。三是其提領未損及其本金者，如可隨時解約之定期存款提早提領，其罰金未扣及（減少）本金者，故可隨時解約之定期存款屬現金。

由此可知，現金包括庫存現金、周轉金、零用金、即期支票、銀行本票、郵局匯票、支票存款、外幣存款、活期存款，以及可隨時解約之定期存款與可轉讓定存單。注意可隨時解約之定期存款與可轉讓定存單為現金，而非短期投資或有價證券科目，因為其符合上述三種條件。而非屬現金的項目茲整理如右。

二、現金之管理與內部控制制度

一般而言，企業皆須現金之管理，因為現金為支付之工具。若現金管理不當將造成：小則使資金成本增加，大則因周轉不靈而倒閉。故企業有其管理之方式，此方式即管理現金而編製每日之現金收支表（了解每日之現金流量）與現金預估表（了解企業未來之現金需求——提早去借錢或結餘——安排投資管道）。

另應注意現金之管理如下：1. 管錢不管帳，即出納不得處理帳務會計，而會計不得處理現金存提之出納工作，以避免發生資金被挪用或盜領之情況；2. 收付皆用支票——禁背：為了使一般員工牽涉到現金之收付，故企業於收款時，要求客戶以寄支票（並禁止背書轉讓）之方式，以避免員工挪用或盜用該金額，另企業於支付款項時，以支票（並禁止背書轉讓）之方式支付，以避免員工挪用或盜用該金額；3. 當日收款，當日存：當日收到之款項應立即存於銀行帳戶中，以避免現金遺失；4. 支票之蓋章：大小章分屬二人，支付款項支票之核准，應由董事長（或總經理）與財務長兩人分別核准，並各保管支付之印章；5. 編製現金日報表與現金預估表：企業應每日編製現金日報表以控管現金，以了解現金之結餘，企業應編製現金預估表以應付未來之需；6. 每月要對銀行對帳單：企業應於每月底編製銀行對帳單，以了解銀行存款金額，以及 7. 定期盤點庫存現金及銀行存款。

另外由於企業主常認知有問題而使得企業周轉不靈，因為企業有本期淨利並不代表企業有相等之現金，此乃會計採應計（權責）基礎而非現金基礎所致，故企業需要預先編製現金估計表（非現金流量表），先行預估企業下週或下個月之資金需求，以避免現金管理不當。

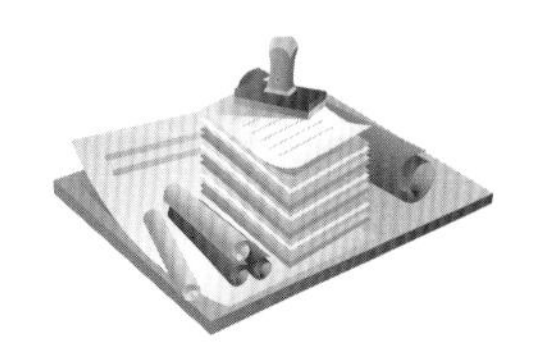

現金判定表

判定其是否為現金

1. 係屬公認之交易媒介
2. 係屬自由運用之資金
3. 係無損其本金者

1. 庫存現金
2. 銀行存款
   - (1) 支票存款　(2) 活期存款
   - (3) 通知存款　(4) 活期儲蓄存款
   - (5) 定期存款　(6) 定期儲蓄存款
3. 零用金
4. 一般之即期支票
5. 銀行本票
6. 銀行支票
7. 郵政匯票
8. 保付之票

1234
Date
Pay to the order of $
Dollars
For
001234567890

非屬現金的項目

而下列之項目非屬現金，即 1. 遠期票據屬應收票據而非現金；2. 印花與郵票屬預付費用或雜項費用而非現金；3. 員工預支差旅費屬預付費用、差旅費用或暫付款而非現金；4. 償債基金之現金屬償債基金科目非屬現金；5. 備償性存款屬其他流動資產非屬現金，以及 6. 銀行透支屬流動負債非現金。

5-2 零用金制度

企業由於某些部門分屬不同地點（如企業之總公司在新北市，而業務部在臺北市、研發部在新竹），而便利支付某些零星支出（若所有支出，如車資、報費與郵資等，皆要向在新北市之會計部申請，將造成往來時間上或代墊上之不便），故會計部門於該部門設立專款，並交專人處理，此種設立之專款稱為零用金。

一般而言，出納人員提撥一定數額之零用金（約定之一定數額）予專人，而該專人支付款項時應保留詳細之單據並予以記錄，出納人員定期撥足其金額至當初之約定數為止，並將相關單據帶回會計部作帳。

零用金之會計處理

1. 設立與增加零用金數額時：

（借）零用金	******	
（貸）現金		******

2. 發生零星支出時：

不作分錄，支付款項時，應保留詳細之單據並予以記錄。

3. 報銷與補足：

（借）各項費用	******	
（貸）現金		******

4. 若零用金發生短少：

（借）現金短溢	******	
（貸）現金		******

5. 若零用金發生多絀：

（借）現金	******	
（貸）現金短溢		******

6. 減少零用金：

（借）現金	******	
（貸）零用金		******

5-3 銀行存款調節表

企業為安全與內部控制之目的而編製銀行存款調節表，以期公司現金帳與銀行之公司存款相符；另可防止企業之現金短少。

一、帳上差異之原因

一般而言，公司之現金帳與銀行之公司存款帳會因為時間差，或記錄錯誤，而使得兩帳款不相等。如企業收到他公司之即期支票，企業現金帳會記錄此即期支票為現金，但由於企業存入支票於銀行，需要時間（二至三天）轉換為現金，故銀行之公司存款帳未收到現金時，未記錄此現金。如此，於當時而造成帳上差異。其差異之原因分析如下：

1. 公司現金帳已記錄借方（增加），銀行之公司存款帳（銀行對帳單）未記錄貸方（增加）。如在途存款（國外企業匯款給你，該公司於匯款後，即傳真匯款單給你，但你在銀行之存款帳因時間差而未收到）。

2. 公司現金帳已記錄貸方（減少），銀行之公司存款帳未記錄借方（減少）。如未兌現支票（公司開立支票給供應商之公司，但由於該供應商之公司尚未將此支票存入，或該供應商之往來銀行尚未收到款項）。

3. 銀行之公司存款帳已記錄貸方（增加），公司現金帳未記錄借方（增加）。如代收款項，存款利息收入（由於實務上銀行轉入公司之存款利息時，並不會通知公司，或通知公司時已過公司結帳時間，故使銀行之公司帳已列該金額，但公司帳卻未列帳）。

4. 銀行之公司存款帳已記錄借方（減少），公司現金帳未記錄貸方（減少），如代付款項、銀行手續費、存款不足支票（收到他公司支票時，銀行之公司存款帳已列計增加，故之後得知他公司存款不足，則銀行之公司存款帳應將之減少，但公司現金帳卻尚未得知，故未減少）。

5. 錯誤：銀行之公司存款帳錯誤（銀行錯），或公司現金帳錯誤（公司錯），而造成銀行之公司存款帳，與公司現金帳不相等。

二、差異之克服方法

由於上述原因所造成之差異，可採下列之方法以因應：

1. 將銀行之公司存款帳（銀行對帳單）金額調到正確金額，公司現金帳金額亦調到正確金額。

2. 銀行之公司存款帳（銀行對帳單）金額調到公司現金帳金額。

3. 公司現金帳亦調到銀行之公司存款帳（銀行對帳單）金額。

一般而言，實務界皆採第一種作法，將銀行之公司存款帳（銀行對帳單）金額調到正確金額，公司現金帳金額亦調到正確金額。

三、銀行存款調節表之格式

一般而言，銀行存款調節表可分為二欄式與四欄式調節表。

1. 將銀行之公司存款帳（銀行對帳單）金額調到正確金額，公司現金帳金額亦調到正確金額（銀行貸方為增加，借方為減少；公司借方為增加，貸方為減少；並請參考上述一、之差異 1 ～ 5 項）。（見銀行調節表之一）

2. 將銀行之公司存款帳（銀行對帳單）金額調到公司現金帳金額。（見銀行調節表之二）

東吳公司
銀行調節表之一
民國111年1月31日

公司帳面餘額1/31	$ *****	銀行對帳單餘額1/31	$ *****
加：銀行已貸，公司未借	***	加：公司已借，銀行未貸	***
減：銀行已借，公司未貸	(***)	減：公司已貸，銀行未借	(***)
錯誤之調整：		錯誤之調整：	
加：公司少計收入，多計支出	***	加：銀行少計收入，多計支出	***
減：公司多計收入，少計支出	(***)	減：銀行多計收入，少計支出	(***)
正確金額	$ *****	正確金額	$ *****

東吳公司
銀行調節表之二
民國111年1月31日

銀行對帳單餘額1/31	$*****
加：公司已借，銀行未貸	***
減：公司已貸，銀行未借	(***)
錯誤之調整：	
加：銀行少計收入，多計支出	***
減：銀行多計收入，少計支出	(***)
加：銀行已借，公司未貸	***
減：公司少計收入，多計支出	(***)
加：公司多計收入，少計支出	***
公司帳面餘額1/31	$ *****

3. 將公司現金帳亦調到銀行之公司存款帳（銀行對帳單）金額。（見銀行調節表之三）

東吳公司 銀行調節表之三 民國111年1月31日	
公司帳面餘額1/31	$ *****
加：銀行已貸，公司未借	***
減：銀行已借，公司未貸	(***)
錯誤之調整：	
加：公司少計收入，多計支出	***
減：公司多計收入，少計支出	(***)
減：公司已借，銀行未貸	(***)
加：公司已貸，銀行未借	***
減：銀行少計收入，多計支出	(***)
加：銀行多計收入，少計支出	***
銀行對帳單餘額1/31	$ *****

四、企業更正分錄以調整

由於企業僅能將公司所造成之錯誤將其改正，而不能要求銀行作更正，故更正分錄為調整企業端之下列項目：

(一) 銀行已貸，公司未借之項目：如託收票據、存款利息收入等。

1. 公司託收票據收現之更正分錄為：

（借）現金（銀行存款）	******	
（貸）應收票據		******

2. 公司存款利息收入收現之更正分錄為：

（借）現金	******	
（貸）利息收入		******

(二) 銀行已借，公司未貸之項目：如銀行手續費（利息費）、客戶存款不足而退票等。

1. 公司之銀行代扣手續費付現之更正分錄為：

（借）手續費	******	
（貸）現金（銀行存款）		******

2. 公司之客戶存款不足而退票之更正分錄為：

（借）應收帳款　　　　　******

　　（貸）現金（銀行存款）　　　　******

(三) 錯誤之發生，公司少計收入，多計支出：如現金收入少計、應付帳款付現數多計等。

1. 公司之現金收入少計之更正分錄為：

（借）銷貨收入　　　　　******

　　（貸）現金（銀行存款）　　　　******

2. 公司之應付帳款現金支出多計之更正分錄為：

（借）應付帳款　　　　　******

　　（貸）現金（銀行存款）　　　　******

(四) 錯誤之發生，公司多計收入，少計支出：如現金收入多計、應付帳款付現數少計等。

1. 公司之現金收入多計之更正分錄為：

（借）銷貨收入　　　　　******

　　（貸）現金（銀行存款）　　　　******

2. 公司之應付帳款現金支出少計之更正分錄為：

（借）應付帳款　　　　　******

　　（貸）現金（銀行存款）　　　　******

五、簡單調節表

今以另一方法，詳解簡單銀行存款調節表，即用數學公式予以導出如下：

(一) 以正確錄額為準：標準格式

銀行對帳單餘額：	A
加：公司已借銀行未貸—在途存款（列存款之明細）	A1
減：公司已貸銀行未借—未兌現支票（列支票之明細）	A2
加或減銀行帳上誤記（多記則減，少記則加）	A3
正確餘額	A+
公司帳上餘額：	B
加：銀行已貸公司未借—代收票據	B1
銀行已貸公司未借—代收股款	B2
銀行已貸公司未借—代收款項	B3
銀行已貸公司未借—銀行支付利息予公司	B4
減：銀行已借公司未貸—退票	B5
銀行已借公司未貸—手續費	B6
銀行已借公司未貸—代付款項	B7
加或減：公司帳上誤記（多記則減，少記則加）	B8
正確餘額	A+

(二)從銀行餘額調節到公司帳面餘額：由於 A+ = A+ →正確餘額=正確餘額，故其恆等式應成立。

即 A+A1-A2+or-A3 = B+B1+B2+B3+B4-B5-B6-B7+or-B8

移項→ A+A1+B5+B6+B7-A2-B1-B2-B3-B4-A3+B8 = B

銀行對帳單餘額	A
加：公司已借銀行未貸—在途存款	A1
銀行已借公司未貸—退票	B5
銀行已借公司未貸—手續費	B6
銀行已借公司未貸—代付款項	B7
減：公司已貸銀行未借—未兌現支票	A2
銀行已貸公司未借—代收票據	B1
銀行已貸公司未借—代收股款	B2
銀行已貸公司未借—代收款項	B3
銀行已貸公司未借—銀行支付利息予公司	B4
加或減銀行帳上誤記（多記則減，少記則加）	A3
減或加公司帳上誤記（多記則加，少記則減）	B8
公司帳上餘額	B

(三)從公司帳面餘額調節到銀行餘額（由 B 調至 A）：由上述(二)可知其恆等式為→ B+B1+B2+B3+B4-B5-B6-B7+or-B8 = A+A1-A2+or-A3

移項→ B+B1+B2+B3+B4+A2-B5-B6-B7-A1-B8+A3 = A

公司帳上餘額	B
加：銀行已貸公司未借—代收票據	B1
銀行已貸公司未借—代收股款	B2
銀行已貸公司未借—代收款項	B3
銀行已貸公司未借—銀行支付利息予公司	B4
公司已貸銀行未借—未兌現支票	A2
減：銀行已借公司未貸—退票	B5
銀行已借公司未貸—手續費	B6
銀行已借公司未貸—代付款項	B7
公司已借銀行未貸—在途存款	A1
加或減公司帳上誤記（多記則減，少記則加）	B8
減或加銀行帳上誤記（多記則加，少記則減）	A3
銀行對帳單餘額	A

六、四欄式收支結餘調節表

此為非中級會計學之範圍，故僅列以下表格以供參考，並不加以詳細闡述。

四欄式收支結餘調節表

項目	期初餘額	+	本月存入	−	本月支出	=	期末餘額
銀行對帳單餘額							
加：在途存款							
上月底							
本月底							
減：未兌現支票							
上月底（列明細）							
本月底（列明細）							
加或減銀行帳上誤記（本月分）							
多記：收入							
多記：支出							
少記：收入							
少記：支出							
調節後餘額							
公司帳上餘額							
加：代收票據							
代收股款							
代收款項							
銀行支付之利息							
減：退票							
手續費（代付）							
代付款項							
加或減公司帳上誤記（本月分）							
多記：收入							
多記：支出							
少記：收入							
少記：支出							
調節後餘額							

證券發行人財務報告編製準則及商業會計法之規定

● 證券發行人財務報告編製準則　第 9 條（節錄）

現金及約當現金：係庫存現金、活期存款及可隨時轉換成定額現金且價值變動風險甚小之短期並具高度流動性之投資。

● 證券發行人財務報告編製準則　第 23 條

發行人編製個體財務報告時，應編製重要會計項目明細表。

一、資產、負債及權益項目明細表：

現金及約當現金明細表（格式）

項目	摘要	金額

說明：1.按庫存現金、活期存款及約當現金等，分項列明。
　　　2.如有外幣應在摘要欄內註明原幣數額及兌換率。
　　　3.約當現金應註明其種類、到期日及利率

● 商業會計法　第 13 條（商業會計處理準則）

會計憑證、會計科目、會計帳簿及財務報表，其名稱、格式及財務報表編製方法等有關規定之商業會計處理準則，由中央機關定之。

● 商業會計處理準則　第 15 條（節錄）

現金及約當現金：指庫存現金、銀行存款、周轉金、零用金、及隨時可轉換成定額現金且即將到期而利率變動對其價值影響甚少之短期且具高度流動性之投資，不包括已指定用途或依法律或契約受有限制者；其科目性質及應加註釋事項如下：

（一）非活期之銀行存款到期日在一年以後者，應加註明。

（二）定期存款提供債務作質者，如所擔保之債務為長期為債，應改列為其他資產，如所擔保之債務為流動負債，則改列為其他流動資產，並附註說明擔保之事實；作為存出保證金者，應依其長短期之性質，分別列為流動資產或其他資產，並於附註中說明。

（三）補償性存款如因短期借款而發生者，應列為流動資產；如係因長期負債而發生者，則應改列為其他資產或長期投資。

Date ______/______/______

第 6 章

應收款項

6-1 應收款項及應收帳款之意義與評價

6-2 壞帳之會計處理

6-3 應收帳款之後續處理

6-4 應收票據之意義與評價

6-5 應收票據貼現

證券發行人財務報告編製準則及商業會計法之規定

6-1 應收款項及應收帳款之意義與評價

應收帳款其實是包含在應收款項之內，而應收帳款是由買賣雙方因信用交易而發生的一種賣方債權。

一、應收款項之內容

應收款項之內容，包含下列三種：

(一) 應收帳款（Accounts Receivable, A/R）：僅由主要營業活動產生。

(二) 應收票據（Notes Receivable, N/R）：大部分由營業活動產生。

(三) 其他應收款：非營業行為之應收款項，如應收股款、應收土地款。

因營業而發生之應收帳款及應收票據，應與非因營業而發生之其他應收款項及票據分別列式。應收關係機構及關係個人之款項與票據，應為適當之表達。

二、應收帳款之意義與評價

交易雙方（買方與賣方）因信用交易，而使賣方有向買方於未來收取債權之現金請求權利。由於此債權之請求權利具有未來經濟效益，故應視為資產。就實務上而言，應收帳款發生之程序，應先由買方向賣方申請信用條件（如欠款之金額與付款之期間），賣方會採取徵信調查，以確定買方之信用程度，並給予買方信用交易之總金額與付款之期限，之後進行交易，在付款之期限與信用之額度內即可發生應收帳款。如小小公司向大大公司申請信用條件，信用額度為NT$10,000,000 及其付款期限為六十天。2021 年 3 月 1 日大大公司出售商品計NT$100,000 予小小公司，故大大公司之分錄如下，因此產生應收帳款。

（借）應收帳款	100,000	
（貸）銷貨收入		100,000

而其分錄之入帳時點為所有權移轉或勞務提供完成即可。故上述大大公司之入帳時點即為大大公司商品所有權移轉至小小公司時。其入帳應收帳款之金額，應視交易之折讓屬性（數量折扣或現金折扣）與所採之方法（總額法與淨額法），而有所差異。首先，介紹折讓。

(一) 折讓：包括折扣與讓價兩種。

1. 折扣：包括商業折扣與現金折扣兩種。商業折扣是指成交前按定價打折——以淨額入帳（又稱數量折扣）；而現金折扣是為鼓勵顧客提早付現所給予的折扣優惠——須入帳。

2. 讓價：包括成交時之讓價——不入帳及未來收款時之讓價——須入帳等兩種。

上述商業折扣又稱數量折扣，為企業大量採購時所能爭取之價格減少。企業不應將此折扣入帳，故應採淨額法將價款之總值減此折扣之淨額列為應收帳款之金額。如大大公司向小小公司買貨 $1,000,000，而得到數量折扣 $50,000。

現金折扣

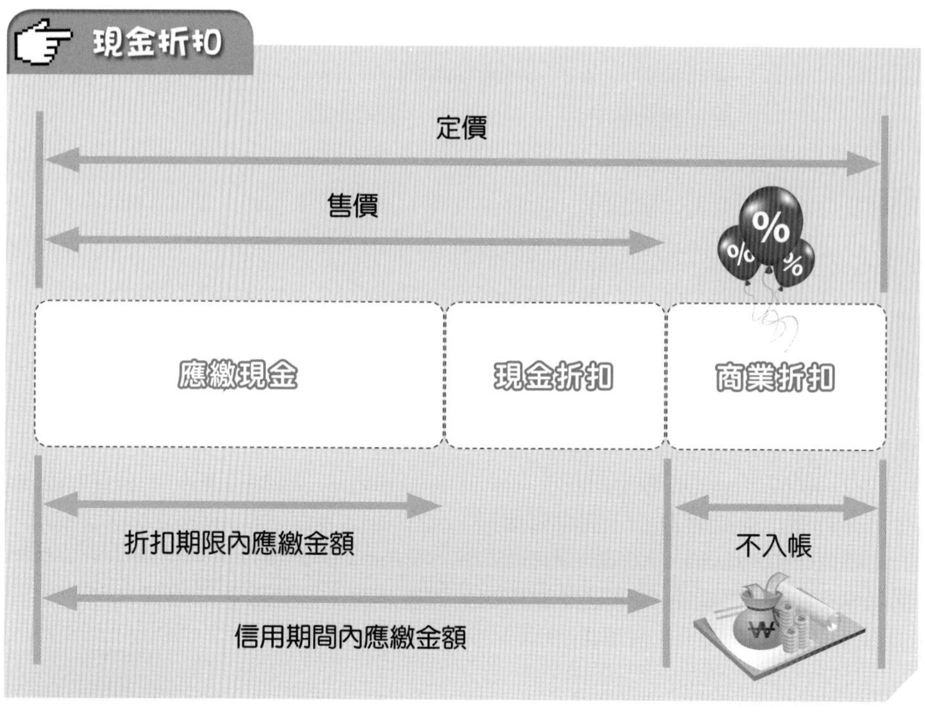

定價
售價
應繳現金
現金折扣
商業折扣
折扣期限內應繳金額
不入帳
信用期間內應繳金額

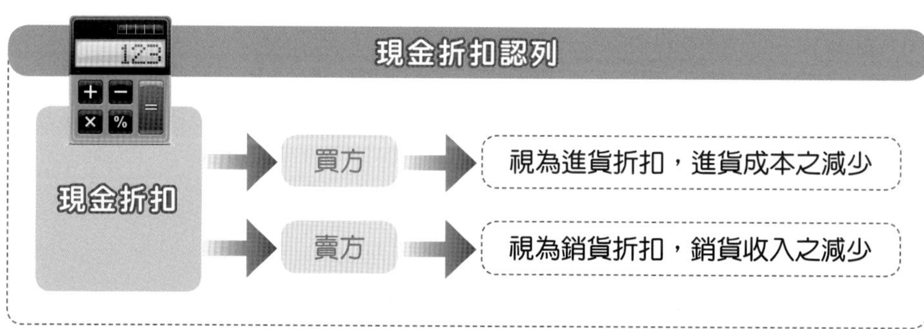

現金折扣認列
現金折扣
買方
視為進貨折扣，進貨成本之減少
賣方
視為銷貨折扣，銷貨收入之減少

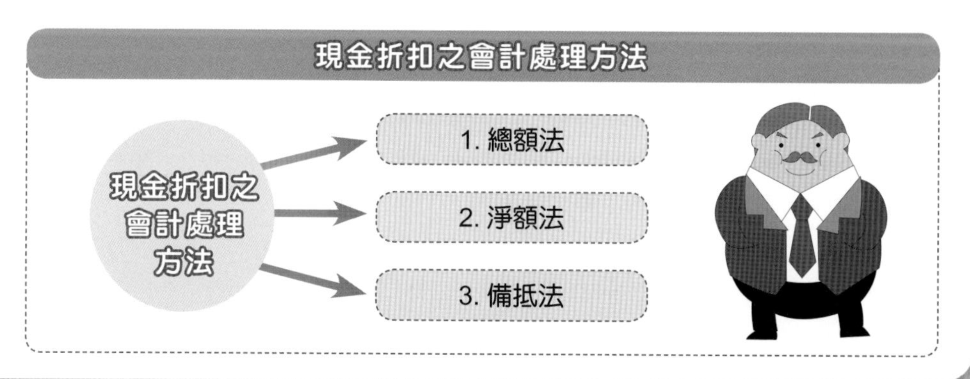

現金折扣之會計處理方法
現金折扣之會計處理方法
1. 總額法
2. 淨額法
3. 備抵法

其小小公司之分錄為：

（借）應收帳款　　　　950,000
　　（貸）銷貨收入　　　　　　950,000

現金折扣又稱銷售折扣，此係為使賣方早一點收到款項，而減少收取價款以激勵買方提早繳款者。實務上，企業由於要求現金非常殷切，若收到款項速度慢時，不僅安全性有問題，且不足之資金皆要向銀行借貸。故其折扣之利率低於借款利率時，企業則會採用現金折扣之方法，以快速取得資金以求其安全性且減少資金成本過高之情況。此折扣可採總額法與淨額法列示。以下為銷貨折扣之相關資訊：

(1) 3/10，n/30 表示：十天內付款可享 3% 現金折扣，第十一天起沒有折扣。最晚要在三十天內付清。

(2) 3/10，n/30，EOM 表示：十天內付款可享 3% 現金折扣，授信期間從本月底起算，最晚要在三十天內付清。

(3) 3/10，n/30，AOG（Arrival of goods；貨物到達後）表示：十天內付款可享 3% 現金折扣，授信期間從貨物到達後起算，最晚要在三十天內付清。

(4) n/EOM 表示：月底前付清。

(5) n/EOY 表示：年底前付清。

此折扣所採之會計方法分為總額法與淨額法，其差異為現金折扣之先後認列。請看表 6-1 之分錄。

如，2021 年 1 月 1 日大大公司向小小公司買貨 $1,000,000，而得到現金折扣 3/10，n/31。其小小公司分錄為：現金折扣＝ $1,000,000×0.03 ＝ $30,000；月底起算，最晚要在三十一天內付清。相關分錄請看表 6-2。

(二) 銷貨退回與折讓：當企業將貨品運交給客戶時，客戶之品管部門將對此商品加以檢驗：

1. 若品質符合要求，則入庫。
2. 若品質不符要求者，客戶則將此商品退回給該企業。
3. 若品質不佳但尚可接受者，則要求其折讓（降價）。

情況 2. 屬銷貨退回，情況 3. 屬銷貨折讓。其相關分錄如表 6-3。

(三) 銷貨運費：由於企業出貨給客戶時，將利用交通工具（汽車、船、飛機等）以運送出貨，故將產生運費。此運費應視此費用屬買方或賣方負擔，而歸屬進貨運費或銷貨運費。屬買方負擔者為進貨運費為存貨成本之一，屬賣方負擔者為銷貨運費為業務部費用，屬銷售費用。

表6-1

項目	總額法	淨額法
交易發生時	應收帳款　　總額 　銷貨收入　　總額	應收帳款　　淨額 　銷貨收入　　淨額
在折扣期間內還款	現金　　**** 銷貨折扣　　**** 　應收帳款　　****	現金　　**** 　應收帳款　　****
超過折扣期間內還款	現金　　**** 　應收帳款　　****	現金　　**** 　應收帳款　　**** 　客戶未享折扣　　****

*客戶未享折扣列入營業外收入。

表6-2

項目	總額法	淨額法
1/1，交易發生時	應收帳款　1,000,000 　銷貨收入　　1,000,000	應收帳款　970,000 　銷貨收入　　970,000
1/9，在折扣期間內還款$500,000	現金　485,000 銷貨折扣　15,000 　應收帳款　　500,000	現金　485,000 　應收帳款　　485,000
超過折扣期間內還款	現金　500,000 　應收帳款　　500,000	現金　500,000 　應收帳款　　485,000 　客戶未享折扣　　15,000

表6-3

交易發生時	應收帳款　　****** 　銷貨收入　　******
銷貨退回與折讓發生時	銷貨退回與折讓　　****** 　應收帳款　　******

6-2 壞帳之會計處理

就應收帳款而言，由於臺灣產業大多為外銷，故客戶大都為外國公司，且散於世界各地；又各國之法令及環境亦有所不同，故對客戶之收款及徵信較困難。另就資金控管之立場，公司都希望掌控在自己手中，但因語言、時間及地點之隔閡，使得與客戶或子公司發生收款不易，致使各產業之應收帳款造成許多問題。

一般而言，各產業之應收帳款占總資產之比率為 20% ～ 30% 以上，且企業之應收帳款為其營運收現之主要來源，由此可知，應收帳款對各產業之重要性。

一、應收帳款產生損失之風險

其中，應收帳款產生損失之風險，包括下列幾種：

(一) 徵信風險：由於對客戶徵信不確實，致使產生收不到客戶款項之風險。

(二) 客戶經營風險：由於客戶經營狀況不善，因而致使產生客戶倒帳之風險。

(三) 管理風險：由於公司管理不善、帳務不清、內控不彰，致使公司內部人員私吞帳款之現金或短收帳款之現金。

(四) 政治風險：客戶由於該國家之外匯管制，因而導致收不到客戶之款項。

(五) 外匯風險：由於收款之金額或時間不易估計及控制，致使收取外幣時，產生兌換損失。

(六) 匯款風險：由於某些國家之客戶，無法按正常且合法之方式匯款，所產生之風險。

(七) 子公司關係人管理不當之風險：由於對子公司關係人管理不當，致使應收關係人款回收不易。

(八) 其他：如與客戶發生糾紛（如退貨審查 RMA、銷貨退回及折讓），使客戶自動扣款及要求折讓。

其中任何一種風險皆會使得企業之應收帳款產生損失，造成壞帳，而損及企業之營運資金，使企業曝露於風險之中。

二、應收帳款認列時點

由於企業給予客戶信用，而產生應收帳款，既然有應收帳款，當然就會有帳款收不回來之情況。但會計原則採權責發生制，故企業要在應收帳一定時點（年底時），先行估計帳款收不回來之金額（壞帳數），以符合收入費用配合原則（銷貨收入發生配合壞帳發生）。

應收帳款的認列時點分為 FOB 起運點（買方負擔運費）、FOB 目的地（賣方負擔運費）兩種，請見右圖，並以 FOB 目的地的銷貨為例，列示買賣雙方交易之分錄，以供進一步了解與參考。

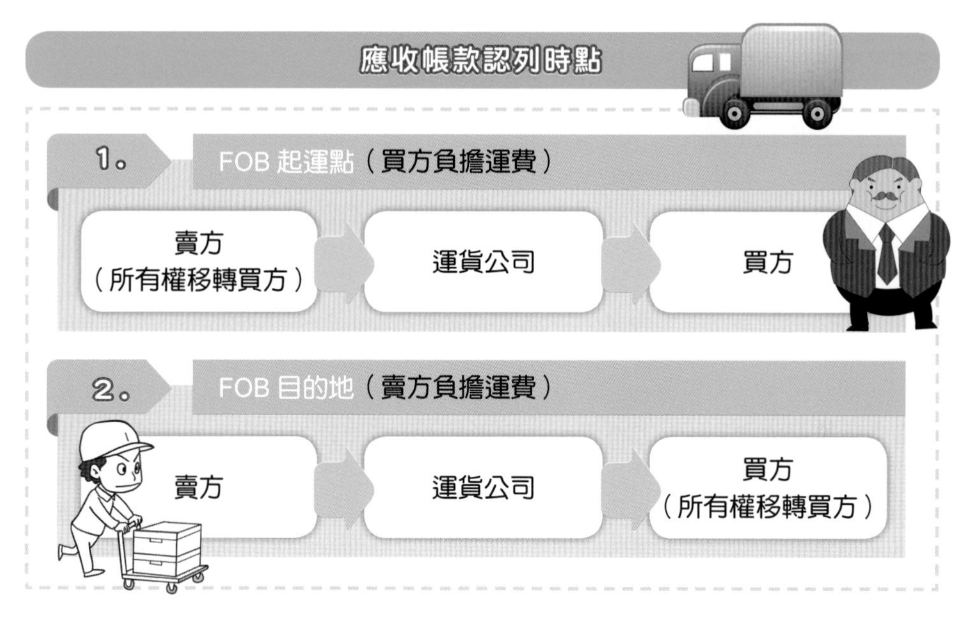

【銷貨運費釋例】

FOB 目的地的銷貨，貨款 \$4,000，代墊運費 \$50，並且獲得折扣 5%，雙方分錄如下：

	買方			賣方		
銷售時	進貨	4,000		應收帳款	4,000	
	應付帳款		4,000	銷貨收入		4,000
墊付運費	代付款	50				
	現金		50			
清償貨款	應付帳款	4,000		現金	3,750	
	代付款		50	銷貨運費	50	
	進貨折扣		200	銷貨折扣	200	
	現金		3,750	應收帳款		4,000

三、呆帳之法令規定

依所得稅法第 49 條規定，應收帳款及應收票據債權之估價，應以其扣除預計備抵呆帳後之數額為標準。

前項備抵呆帳，應就應收帳款與應收票據餘額 1% 限度內，酌量估列；其為金融業者，應就其債權餘額按上述限度估列之。

營利事業依法得列報實際發生呆帳之比率超過前項標準者，得在其以前三個年度依法得列報實際發生呆帳之比率平均數限度內估列之。

營利事業下年度實際發生之呆帳損失，如與預計數額有所出入者，應於預計該年呆帳損失時糾正之，仍使適合其應計之成數。

應收帳款、應收票據及各項欠款債權有下列情事之一者，得視為實際發生呆帳損失：1. 因倒閉逃匿、和解或破產之宣告，或其他原因，致債權之一部或全部不能收回者；2. 債權中有逾期兩年，經催收後，未經收取本金或利息者。

前項債權於列入損失後收回者，應就其收回之數額列為收回年度之收益。

四、呆帳提列方法

呆帳提列之方法有資產負債表法與損益表法。

一般而言，現代之會計理論皆改採資產負債表法，如所得稅會計處理等。此乃因資產負債表法可永遠找到對應科目，資產負債表屬實帳戶。而損益表法與資產負債表法最大之不同為其計算出之對應基礎。如資產負債表法所計算出之呆帳數額為備抵壞帳之期末數，因為其計算基礎為應收帳款，故其對應之基礎為資產負債表之科目——備抵呆帳之累積數，而要算出當期之呆帳費用應以備抵壞帳之期末數減備抵呆帳之期初數，而得出呆帳費用之金額。而損益表法所計算出之呆帳數額，應以銷貨收入為計算基礎，得到其對應基礎為呆帳費用。

資產負債表法與損益表法兩者之差異如下：

(一) 資產負債表觀點：又稱差額補足法、補提法，以及逐期遞轉法。其目的在了解應收帳款淨變現價值，即應收帳款總額減備抵壞帳之淨額。其方法可分為下列兩種：

1. 應收帳款餘額百分比法：是以應收帳款餘額為計算基礎，再估計應收帳款之壞帳率。而其壞帳率之計算為將過去實際之壞帳除過去該年度之應收帳款，並予以加權平均，再加減預估之調整率，以得出當年度之壞帳率。最後以應收帳款餘額乘估計壞帳率而得出備抵壞帳期末數。

呆帳提列方法

項目	損益表法	資產負債表法
計算基礎	銷貨收入	應收帳款
對應科目	壞帳費用	備抵壞帳期末數
當期壞帳數（分錄之金額）	同上	備抵壞帳期末數減期初數（貸方）或加期初數（借方）
分錄	（借）壞帳費用 *** （貸）備抵壞帳 ***	（借）壞帳費用 *** （貸）備抵壞帳 ***

備抵壞帳期末數之計算

公式一　**應收帳款餘額百分比法**

①應收帳款餘額 × 當期估計壞帳率（%）＝備低壞帳餘額

②備抵壞帳餘額 ± 調整前期備抵壞帳借（貸）差＝提列數

（期末數）　　　　（期初數）

公式二

帳齡分析法：按欠款期間長短列表計算備抵壞帳餘額

備抵壞帳餘額 ± 調整前期備抵壞帳借（貸）差＝提列數

壞帳率之計算

公式三

以前年度之實際壞帳 ÷ 以前年度之應收帳款餘額＝以前年度各期之實際壞帳率

公式四

以前年度各期實際壞帳率之加權平均數＋當期調整數＝當期之估計壞帳率

備抵壞帳期末數之計算公式見上圖公式一，而壞帳率之計算見上圖公式三及公式四。

2. 帳齡分析法：此法可改正應收帳款餘額百分比法之缺點，因為應收帳款餘額百分比法僅乘單一之壞帳率，但實務上而言，欠款愈久，其壞帳之發生就愈大，其壞帳率亦愈高，故應將帳款依其欠款期間而分為各不同之比率之壞帳率。由於帳齡分析法較複雜且合理，故上市上櫃及公開發行公司皆採帳齡分析法。其計算公式見上圖公式二。

【釋例】壞帳之計算，如東吳公司2021年期末之應收帳款金額為$200,000，其壞帳率為3%。故依應收帳款餘額百分比法計算2021年之壞帳計算程序，請見下表。

數額／年度	2017	2018	2019	2020
實際壞帳	50,000	100,000	80,000	100,000
應收帳款餘額	5,000,000	5,000,000	2,000,000	5,000,000
壞帳率	0.01	0.02	0.04	0.02
2021年以前年度之壞帳率加權平均數	(0.01＋0.02＋0.04＋0.02)/4＝2.25%(a)	2021年之調整率＝0.25%(b)	2021年之壞帳率＝(a＋b)	2021年之當期估計壞帳率＝2.25%＋0.25%＝2.5%

1.$200,000×3% ＝ $6,000 期末備抵壞帳

2-1. 若期初備抵壞帳為貸方 $2,000，則當期之壞帳費用為 $6,000 － $2,000 ＝ $4,000

2-2. 若期初備抵壞帳為借方 $2,000，則當期之壞帳費用為 $6,000 ＋ $2,000 ＝ $8,000

3. 分錄：

（借）壞帳費用　　4,000（8,000）
　（貸）備抵壞帳　　　　4,000（8,000）

而依帳齡分析法計算 2021 年之壞帳計算程序如下：

1. 分析並分類 2021 年應收帳款（$200,000）之金額如下表：
   2021 年備抵壞帳之期末數＝ $12,650。

客戶／帳齡	未到期	過期 1-30天	過期 31-60天	過期 61-90天	超過 91天以上
小小公司(1)	10,000	20,000	20,000		
中中公司(2)	5,000	15,000	10,000	10,000	20,000
大大公司(3)	10,000	50,000	20,000	10,000	
應收帳款總計 (4)＝(1)＋(2)＋(3)	25,000	85,000	50,000	20,000	20,000
壞帳率*(5)	1%	4%	6%	10%	20%
備抵壞帳期末數 (6)＝(4)×(5)	250	3,400	3,000	2,000	4,000

2-1. 若期初備抵壞帳為貸方 $2,000，則當期之壞帳費用為 $12,650 − $2,000 = $10,650

2-2. 若期初備抵壞帳為借方 $2,000，則當期之壞帳費用為 $12,650 ＋ $2,000 = $14,650

3. 分錄：

（借）壞帳費用	10,650（14,650）	
（貸）備抵壞帳		10,650（14,650）

（二）損益表法觀點： 又稱加提法，目的在達到收入與費用配合原則。其方法可分四種計算模式，此模式之計算基礎以銷貨收入為主，其不同者為以銷貨收入總額、淨額、賒銷收入之總額或淨額而分為下列四種方法：

① 銷貨總額百分比法：銷貨總額 × 壞帳率 % ＝壞帳

② 銷貨淨額百分比法：銷貨淨額 × 壞帳率 % ＝壞帳

③ 賒銷總額百分比法：賒銷總額 × 壞帳率 % ＝壞帳

④ 賒銷淨額百分比法：賒銷淨額 × 壞帳率 % ＝壞帳

此觀點之壞帳率之計算，見公式五及公式六。

公式五

以前年度之實際壞帳 ÷ 以前年度之銷貨收入（總、淨額）或賒銷收入（總、淨額）＝以前年度各期之實際壞帳率

公式六

以前年度各期實際壞帳率之加權平均數＋當期調整數＝當期之估計壞帳率

【釋例】壞帳之計算，如東吳公司 2021 年之銷貨收入（總、淨額）或賒銷收入（總、淨額）金額為 $200,000，其壞帳率為 3%，故依銷貨總額百分比法、銷貨淨額百分比法、賒銷總額百分比法或賒銷淨額百分比法，計算 2021 年之壞帳計算程序，如下頁表所示：

1. $200,000×3% = $6,000，2021 年之壞帳費用

2. 分錄：

（借）壞帳費用　　　　6,000
　　（貸）備抵壞帳　　　　　6,000

數額／年度	2017	2018	2019	2020
實際壞帳	50,000	100,000	80,000	100,000
銷貨收入（總、淨額）或賒銷收入（總、淨額）	5,000,000	5,000,000	2,000,000	5,000,000
壞帳率	0.01	0.02	0.04	0.02
2021年以前年度之壞帳率加權平均數	(0.01＋0.02＋0.04＋0.02)/4＝2.25%(a)	2021年之調整率＝0.25%(b)	2021年之壞帳率＝(a＋b)	2021年之當期估計壞帳率＝2.25%＋0.25%＝2.5%

五、壞帳沖銷法

由於壞帳費用為估列數，故壞帳之沖銷應採什麼方法呢？其方法有下列：

(一) 直接沖銷法：年底不提列壞帳，實際發生壞帳時，再借記壞帳並沖銷應收帳款，其會計處理之分錄如下：

1. 年底不作分錄。
2. 實際發生壞帳時：

（借）壞帳　　　　******
　　（貸）應收帳款　　　　******

因違反配合原則，即銷貨收入發生之年度，並提列壞帳費用，故非屬一般公認會計原則所採用。

(二) 備抵法（間接沖銷法）：因符合配合原則，故屬一般公認會計原則所採用。其會計處理為年底提列壞帳（備抵壞帳），實際發生壞帳時，再沖銷備抵壞帳，其會計處理之分錄如下：

1. 年底時：

（借）壞帳費用　　　　******
　　（貸）備抵壞帳　　　　******

2. 發生壞帳（沖銷帳款）時：

（借）備抵壞帳　　　　******
　　（貸）應收帳款　　　　******

3. 發生壞帳沖銷後，又收回壞帳，其會計處理之分錄：

(1) 回轉沖銷之應收帳款：

（借）應收帳款	******	
（貸）備抵壞帳		******

(2) 收回現金：

（借）現金	******	
（貸）應收帳款		******

另依財務會計準則第一號公報第 19 條規定，應收帳款的評價，應扣除估計之備抵壞帳，以淨額表示之。

如：東吳公司 2021 年之估計壞帳費用為 $6,000，2022 年實際發生之壞帳費用為 $1,000。又 2022 年沖銷之應收帳款中有 $500 回收。

其分錄如下：

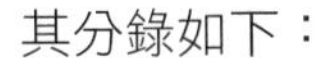

（借）壞帳費用	6,000	
（貸）備抵壞帳		6,000

（借）備抵壞帳	1,000	
（貸）應收帳款		1,000

2022 年底
壞帳回收

（借）應收帳款	500	
（貸）備抵壞帳		500
（借）現金	500	
（貸）應收帳款		500

6-3 應收帳款之後續處理

實務上，企業為調整其資金需求，會以出售客戶之應收帳款予銀行或金融機構以收現，以減少收款風險或增加資金調度之靈活性。

一、應收帳款之債權出售種類

應收帳款之債權的出售，依其性質可分為可追索權及無追索權兩類。其差異為此債權是否賣斷，即銀行或金融機構收不到應收帳款時，是否可向賣方追討其款項。

具追索權者屬此債權之風險與義務移轉至銀行或金融機構，而無追索權者屬此債權之風險與義務尚未移轉至購買者（銀行或金融機構）。

就應負擔銷貨退回、折讓與折扣而言，若風險與義務移轉至購買者（銀行或金融機構），則購買者應負擔銷貨退回、折讓與折扣；若風險與義務尚未移轉至購買者（銀行或金融機構），則出售者應負擔銷貨退回、折讓與折扣。

二、出售應收帳款之會計處理

出售應收帳款之會計處理，可細分為下列幾種情況：

出售應收帳款之會計處理

1. 出售之應收帳款無追索權者，屬出售之會計處理。
2. 出售之應收帳款有追索權者，應視下列三條件而定。若同時符合此三條件者，屬出售之會計處理。若有一條件不符合者，屬融資之會計。
   - (1) 出售應收帳款之企業，出售後無對此債權之控制權。
   - (2) 購買應收帳款之銀行或金融機構，除行使追索權外，不得要求出售應收帳款之企業購回此債權。
   - (3) 追索權之義務可合理估計。
3. 其所有之會計處理，如右表所示。

出售應收帳款之會計處理

項目	出售應收帳款不具追索權者	出售應收帳款具追索權者	應收帳款質押者
出售應收帳款 出售者	現金 ** 　應收帳款－購買者 ** 出售應收帳款損失 ** 　應收帳款 **	符合三條件，屬出售： 現金 ** 　應收帳款－購買者 ** 出售應收帳款損失 ** 　應收帳款 **	現金 ** 財務費用 ** 　設定擔保應收帳款 ** 應收帳款 ** 　應付票據 **
購買者	應收帳款 ** 　應付帳款 ** 財務收入 ** 　現金 **	應收帳款 ** 　應付帳款 ** 財務收入 ** 　現金 **	應收票據 ** 　財務收入 ** 　現金 **
發銷貨退回及折讓 出售者	銷貨折扣 ** 　銷貨退回與折讓 ** 　應收帳款－購買者 **	符合三條件，屬出售： 備抵壞帳 ** 銷貨折扣 ** 銷貨退回與折讓 ** 　應收帳款－購買者 **	備抵壞帳 ** 銷貨折扣 ** 銷貨退回與折讓 ** 　應收帳款－購買者 **
購買者	現金 ** 　應付帳款 ** 　應收帳款 **	現金 ** 應付帳款 ** 　應收帳款 **	免作分錄
應收帳款 出售者	免作分錄	符合三條件，屬出售： 現金 ** 　應收帳款 **	現金 ** 　應收帳款 **
購買者	現金 ** 　應收帳款 **	現金 ** 　應收帳款 **	現金 ** 　應收帳款 **

6-4 應收票據之意義與評價

應收票據通常是指企業持有的還沒有到期、尚未兌現的票據。而此票據在實務上以支票最為常見。

一、應收票據之意義與種類

所謂應收票據係指企業出售商品予客戶時，有時因徵信之情況，而要求客戶支付票據。一般而言，其支付者大多為支票。

而依我國票據法規定，票據分為支票、本票、匯票三種類。

實務上，支票是常見之支付工具，而本票常用於保證相關交易等。

美國會計原則委員會第二十一意見書規定，因銷貨或進貨而發生之票據，期限不長於一年者，不必計算現值入帳。但如期限超過一年，不論係由營業或非由營業而發生，均應計算現值入帳。

二、依票據附息與否之分類

在此，我們可依票據附息與否將票據分類為付息票據與不付息票據兩種。

(一) 附息票據： 面值＝現值＜到期值

所謂附息票據是票據上有載明面值、利率與到期期間。一般而言，其到期值＝面值＋利息，而利息（一般年利率）＝面值 × 年利率 × 期間。

(二) 不附息票據： 現值＜面值＝到期值

所謂不附息票據是票據僅載明面值，而未註明利率，面值中已包括利息，其到期值等於面值。

附息、不附息票據期間超過一年者之會計處理（以現值入帳）

項目	附息票據	不附息票據
銷貨	應收票據 ** 　　銷貨收入 **	應收票據 ** 　　銷貨收入 ** 　　應收票據折價 **
年底	應收利息 ** 　　利息收入 **	應收票據折價 ** 　　利息收入 **
收款本金與利息	現金 ** 　　應收利息 ** 　　利息收入 ** 現金 ** 　　應收票據 **	應收票據折價 ** 　　利息收入 ** 現金 ** 　　應收票據 **

附息、不附息票據期間未超過一年者之會計處理（以面值入帳）

項目	附息票據			不附息票據		
銷貨	應收票據	**		應收票據	**	
	銷貨收入		**	銷貨收入		**
收款	現金	**		現金	**	
	應收票據		**	應收票據		**

票據──支票格式

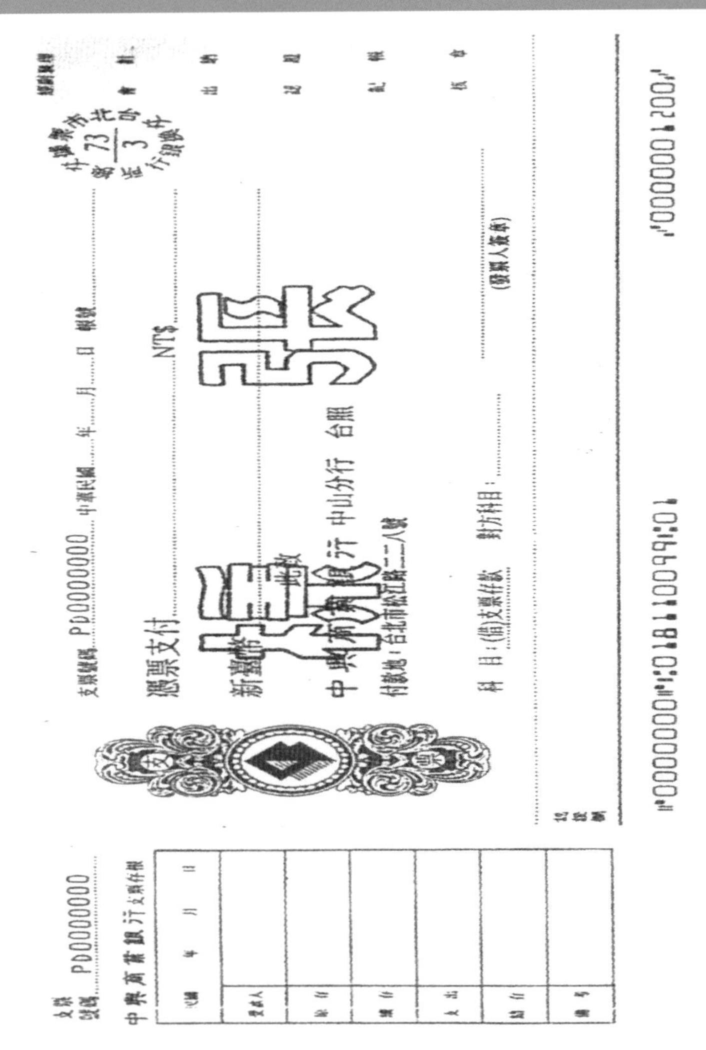
支票號碼 Pb0000000 中華民國 年 月 日

憑票支付 NT$

新臺幣

中興商業銀行 中山分行 台照

付款地：台北市松江路二〇八號

科目：(借)支票存款 對方科目：

(發票人簽章)

6-5 應收票據貼現

依票據貼現流程圖，可知票據貼現流程如下：

1. 發票人交付票據給受款人。
2. 受款人出售（貼現）票據給銀行。
3. 銀行將受款人所應收之金額給予受款人。
4. 銀行通知發票人銀行持有該發票人之票據。
5. 在到期日，發票人將票據的到期值加計拒絕證書之費用，並退還此票據予受款人（實務上天數之計算，長期票據用360天計算，一年內之票據用365天，一般短期票據貼現較常見，故用 365 天計算）。

一、票據貼現之計算程序

(一) 決定票據到期值（面值加上利息）：它是銀行用以計算貼現息的金額。

$$到期值＝面值＋（面值 \times 票面利率 \times \frac{票據期間}{365}）$$

(二) 決定貼現期間：計算自出售日（貼現）至到期日的正確天數。計算時，出售日不計，但應包括到期日。另一種計算貼現期間的方法是計算受款人持有票據的天數，然後用票據整個期間減去其持有票據的天數。

(三) 使用銀行貼現率：計算到期值於貼現。

(四) 期間內的銀行貼現利息：

$$銀行貼現息＝到期值 \times 銀行貼現率 \times \frac{貼現期間}{365}$$

(五) 由到期值中扣除銀行貼現利息：以決定所收現的現金額（即貼現之金額）。

貼現金額（所獲金額）＝到期值－銀行貼現息

(六) 算貼現日之票據帳面價值：

$$票據之帳面價值＝面值＋（面值 \times 票面利率 \times \frac{票據持有日}{365}）$$

(七) 貼現損益之計算：貼現損益＝貼現金額－票據帳面價值

二、票據貼現之會計處理方式

會計處理之方式包含總額法、淨額法、損益表法三種，其各別會計處理如右表所示。而資產負債表上之表達如下：

1. 應收票據：應收票據貼現。
2. 附註表達或有負債。
3. 括號説明。如，大大公司 2021 年應收票據期末數 $500,000，另有應收票據貼現 $100,000*。

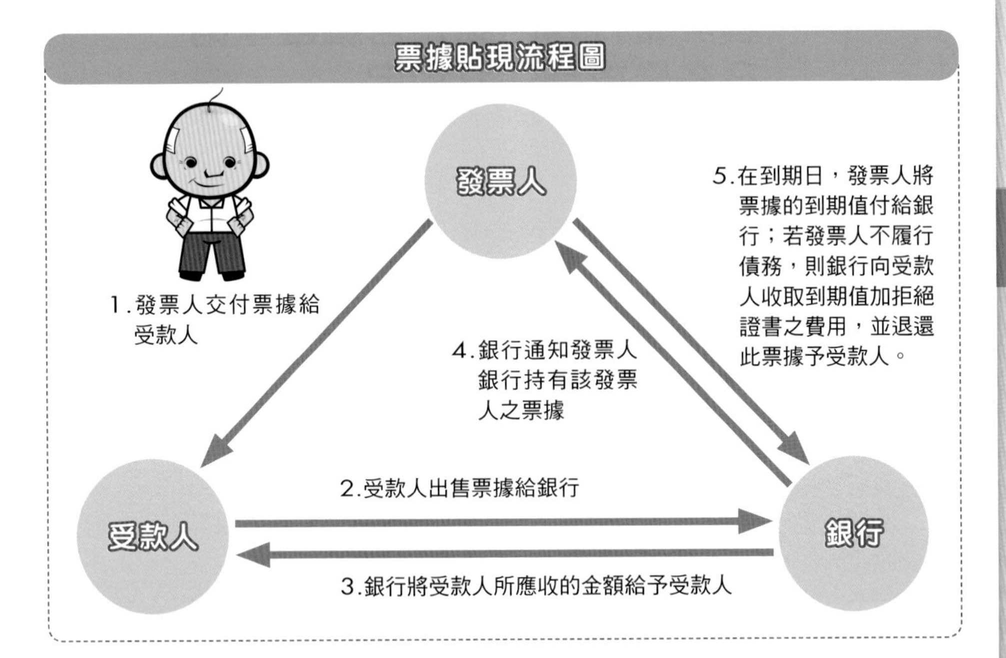
票據貼現流程圖
發票人
受款人
銀行
1.發票人交付票據給受款人
2.受款人出售票據給銀行
3.銀行將受款人所應收的金額給予受款人
4.銀行通知發票人銀行持有該發票人之票據
5.在到期日，發票人將票據的到期值付給銀行；若發票人不履行債務，則銀行向受款人收取到期值加拒絕證書之費用，並退還此票據予受款人。

票據貼現之會計處理方式

項目	總額法	淨額法	損益法
會計	現金 **	現金 **	現金 **
處理	利息費用 **	利息費用 **	貼現損失 **
	（貼現息）	（貼現息＞票據利息）	應收票據貼現 **
	應收票據貼現 **	應收票據貼現 **	利息收入 **
	利息收入 **	利息收入 **	（發票日至貼現日）
	（票據利息）	（票據利息＞貼現息）	

資產負債表表達方式

1. 流動資產：應收票據　500,000
　　　　減：應收票據貼現　100,000
　　　　　　　　　　　　400,000
2. 流動資產：應收票據 *　400,000
3. 流動資產：應收票據（不包括應收票據貼現 $100,000）　400,000

* 本公司有$100,000 應收票據貼現在外，若發票人到期拒絕付款，本公司有清償義務。

證券發行人財務報告編製準則及商業會計法之規定

● 證券發行人財務報告編製準則　第 **9** 條（節錄）

七、應收票據，指應收之各種票據：

（一）應收票據應以有效利息法之攤銷後成本衡量。但未附息之短期應收票據若折現之影響不大，得以原始發票金額衡量。

（二）應收票據業經貼現或轉讓者，應就該應收票據之風險及報酬與控制之保留程度，評估是否符合國際會計準則第三十九號除列條件，並應依國際財務報導準則第七號規定揭露。

（三）因營業而發生之應收票據，應與非因營業而發生之其他應收票據分別列示。

（四）金額重大之應收關係人票據，應單獨列示。

（五）提供擔保之票據，應於附註中說明。

（六）資產負債表日應評估應收票據無法收現之金額，提列適當之備抵呆帳。

八、應收帳款，指因出售商品或勞務而發生之債權：

（一）應收帳款應以有效利息法之攤銷後成本衡量。但未付息之短期應收帳款若折現之影響不大，得以原始發票金額衡量。

（二）應收帳款業經貼現或轉讓者，應就該應收帳款之風險及報酬與控制之保留程度，評估是否符合國際會計準則第三十九號除列條件，並應依國際財務報導準則第七號規定揭露。

（三）金額重大之應收關係人帳款，應單獨列示。

（四）資產負債表日應評估應收帳款無法收現之金額，提列適當之備抵呆帳。

（五）分期付款銷貨之未實現利息收入，應列為應收帳款之減項。款項收回期間超過一年部分，並應附註說明各年度預期收回之金額。

（六）設定擔保應收帳款應於附註中揭露。

九、其他應收款，指不屬於應收票據、應收帳款之其他應收款項：

（一）資產負債表日應評估其他應收款無法收回之金額，提列適當之備抵呆帳。

（二）備抵呆帳應分別列為應收票據、應收帳款及其他應收款之減項。各該項目如為更明細之劃分者，備抵呆帳亦比照分別列示。

● 證券發行人財務報告編製準則　第 **23** 條

發行人編製個體財務報告時，應編製重要會計項目明細表。

一、資產、負債及權益項目明細表：

應收票據明細表

客戶名稱	摘要	金額	備註

說明：1.按營業及非營業、關係人及非關係人分別列報。
2.各戶餘額超過本科目金額百分之五者應分別列報，其餘得合併列報。
3.尚未到期之票據及業已逾期之票據應予分列。
4.業經貼現或轉讓票據尚未到期者，應在本表中註明其金額。
5.按現值評價者，應於備註欄註明。
6.若因契約約定不得揭露客戶名稱或交易對象如為個人且非關係人者，得以代號為之。

應收帳款明細表

客戶名稱	摘要	金額	備註

說明：1.按關係人及非關係人分別列報。
2.各戶餘額超過本科目金額百分之五者應分別列報，其餘得合併列報。
3.分期收款超過一年者，應於備註欄註明。
4.帳款結欠已逾一年以上者，應於備註欄註明。
5.若因契約約定不得揭露客戶名稱或交易對象如為個人且非關係人者，得以代號為之。

其他應收款明細表

客戶名稱	摘要	金額	備註

◎ 商業會計法　第 **45** 條（備抵呆帳）

應收款項之衡量應以扣除估計之備抵呆帳後之餘額為準，並分別設置備抵呆帳項目；其已確定為呆帳者，應即以所提備抵呆帳沖轉有關應收款項之會計項目。
因營業而發生之應收帳款及應收票據，應與非因營業而發生之應收帳款及應收票據分別列示。

◎ 商業會計處理準則　第 **15** 條（評價與分攤、表達與揭露）

三、應收票據：指商業應收之各種票據。
（一）應收票據以攤銷後成本衡量為原則。但未附息之短期應收票據若折現之影響不大，得以票面金額衡量。
（二）業經貼現或轉讓者，應予揭露。

（三）因營業而發生之應收票據，應與非因營業而發生之應收票據分別列示。
（四）金額重大之應收關係人票據，應單獨列示。
（五）已提供擔保者，應予揭露。
（六）業已確定無法收回者，應予轉銷。
（七）資產負債表日應評估應收票據無法收回之金額，提列適當之備抵呆帳，列為應收票據之減項。

四、應收帳款：指商業因出售商品或勞務等而發生之債權。
（一）應收帳款以攤銷後成本衡量為原則。但未附息之短期應收帳款若折現之影響不大，得以交易金額衡量。
（二）金額重大之應收關係人帳款，應單獨列示。
（三）分期付款銷貨之未實現利息收入，應列為應收帳款之減項。
（四）收回期間超過一年部分，應揭露各年度預期收回之金額。
（五）已提供擔保者，應予揭露。
（六）業已確定無法收回者，應予轉銷。
（七）資產負債表日應評估應收帳款無法收回之金額，提列適當之備抵呆帳，列為應收帳款之減項。

五、其他應收款：指不屬於應收票據、應收帳款之應收款項。
（一）資產負債表日應評估其他應收款無法收回之金額，提列適當之備抵呆帳，列為其他應收款之減項。
（二）其他應收款如為更明細之劃分者，備抵呆帳亦應比照分別列示。

第 7 章
存貨

7-1 存貨之認定

存貨的定義，依國際會計準則第二號規定，認為存貨係指符合下列任一條件之資產，即 1. 持有供正常營業過程出售者；2. 正在製造過程中以供前述銷售者，以及 3. 或將於製造過程或勞務提供過程中消耗之原料或物料（耗材）。

一、各行業之存貨

(一) **製造業之存貨**：分為原物料、在製品與製成品。其成本累積如下圖所示。

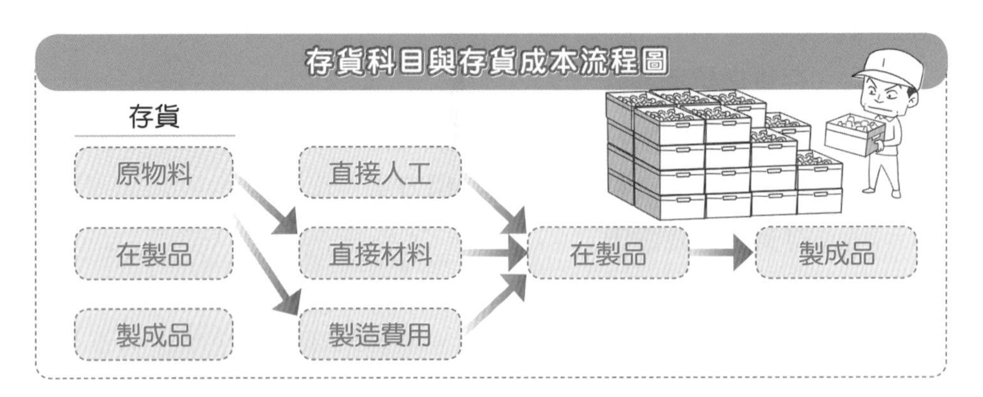

(二) **買賣業之存貨**：為商品存貨。

(三) **服務業**：無存貨。

存貨均適用於國際會計準則第二號，但下列情況除外：1. 建造合約產生之在製品，包含直接相關之勞務合約（見國際會計準則第十一號「建造合約」）；2. 金融工具（見國際會計準則第三十二號和三十九號「金融工具：表達」和「金融工具：認列與衡量」以及國際財務報導準則第九號「金融工具」），以及 3. 農業活動相關生物資產（見國際會計準則第四十一號「農業」）。

二、存貨之歸屬

(一) **在途存貨**：由於購貨或銷貨時，皆需要時間來運送，故此存貨可能仍在運送之途中，故此存貨之歸屬如右表所示。

若為 FOB 起運點交貨之條件，則存貨在海上之途中時，其所有權之歸屬已在起運時，即屬買方，故此在途存貨屬買方；若為 FOB 目的地交貨之條件，則存貨在海上之途中時，其所有權之歸屬在起運時，仍屬賣方，而要在目的地交貨時，所有權才屬買方，故此在途存貨仍屬賣方。

(二) **委外加工**：當公司生產量不足時，將會要求其代工廠幫其生產。一般而言，公司將其材料存放於他人公司（代工廠）生產，故其生產之貨品，仍視為本公司之存貨。

(三) **寄銷品**：公司存放他公司寄賣之商品，此存貨仍屬本公司之存貨。

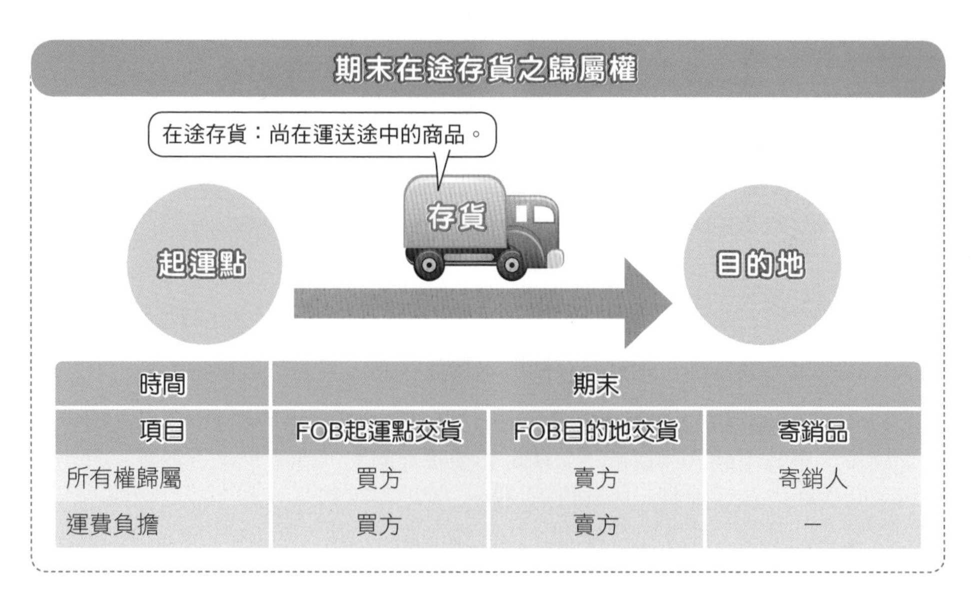

時間	期末		
項目	FOB起運點交貨	FOB目的地交貨	寄銷品
所有權歸屬	買方	賣方	寄銷人
運費負擔	買方	賣方	—

三、存貨成本之原始評價

存貨成本依國際會計準則第二號規定，應包含所有購買成本、加工成本及為使存貨達到目前之地點及狀態所發生之其他成本。此亦符合歷史成本原則。故存貨成本包括買價、進貨運費、關稅等。另與本期進貨有關之項目，如下說明：

1. 進貨退回與折讓為本期進貨之減項。
2. 進貨折扣為本期進貨之減項。
3. 進貨運費為本期進貨之加項。

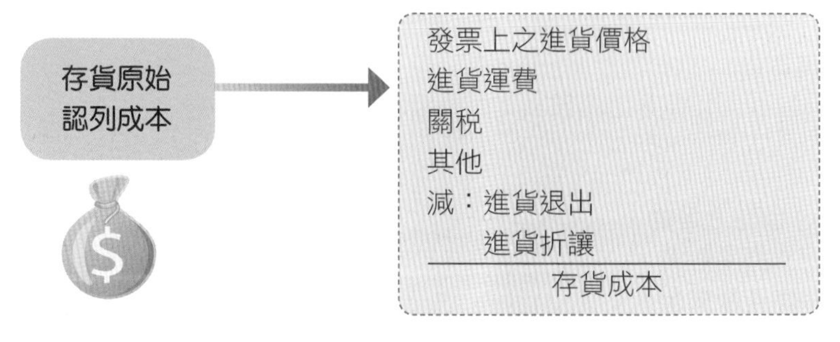

四、期末存貨計算

期末存貨
± 在途存貨
± 寄（承）銷品
正確的期末存貨

7-2 存貨盤存制度與存貨之入帳方式

實務上而言，永續盤存制因較繁瑣且較易於查核，故上市上櫃公司大都採此制，除非因特殊行業，如百貨公司採定期盤存制外。如上述公式可知，定期盤存制之銷貨成本要盤點期末存貨後，才能倒推銷貨成本。此法之缺點為無法找出盤盈虧之數。而永續盤存制不但可直接得到銷貨成本，亦可找到盤盈虧之數。此乃定期盤存制為權宜的一種方法。

一、存貨制度

存貨制度分成兩種，定期盤存制與永續盤存制，其對於處理有所不同。

(一) 定期盤存制（Periodic System）：購貨時，以「進貨」科目入帳，平時之進貨、銷貨不記入存貨帳戶，期末必須實地盤點才能確定存貨數量，因此無法確定是否有盤盈或盤虧，因此該法又稱「實地盤存制」。

1. 優點：簡單、成本低。缺點：內部控制較差。
2. 公式：定期盤存制之銷貨成本＝期初存貨＋本期進貨－期末存貨

(二) 永續盤存制（Perpetual System）：平時之進貨、銷貨及存貨增減均應記入存貨帳戶，故存貨帳戶可隨時反應應有之存貨數量，此法又稱為帳面盤存制。

1. 優點：內部控制較佳。缺點：較複雜、成本高。
2. 公式：永續盤存制之期末存貨（帳列數）＝期初存貨＋本期存貨（盤點實際數）－銷貨成本（帳列數）
3. 盤損：期末存貨（帳列數）＞期末存貨（實際盤點數）
   盤盈：期末存貨（帳列數）＜期末存貨（實際盤點數）

二、盤點存貨

盤點就是定期或不定期地對店內的商品進行全部或部分的清點，通常於期末時進行。

(一) 盤點之目的：

1. 確定資產數量。
2. 保障資產安全。
3. 檢視資產之品質及使用狀況。

(二) 盤點時間：

1. 定期盤點：依公司規定定期實施；通常為平常或每天或每週一次；其所盤點所需時間較短；其可能為公司專門人員進行盤點。

2. 不定期盤點：配合內部稽核、會計師簽證或公司管理上之需要不定期實施；通常為一年一次或一年數次；其人員通常為全體動員。

三、定期盤存制與永續盤存制之會計處理

項目	定期盤存制	永續盤存制
賒購存貨	進貨 *** 　　應付帳款 ***	存貨 *** 　　應付帳款 ***
購貨運費	進貨運費 *** 　　現金（應付帳款） ***	存貨 *** 　　現金（應付帳款） ***
賒購存貨退回	應付帳款 *** 　　進貨退出與折讓 ***	應付帳款 *** 　　存貨 ***
付款（折扣）	應付帳款 *** 　　現金 *** 　　進貨折扣 ***	應付帳款 *** 　　現金 *** 　　存貨 ***
賒銷存貨	應收帳款 *** 　　銷貨收入 ***	應收帳款 *** 　　銷貨收入 *** 銷貨成本 *** 　　存貨 ***
賒銷存貨退回	銷貨退回與折讓 *** 　　應收帳款 ***	銷貨退回與折讓 *** 　　應收帳款 *** 存貨 *** 　　銷貨成本 ***
銷貨折扣	現金 *** 銷貨折扣 *** 　　應收帳款 ***	現金 *** 銷貨折扣 *** 　　應收帳款 ***
期末結轉	存貨－期末 *** 銷貨成本 *** 進貨退出與折讓 *** 進貨折扣 *** 　　進貨運費 *** 　　進貨 *** 　　存貨－期初 ***	無
盤盈虧	無	**盤盈** 存貨 *** 　　存貨盤盈 　　（銷貨成本） *** **盤虧** 存貨盤盈 （銷貨成本） *** 　　存貨 ***

7-3 存貨成本之計算與其流動計價方法

實務上，由於存貨之計價有一定困難，因為買進之每批貨買價不同，出售時亦無法了解或辨別出此存貨是屬何批？故需要存貨成本計價之流程假設，如先進先出法（假設先買進之存貨將會先出售）、後進先出法（假設最後買進之貨，會最先出售）、加權平均法（假設買進之貨，皆加權平均算出成本，再以此作計價基礎），以及實務上不常見之個別認定法。

一、存貨流程成本假設

(一) 先進先出法（First in First out）：即假設先買進之存貨，先賣出去。實務上，一般為美國高科技公司所採用，原因為高科技產業之原物料跌價較快，先買之貨大部分較後買者為貴，故採先進先出法較保守且符合實際製造流程。

(二) 後進先出法（Last in First out）：即假設後買的貨，先賣出去。美國許多公司皆採用此法，原因是資料較易找尋與計算，目前我國不允許採用此法。

(三) 加權平均法（Weighted Average Method）：將每次買的貨品，加以加權平均，以作為出售貨品之成本。其原因為計算容易，如臺灣之企業大都採此法。

(四) 個別認定法（Specified Identity Method）：每次買進之存貨皆可單獨認定其成本，出售時亦可個別認定其成本。如造船公司、造飛機之公司即用採此法。

二、存貨之計價

在不同的盤存制下，不同的成本假設會有不同的方法。

永續盤存制下後進先出法、移動加權平均法，與定期盤存制下後進先出法、加權平均法，其答案（期末存貨與銷貨成本）會不一樣，原因為決定銷貨成本之時間點不同所造成。

如永續盤存制下決定銷貨成本之時間點為貨品出售時，而定期盤存制下決定銷貨成本之時間點為期末盤點後。

但以先進先出法而言，無論採定期盤存制或永續盤存制，其答案（期末存貨與銷貨成本）皆一樣，此乃無論銷貨成本之時間點如何決定，其排序上使得答案（期末存貨與銷貨成本）相同。

由上述可知，存貨之計價，實際上只有右圖所示幾種方法。

物價上漲時，先進先出法之銷貨成本小於加權平均法（移動加權平均法）之銷貨成本，小於後進先出法之銷貨成本。先進先出法之期末存貨大於加權平均法（移動加權平均法）之期末存貨，大於後進先出法之期末存貨。但若物價下跌時，則於上漲時之情況相反。

三、存貨流程成本假設之優缺點

存貨流程成本假設	優點	缺點
1.先進先出法	(1) 成本流程與商品流程一致。 (2) 較不易操縱損益。 (3) 資產負債表上存貨金額較接近當時市場價值。	物價上漲時，容易認列帳面利潤，而非實際利潤，假若申報時採此法，易有較重的稅賦。
2.加權平均法	銷貨成本和期末存貨金額較不受物價上漲和下跌的影響。	期末存貨與銷貨成本並非真實發生的成本。
3.個別認定法	期末存貨與銷貨成本為實際成本，符合成本收益配合原則。	(1) 實務上較不可行，並非每種方法皆可個別認定。 (2) 相同的產品，卻因個別認定而有不同的成本，容易被操縱損益。

存貨計價方法

永續盤存制下	末存金額相等與否	定期盤存制下
1.先進先出法	=	先進先出法
2.移動加權平均法	≠	加權平均法
3.個別認定法	=	個別認定法

7-4 存貨之後續評價

企業依上面兩制度，得到存貨之數量後，尚須決定相關之存貨價格，以得到財務報表上存貨之貨幣價值，此時有關之會計問題，即為存貨之評價。

一、存貨評價之四個基本原則

(一) 存貨取得時依成本原則：取得存貨一切之合理必要之支出。

存貨	*****	
應付帳款		*****

(二) 存貨出售時依配合原則。如出售時：

應收帳款	*****	
銷貨收入		*****
銷貨成本	*****	
存貨		*****

(三) 存貨期末依成本與淨變現價值孰低法（lower-of-cost-or-net realizable value，**簡稱** LCNRV）：淨變現價值係指存貨在企業於正常營業過程中之估計售價，減除至完工尚需投入之估計成本及完成出售所需之估計成本後之餘額。存貨應以成本與淨變現價值評估，當淨變現價值低於成本，則認列存貨跌價損失。

(四) 存貨依淨變現價值入帳時：當存貨毀損或過時，致存貨成本高於淨變現價值時，依淨變現價值入帳。

二、存貨產生之風險

就存貨而言，其中包括原物料、委外加工料、在製品、半成品、製成品、商品等，不僅種類繁多且管理不易，且許多公司，有的委外加工，有的工廠設在國外，有的倉庫設在國外，亦有業務機構設在國外者，使公司之存貨實體不一定皆在國內之倉庫中。更由於全球運籌之管理，存貨及產品之採購、製造、出貨及倉儲管理，亦不限於單一國家，而成為多國籍企業之發展。

一般而言，存貨占總資產之比率為 20% ～ 30% 以上，且公司存貨跌價損失風險比別的產業大，由此可知，存貨對各產業之重要性。

存貨產生損失之風險包括下列六種，茲整理說明如右表。

1. 採購風險
2. 採購品管（質）風險
3. 生產品管（質）風險
4. 研發設計風險
5. 管理風險
6. 其他

其中任何一種風險皆會使得企業之存貨增加、不良品增加，又由於公司產品週期短，不但存貨之跌價損失增加，易有現金積壓情況，而造成企業雙重壓力。

成本與淨變現價值孰低法（LCNRV）評價流程圖

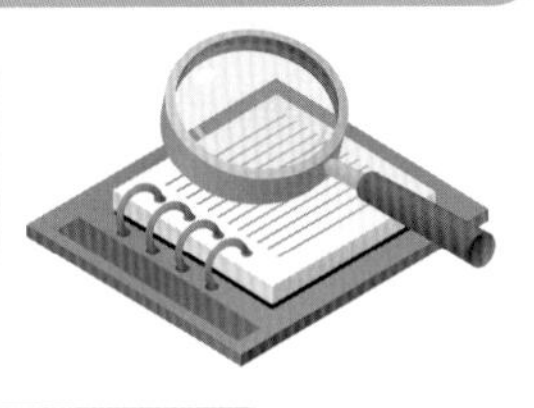

期末存貨採成本與淨變現價值孰低法評價

↓

成本　　淨變現價值

↓

情況一：成本＞淨變現價值 → 存貨跌價損失　***
　　備抵存貨跌價損失　***

情況二：成本＜淨變現價值 → 不做分錄

存貨產生的風險

風險	造成風險的理由
1.採購風險	由於銷貨預測變動太大，致使企業採購太多之存貨。
2.採購品管（質）風險	由於採購存貨之品管（質）發生不良，且企業之品管部門並未驗出，致使發生呆料或不良品。
3.生產品管（質）風險	由於生產製程之品管（質）發生不良，且企業之品管部門並未驗出，致使發生不良品。
4.研發設計風險	由於研發設計之品管（質）發生不良，致使企業已採購許多存貨。
5.管理風險	由於單一部門管理（如採購部門主管誤判或生產主管疏忽）或各部門溝通及管理（如運貨發生問題等）發生問題，致使存貨太多，或人員舞弊使存貨短少。
6.其他	如政府機關之阻礙（如辦理產品出關），供應商之錯誤（如延遲出貨，致使企業延遲出貨到客戶，但客戶拒收），客戶之問題（如客戶臨時抽單或拒收）。其中任何一種風險皆會使得企業之存貨增加、不良品增加，又由於公司產品周期短，不但存貨之跌價損失增加，更積壓現金，而造成企業雙重壓力。

三、成本與淨變現價值孰低法

由上述可知，企業為此損失，故採用成本與淨變現價值孰低法評估其損失。

(一)基於保守穩健原則： 成本與淨變現價值孰低法基於保守穩健原則，當成本高於淨變現價值時，應認列存貨跌價損失。（見前頁成本與淨變現價值孰低法評價流程圖）未實現存貨跌價損失列於損益表之其他營業外損失，或銷貨成本加項；備抵存貨跌價損失列於資產負債表存貨之減項。

(二)存貨成本與淨變現價值孰低法可採單項比、類比或總額比：

1. 單項比（逐項比）：將每一項之成本與市價比較，將負差異數相加（排除正差異）得出存貨跌價損失。單項比最保守。

2. 類比：將每一類之成本與市價比較，將負差異數（排除正差異）相加得出存貨跌價損失。

3. 總額比：將所有之總成本與總市價相比較。

下年度之備抵存貨跌價損失若低於上年度之備抵存貨跌價損失，則於下年度時認列未實現存貨回升利益。故有的企業為操縱損益，而於今年多認列未實現存貨跌價損失，到下年度則會產生未實現存貨回升利益。另存貨上採庫齡之控管，以輔助 LCM（成本與市價孰低法）評價之不足，由於實務上重製成本有時取得不易，故利用庫齡之模式（似應收帳款帳齡分析法），記列備抵存貨跌價損失。

【範例】若小小公司之資料如下所述，若採成本與淨變現價值孰低法，試作應有之分錄：

存貨項目	售價	估計銷管費用	成本
A	15	6	5
B	14	3	13

解答：

存貨項目	淨變現價值	成本	未實現存貨跌價損失
A	9	5	0
B	11	13	2

由上述可知A項目之淨變現價值為9（15－6），B之淨變現價值為11（14－3）。且B之市價低於成本，故應認列2元跌價損失。分錄如下：

存貨跌價損失	2	
備抵存貨跌價損失		2

※存貨跌價損失為存貨科目的抵銷帳戶，備抵存貨跌價損失為存貨跌價損失。

【範例】下列為某電腦公司之產品，該公司採成本與淨變現價值孰低法比較，試分別用逐項比、分類比、總額比計算該電腦公司應認列之存貨跌價損失金額。

項目	成本	市價	差異（市價－成本）	跌價損失	
主機板：					
686	500	300	(200)	(200)	a
586	300	100	(200)	(200)	b
486	100	300	200	0	c
小計	900	700	(200)	(200)	d
集線器：					
10mbs	100	200	100	0	e
100mbs	500	400	(100)	(100)	f
1,000mbs	1,000	1,300	300	0	g
小計	1,600	1,900	300	0	h
總計	2,500	2,600	100	0	i

	計算過程	應認列之存貨跌價損失金額
逐項比	a+b+c+e+f+g	(500)
分類比	d+h	(200)
總額比	i	0

7-5 存貨之估計方法

當企業採定期盤存制，未盤點期末存貨而發生火災，使企業損失期末存貨，但由於企業無法由帳上得知損失期末存貨之金額，故保險公司無法賠償。為解決此問題而發展出兩種存貨之估計方法：毛利法與零售價法。

由於定期盤存制之公式，一個恆等式有兩個未知數，故無法得知期末存貨而需下列方法計算：

(一)毛利法：利用企業過去之銷貨毛利率而估計企業當年之銷貨毛利率；在利用估計之銷貨毛利率計算出估計之銷貨毛利；在利用估計之銷貨毛利倒推出估計之銷貨成本；在利用估計之銷貨成本倒推出估計之期末存貨。

(二)零售價法：即利用存貨成本與零售價中之比率，倒推出估計之期末存貨。

一、毛利價法

由於毛利法僅提供存貨估計數值，故不為財務報導目的所接受，若欲確定存貨真實數量仍須進行實地盤點。（註：依我國財務會計準則公報第十號規定，特殊情況如因水災、火災等致帳冊簿籍滅失，成本計算困難者，得採用毛利法評價。）

(一)定義：運用過去銷貨毛利百分比，以估計本期銷貨成本及期末存貨。

(二)假設：過去年度平均毛利率亦為本期毛利率。

(三)利率之計算：毛利率係以售價的百分比來表示，有關毛利率的公式如下：

1. $\text{售價表示毛利率}=\dfrac{\text{成本加價率}}{100\%+\text{成本加價率}}$

2. $\text{成本加價率}=\dfrac{\text{售價表示之毛利率}}{100\%-\text{售價表示之毛利率}}$

二、零售價法之名詞解釋

(一)原始售價：商品最早訂定之銷售價格。

(二)加價：原始售價減成本之部分。

(三)再加價：新售價減原始售價之部分。

(四)再加價取消：提高原始售價後，在將提高部分降低，此降低不使售價減低至原始售價之下。

(五)淨再加價：再加價減淨再加價取消。

(六)減價：將售價降低至原始售價以下之部分。

(七)減價取消：降價後，再將新售價提高但未超過原始售價之部分。

(八)淨減價：減價減淨減價取消。

(九)正常損耗：可預期、可容忍為必要之成本。

(十)非常損耗：不可預期、不可容忍非必要之成本。

三、零售價法之計算

	成本	零售價（市價）
期初存貨	$ *** 1	$ *** a
本期進貨	*** 2	*** b
淨加價		*** c
進貨運費	*** 3	*** d
減：進貨退出	*** 4	*** e
減：非常損耗	*** 5	*** f
淨減價		*** g
可供銷售商品總額	*** 6	*** h
減：正常損耗		*** i
減：銷貨收入淨額（僅扣除銷貨退回）		*** j
期末存貨		$ *** k

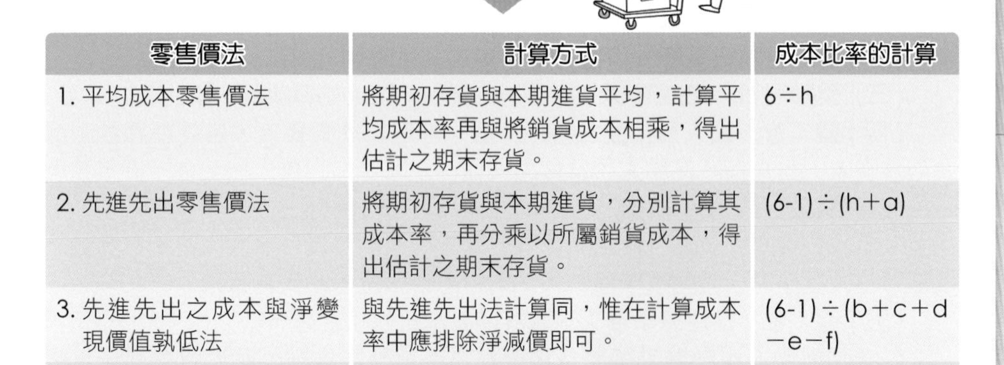

零售價法	計算方式	成本比率的計算
1. 平均成本零售價法	將期初存貨與本期進貨平均，計算平均成本率再與將銷貨成本相乘，得出估計之期末存貨。	6÷h
2. 先進先出零售價法	將期初存貨與本期進貨，分別計算其成本率，再分乘以所屬銷貨成本，得出估計之期末存貨。	(6-1)÷(h+a)
3. 先進先出之成本與淨變現價值孰低法	與先進先出法計算同，惟在計算成本率中應排除淨減價即可。	(6-1)÷(b+c+d−e−f)
4. 加權平均成本與市價孰低零售價法（傳統法）	與平均成本零售價法計算同，惟在計算成本率中應排除淨減價。	6÷(h+g)

四、零售價法估計末存之步驟

計算當期可供銷售商品的成本及零售總價 → 可供銷售商品成本總額 ÷ 零售總價 → 可供銷售商品零售總價 - 銷貨成本淨額 = 期末存貨零售價法 → 期末存貨零售價法 × 成本比率估計 = 估計的期末存貨成本

7-6 存貨表達方式與盤點計畫表

盤點是一個需要全員一起計畫的行為，並不是主管一聲令下由倉管人員自行達成。

一、盤點計畫表

盤點計畫表，首先是針對時程的計畫要有周詳的考慮。例如：計算好每一位預盤人員每天能用多少小時來真正的進行預盤（由於每天仍要進行入出庫作業，所以可能每天僅有二小時至三小時可以真正有效地從事預盤作業），其共有多少料項，應預估大約要花費多少天才可以完成預盤。而且需要真正去協調各部門的正常入庫作業，一定要集中在每天什麼時段，以避免造成預盤之困擾。盤點是一個需要全員一起計畫的行為，並不是主管一聲令下由倉管人員自行達成。在複盤執行的數日之前，應進料的盡可能進料，該繳庫的盡可能繳庫，生產現場才有盡量「淨空」的可能。

對於預盤階段的控制一樣很重要，因此也需要更明細的計畫，一般是交由預盤主辦人員自己擬出各儲位區（甚至儲位）的預盤時程計畫，經過盤點主持人的了解（可行性及調整），再依此控制，才會真正有效率。

下列為在制定盤點計畫表時可能需要的項目：

(一) 盤點基準日：×× 年 ×× 月 ×× 日。

(二) 實際盤點日：×× 年 ×× 月 ×× 日上午 × 時至下午 × 時。

(三) 盤點項目：包括原料、物料、在製品、製成品四項目。

(四) 盤（會）點人員：盤點時以總經理為盤點總負責人，各課亦應推派課長為負責人，負責指派盤點人員及會點人員，全職並指定專人配合會計師事務所人員赴各區監督盤點工作之進行。各課之盤點人員，原則上由實際經管各項物品人員及其課長級主管負責，會點人員則由會計課派員負責，倘人力不足可另加派其他單位人員協助，其配以一盤點人即同時配合一位會點人為原則。

(五) 盤（會）點注意事項：全廠於盤點當日停止生產。

1. 各課盤點人應於盤點前將各項應點之存貨整齊排列，並於盤點前一日估計存貨項目領取盤點卡（一式二份）先行填寫初點數量，並放置物品之上。

2. 盤點時應核對實物數量並填寫複點數量，再將正聯交由會點人員取回，以備核對存貨盤點表。

3. 盤點人員於抽查時亦應在盤點卡上簽章。

4. 各廠區先亦應劃分存放區域，繪製廠區存放區域圖，並編列區域代號，以利盤點人員填寫。

5. 各課應將各項存貨種類、存放區域圖、須用盤點卡數量向公司領取，盤點卡應連續編號，不得遺失，如有空白未使用者，應於盤點當日繳銷，誤寫作廢者亦應交回，不得丟掉。

6. 各課盤點人員於盤點後，應填寫存貨盤點表，並與盤點卡正聯核對計價。

盤點卡

XX股份有限公司
盤點卡
年度：　　年度　　編號：

品名：＿＿＿＿
規格：＿＿＿＿
料號：＿＿＿＿
單位：＿＿＿＿
數量：（初點）＿＿＿＿
存放區域：＿＿＿＿

盤點人：　　會點人：　　初點人：

(1) 正聯：交會點人
(2) 副聯：盤點員存

<table>
<tr><td colspan="8">××股份有限公司
存貨盤點卡
年　月　日</td></tr>
<tr><td colspan="2" rowspan="2">盤點單編號：</td><td colspan="6">料號：</td></tr>
<tr><td colspan="6">品名：</td></tr>
<tr><td rowspan="3">單位</td><td rowspan="3">□公斤　□呎　□件
□公克　□吋　□其他＿＿
□加侖　□碼
□公升　□箱</td><td rowspan="2">數量</td><td>拾萬</td><td>萬</td><td>仟</td><td>佰</td><td>拾</td><td>個</td></tr>
<tr><td></td><td></td><td></td><td></td><td></td><td></td></tr>
<tr><td>單號</td><td></td><td></td><td></td><td></td><td></td><td></td></tr>
<tr><td>種類</td><td>□原料　□在製品（完工程度）
□物料　□商品
□製成品　□其他＿＿</td><td>狀況</td><td colspan="6">□良品　□瑕疵品
□呆滯品　□持續製品</td></tr>
<tr><td colspan="2">初盤人員：</td><td colspan="3">複盤人員：</td><td colspan="3">審核人：</td></tr>
</table>

××年度存貨盤點卡控制表

××股份有限公司
××年度存貨盤點卡控制表

課別 倉庫別	起訖號碼	發放張數	領用人簽收	收回張數		收回人員 簽字
				使用張數	空白張數	

本表由公司發給盤點各課簽收盤點後使用，不得遺失，如有誤寫作廢或空白未使用者，應交回。

7. 盤點人員及會點人員對呆料及品質異常者詳加註明，並加註取得日期。

8. 各課盤點人員及會點人員配置表應於盤點前提報。

9. 各課盤點負責人及相關主管應於盤點前召開盤點會議。

(六) **獎懲**：經排定參加盤、會點人員，若有無故缺席及未請代理人代理者，接受處分。盤點工作應切實執行，對盤點工作表現優良者及執行不佳者，呈報獎懲。

(七) 有關附件如下：

1. 盤點卡：見前文盤點表格式。

(1) 存放區域與存放位置圖。

(2) 盤點人員於盤點實施後根據副聯填寫存貨盤點表。

(3) 盤點人員於抽點時，應在本卡上簽章，未抽點部分免簽。

(4) 會點人及初點人必須在本卡上全部簽章。

2. XX 年度存貨盤點卡控制表：見前文。

3. 盤點人員分配表：見下圖。

4. 存貨存放位置圖：見右圖。

5. 存貨盤點表：見右圖。

二、財務報表揭露存貨相關事項

1. 存貨衡量所採用之會計政策（包括存貨成本計算方法）。

2. 存貨總帳面價值及各類別存貨之帳面價值。存貨通常分類為商品、原料、物料、在製品及製成品等類別。與勞務相關之存貨得歸屬為在製品。

3. 當期認列之存貨相關費損。

4. 將存貨自成本沖減至淨變現價值而認列之當期銷貨成本。銷貨成本包括

盤點人員分配表

××股份有限公司 盤點人員分配表區				××年度
名稱	盤點區別	盤點項目	盤點人員	會點人員
原料倉庫	B	布類		
原料倉庫	C	樹脂化學原料		
原料倉庫	D			
在製品A廠	A			
在製品B廠	B			

區域負責人：

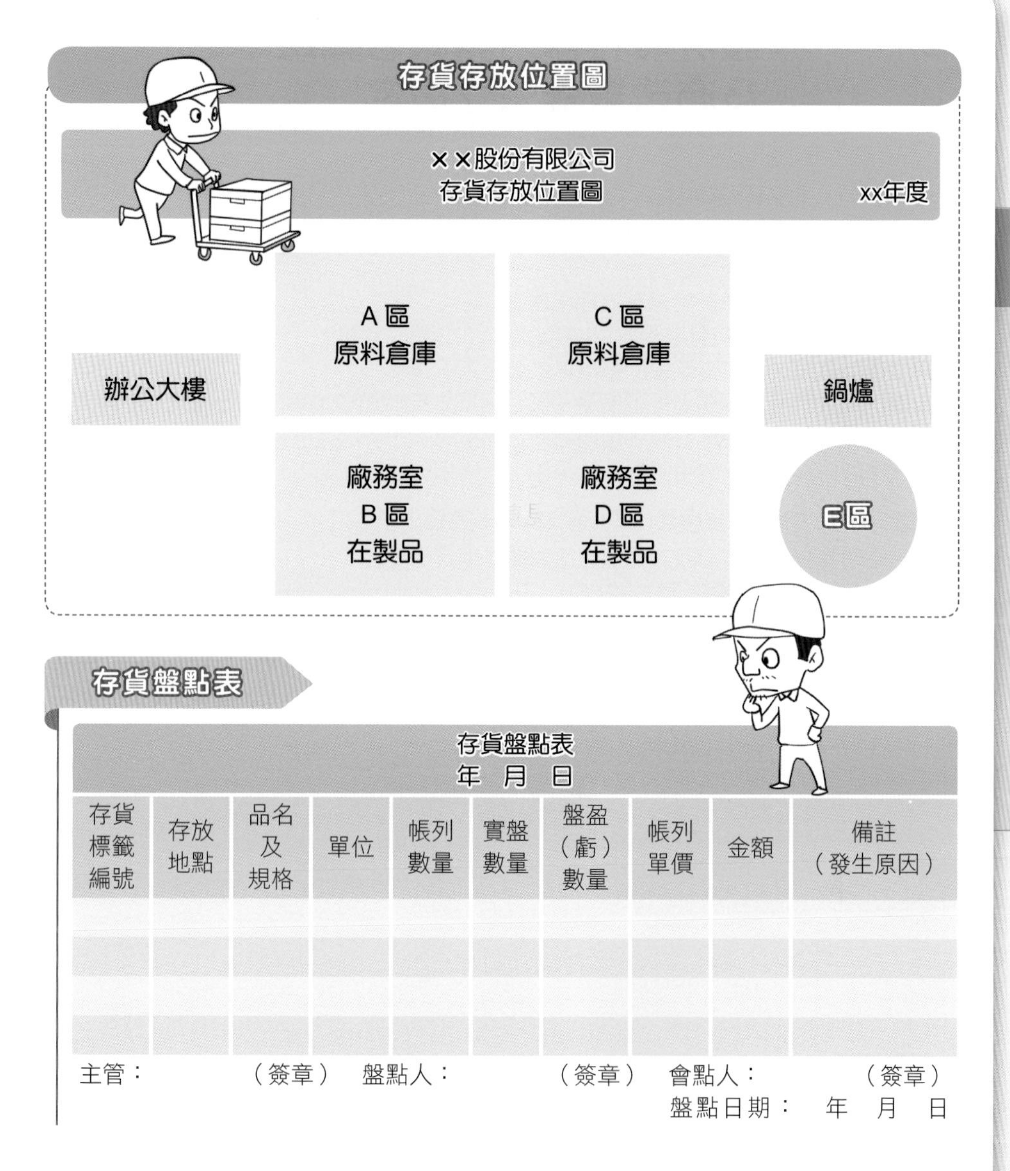

存貨盤點表
年　月　日

存貨標籤編號	存放地點	品名及規格	單位	帳列數量	實盤數量	盤盈（虧）數量	帳列單價	金額	備註（發生原因）

主管：　　（簽章）　盤點人：　　（簽章）　會點人：　　（簽章）
盤點日期：　年　月　日

已出售存貨之成本、未分攤製造費用、異常製造成本及跌價損失（或回升利益）。根據企業經營情況不同，前述金額可能包含其他項目，例如：配銷成本。

5. 因存貨之淨變現價值回升，而認列為當期銷貨成本減少之金額。

6. 導致存貨淨變現價值回升之事件或情況。

7. 作為負債擔保品之存貨帳面價值。

8. 財務報表中存貨之明細類目，有助於閱表者了解各項存貨之金額及各期間之變動情形。

證券發行人財務報告編製準則及商業會計法之規定

證券發行人財務報告編製準則 第 9 條（節錄）

存貨：符合下列任一條件之資產：

1. 持有供正常營業過程出售者。
2. 正在製造過程中以供正常營業過程出售者。
3. 將於製造過程或勞務提供過程中消耗之原料或物料（耗材）。

存貨之會計處理，應依國際會計準則第二號規定辦理。

存貨應以成本與淨變現價值孰低衡量，當存貨成本高於淨變現價值時，應將成本沖減至淨變現價值，沖減金額應於發生當期認列為銷貨成本。

存貨有提供作質、擔保或由債權人監視使用等情事，應予註明。

證券發行人財務報告編製準則 第 23 條（節錄）

發行人編製個體財務報告時，應編製重要會計項目明細表。

(十) 存貨明細表。（見下表）

存貨明細表

項目	摘要	金額		備註
		成本	淨變現價值	

說明：1.按商品、製成品、在製品、副產品、原料及物料等，分項列明。
2.淨變現價值之決定方式，應於備註欄註明。
3.依國際會計準則第41號「農業」規定，農產品屬存貨者，應列入本表。

存貨成本估計錯誤對財務報表之影響

期初存貨	期末存貨	損益表		資產負債表		
		銷貨成本	淨利	資產	負債	權益
正確	低估	高估	低估	低估	無影響	低估
正確	高估	低估	高估	高估	無影響	高估
低估	正確	低估	高估	正確	無影響	正確
高估	正確	高估	低估	正確	無影響	正確

說明：上表主要在敘述，銷貨成本＝期初存貨＋本期進貨－期末存貨

1. 損益表之影響：
   (1) 本期期末存貨為次期期初存貨，若本期期末存貨錯誤，將影響當期之銷貨成本、銷貨毛利、淨利、期末保留盈餘和次期之銷貨成本、銷貨毛利及淨利。
   (2) 期末存貨之錯誤，將導致次期呈反方向錯誤，兩期後對保留盈餘或股東權益的錯誤將自動互相抵銷，即次期期末的保留盈餘或股東權益餘額將自動更正。
2. 資產負債表之影響：若該錯誤一直未被發現，本期期末存貨高估，將導致次期之期初存貨高估，次期淨利低估，轉至保留盈餘後，在股東權益內則因為兩期正好互抵，次期之股東權益將自動改正。

● 商業會計法 第 **43** 條（存貨存料之計算方法）

Ⅰ 商品存貨、存料、在製品、製成品、副產品等存貨之衡量，以實際成本為原則；成本高於淨變現價值時，應以淨變現價值為準。跌價損失應列銷貨成本。

Ⅱ 所稱淨變現價值，係指企業預期正常營業出售存貨所能取得之淨額。

Ⅲ 第一項成本得按存貨之種類或性質，採用個別辨認法、先進先出法、加權平均法、移動平均法或其他經主管機關核定之方法計算之。

Ⅳ 所稱個別辨認法，係指個別存貨以其實際成本，作為領用或售出之成本。

Ⅴ 所稱先進先出法，係指同種類或同性質之存貨，依照取得次序，以其最先進入部分之成本，作為最先領用或售出部分之成本。

Ⅵ 所稱加權平均法，係指同種類或同性質之存貨，本期各批取得總價額與期初餘額之和，除以該項存貨本期各批取得數量與期初數量之和，所得之平均單價，作為本期領用或售出部分之成本。

Ⅶ 所稱移動平均法，係指同種類或同性質之存貨，各次取得之數量及價格，與其前存餘額，合併計算所得之加權平均單價，作為領用或售出部分之平均單位成本。

● 商業會計處理準則　第 **15** 條（成本、評價、揭露）

存貨：指持有供正常營業過程出售者；或正在製造過程中以供正常營業過程出售者；或將於製造過程或勞務提供過程中消耗之原料或物料。

（一）存貨成本包括所有購買成本、加工成本及為使存貨達到目前之地點及狀態所發生之其他成本，得依其種類或性質，採用個別認定法、先進先出法或平均法計算之。

（二）存貨應以成本與淨變現價值孰低衡量，當存貨成本高於淨變現價值時，應將成本沖減至淨變現價值，沖減金額應於發生當期認列為銷貨成本。

（三）存貨有提供作質、擔保，或由債權人監視使用等情事者，應予揭露。

第 8 章

固定資產（不動產、廠房及設備）

8-1 固定資產之基本要素

8-2 固定資產之特性與折舊

8-3 固定資產之折舊特性

8-4 固定資產之減損

8-5 非貨幣性資產交換

8-6 後續處理及表達

證券發行人財務報告編製準則及商業會計法之規定

8-1 固定資產之基本要素

一、固定資產之定義

固定資產廣義之定義將有形與無形之固定資產包含在內。但國際會計準則（IFRS）第十六號所述之固定資產係指不動產、廠房及設備等有形的項目。並同時符合用於該企業營業上之使用及預期使用期間超過一個會計期間之條件。其可分為永久性資產如土地，與折舊性資產如房屋、設備等。

二、資產原始成本之決定

固定資產之成本為達到可供使用狀態及地點所花費之一切必須而合理的支出，皆屬之。而其不同之購買方式將產生不同之成本。

(一) 現購成本：購價＋必要之支出，包括：

1. 加項：買價、佣金、登記費、代書費、地面整理費、土地成本、土地上舊屋之拆除費用等。

2. 減項：土地上舊屋拆除後，殘料出售之收入。

(二) 土地改良物：如圍牆、下水道、照明設備（路燈）等（須提折舊）。

(三) 房屋成本：買價、發包金額、過戶登記費、建築師費、轉入舊屋使用前的成本、建築執照、工寮、鷹架、材料倉庫、建築期間之責任保險（即行人或工人之意外傷亡保險），但修理房屋發生之修理費應列損失非成本等。

(四) 機器設備：包含買價、佣金、稅捐、運費、安裝費、試車費，但搬運不慎發生之修理費應列損失非成本。

(五) 賒購成本：購價＋必要支出（若屬利息資本化之部分應列為成本）。有關現金折扣之處理為不管已否取得均須扣除，未取得折扣部分為「利息費用」。

(六) 分期付款購入：應以現金價格作為成本（利息以後應該作為「利息費用」）。分期付款或開立無息長期票據賒購之資產，按現值入帳，並將利息費用自成本中減除。

(七) 自建：取「成本」和「市價」較低者入帳，僅承認損失，不承認利益。

(八) 捐贈取得：按受贈資產之公平市價為入帳基礎，取得受贈資產所必須支付之費用，列為資本公積之減項。情況可分為二：

1. 無條件捐贈：貸記捐贈資本（我國公司法規定應列為資本公積）。

2. 有條件捐贈：先借記或有資產，貸記或有資本，待條件完成時再轉。

(九) 發行證券換入資產：依證券或換入資產兩者市價較明確者為入帳基礎。

總而言之，為購買或建置固定資產所支付之現金、約當現金或其他對價之公允價值，或在適用其他國際會計準則之規定下（例如：股份基礎給付），於原始認列時屬於該資產之金額，均須計為固定資產之成本。確定固定資產之成本後，即開始考慮折舊的問題。

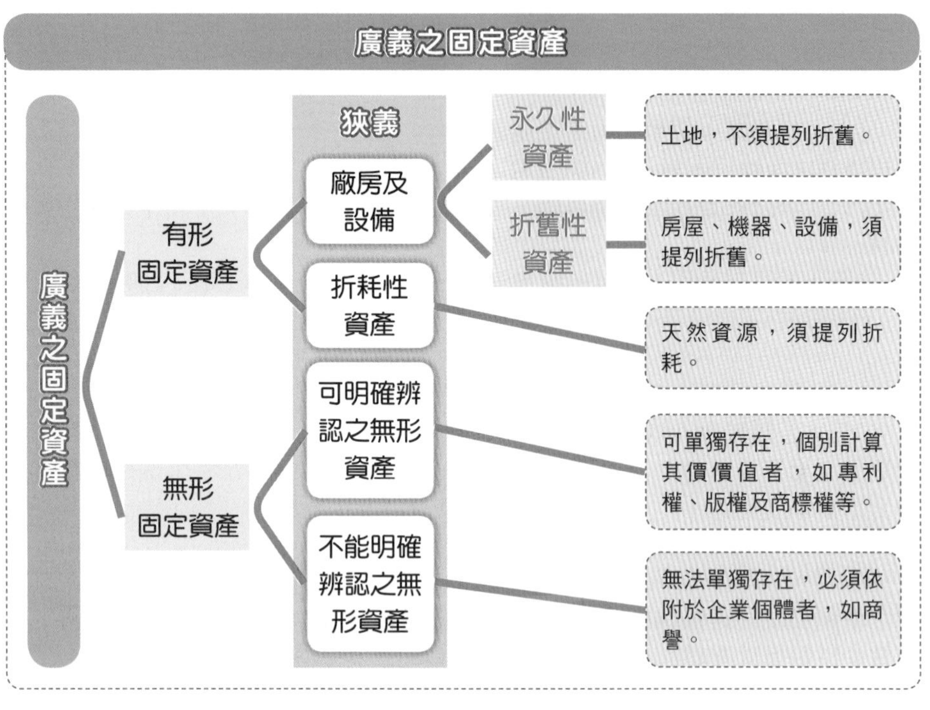

補充資料：固定資產循環（企業內部控制）

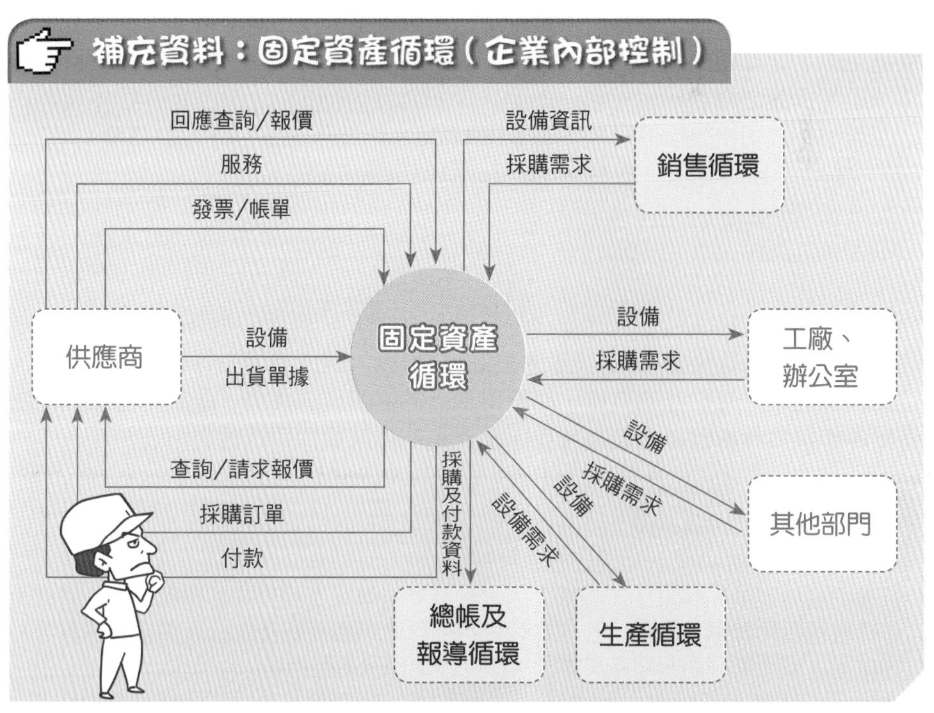

8-2 固定資產之特性與折舊

一、固定資產的特性

(一)供營業上使用：固定資產係供營業使用，如供生產使用之機器設備、運送貨品之運輸設備等。

(二)非以投資或出售為目的：如購入土地供將來出售，應列作長期投資或存貨。

(三)供目前使用：閒置的廠房設備，供日後擴廠用的土地，因非供目前使用，不得列為固定資產，應列入其他資產。但隨時備用的資產，仍應視為固定資產。

(四)具有長期性：預期使用期間超過一期，長期使用。

(五)金額較大：依我國現行營利事業所得稅法查核準則之規定，營利事業購買固定資產，其耐用年限不及二年，或支出金額不超過新臺幣 $80,000 者，得列為當年度費用。

二、折舊的定義

準則定義之折舊係指將資產之可折舊金額於耐用年限內有系統地分攤。可折舊金額係指資產成本或其他替代成本之金額減除殘值後之餘額。

由於企業之固定資產會因實質因素（如磨損）及功能因素（如過時）而使其價值減損。又此價值之減損尚未實現，若不用某些方法予以分攤之，而將此損失遞延至固定資產報廢或出售，故應按一有系統之方法攤銷之。此方法屬估計之方法，即為折舊之方法。

若小小公司機器設備之成本為 $100,000，第四年底出售得 $20,000：

方法	第一年	第二年	第三年	第四年
不提折舊之損益	0	0	0	(80,000) ＝20,000－100,000
提列折舊之損益	(20,000)	(20,000)	(20,000)	(20,000)

由上表所列之金額可知，若不採估計之折舊，則所有損失將遞延至第四年。但此設備之損失每年都應負擔，而不應僅由第四年全部負擔，故應用一估計方法得出每年之估計折舊費用較為合理。這也是為什麼要採用折舊之原因。

小博士的話

折舊的目的

折舊的主要目的，係為了使設備之成本能與其所帶來之經濟效益作配合，故將成本於經濟耐用年限作分攤，並非為評價目的。所以即使資產之公允價值高於其帳面金額，資產之殘值未超過其帳面金額，企業仍須認列折舊。

折舊的方法

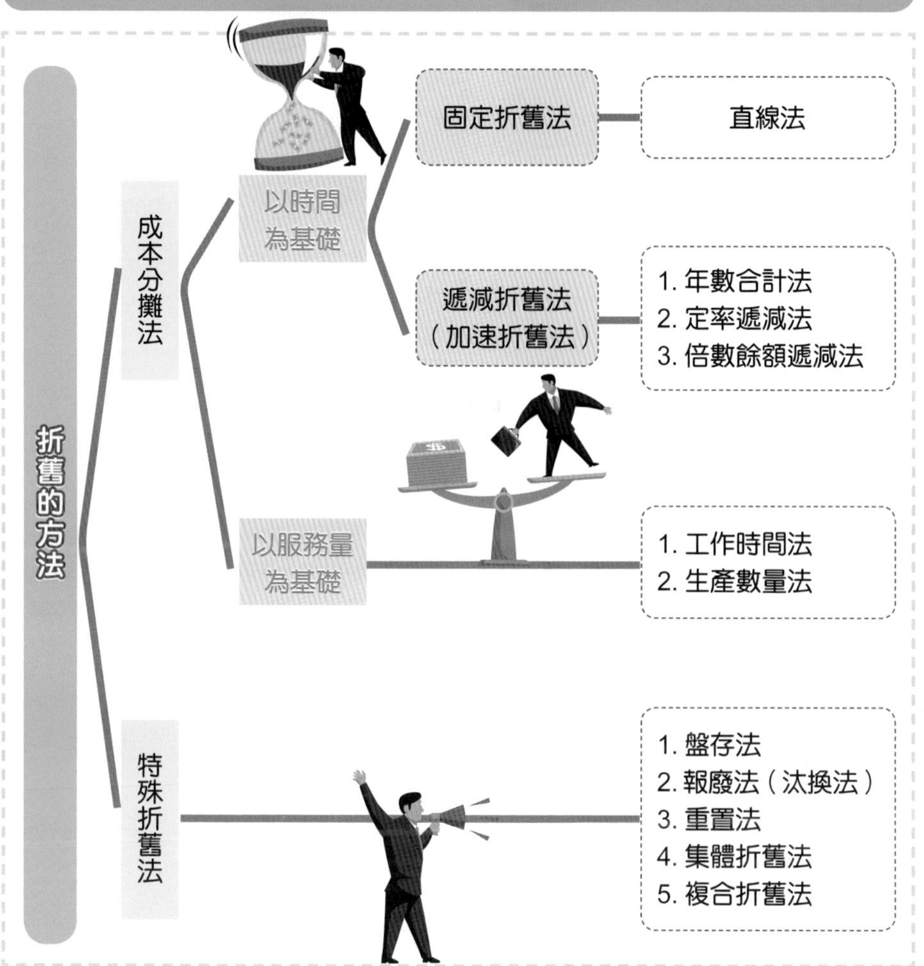

不滿一年之折舊計算

1. 服務量為基礎：如果使用以服務量為基礎之折舊方法，則按實際服務量計算折舊。
2. 以時間為基礎：如果採用以時間為基礎之折舊方法，則應確定公司之計算政策。

通常以月為計算折舊單位，每月之 15 日以前買入者，計算全月折舊；16 日以後買入者，當月不提折舊。賣出時則與此相反，15 日以前賣出者，當月不提折舊；16 日以後賣出者，計算全月折舊。

8-3 固定資產之折舊特性

折舊是成本的轉銷及分攤程序，而折舊方法也有多種，視資產種類而定。

一、折舊的特質

(一)成本的轉銷：折舊是成本的轉銷，以與收益配合而計算損益，並非是盈餘的保留。

(二)成本的分攤程序：折舊是成本分攤的程序，並非資產評價的手段。

(三)折舊的要素：包括 1. 資產成本；2. 估計殘值；3. 估計耐用年限或服務數量（耐用年限指經濟耐用年限），以及 4. 選用之折舊方法。

(四)折舊總額（應折舊成本）＝成本減估計殘值。

(五)帳面價值（未折舊成本）＝成本減累計折舊。

(六)將折舊排除的情形：折舊之提列與現金無關，但可透過所得稅之減少，而節省現金之流出，故投資決策時，應將折舊排除（加回）。

二、商業會計法對折舊方法之規定

固定資產之折舊方法，依商業會計法第 47 條規定，可以採用平均法、定率遞減法、年數合計法、生產數量法、工作時間法或其他經主管機關核定之折舊方法為準；資產種類繁多者，得分類綜合計算之。至於各折舊方法，條列如下：

(一)所稱平均法：係指依固定資產之估計使用年數，每期提相同之折舊額。

(二)所稱定率遞減法：係指依固定資產之估計使用年數，按公式求出其折舊率，每年以固定資產之帳面價值，乘以折舊率計算其當年之折舊額。

(三)所稱年數合計法：係指以固定資產之應折舊總額，乘以一遞減之分數，其分母為使用年數之合計數，分子則為各使用年次之相反順序，求得各該項之折舊額。

(四)所稱生產數量法：係指以固定資產之估計總生產量，除其應折舊之總額，算出一單位產量應負擔之折舊額，乘以每年實際之生產量，求得各該期之折舊額。

(五)所稱工作時間法：係指以固定資產之估計全部使用時間除其應折舊之總額，算出一單位工作時間應負擔之折舊額，乘以每年實際使用之工作總時間，求得各該期之折舊額。

各方法所計算之折舊費用皆不一樣，故有的公司會利用不同之方法以期得到較高或較低之費用。如有的公司會採用加速折舊法以得到較高之費用，以使其所得稅可少繳。

而財務會計所採之折舊方法可與所得稅法所採用者相同或相異，但實務上會採用相同之方法，且以直線法（平均法）為多。

折舊方法之公式

1.直線法

$$每年折舊金額=\frac{成本-預計殘值}{預計使用年限}\ (\frac{C-S}{n})$$

2.工作時間法

$$每年折舊金額=\frac{成本-預計殘值}{預計工時總時數}\times 當年工作時數$$

3.生產數量法

$$每年折舊金額=\frac{成本-預計殘值}{預計生產總數量}\times 當年生產數量$$

4.定率遞減法

$$每年折舊金額=(1-\sqrt[n]{\frac{預計殘值}{成本}})\times 資產帳面價值\ (殘值\neq 0)$$

5.倍數餘額遞減法

$$每年折舊金額=\frac{N}{預計使用年限}\times 資產帳面價值$$

（N≧2，通常為2，且折舊後之帳面價值不可低於殘值）

6.年數合計法

$$第\ i\ 年折舊金額=(成本-預計殘值)\times\frac{n-i+1}{1+2+...+n}$$

$(i=1,2,3,...,n)$

8-4 固定資產之減損

財務會計準則第三十五號公報於 94 年 1 月 1 日開始實施，內容概要如下：

（一）目的：採取更保守會計減損原則，藉以確保公司資產帳面價值與實際可回收金額相符。

（二）適用範圍：固定資產、閒置資產、可辨認無形資產及按權益法認列之長期投資，至於其他資產科目，例如：存貨、遞延所得稅資產、金融資產、在建工程及應收帳款，因其評價必須依其他公報處理，並不適用第三十五號公報。

（三）主要內容：影響的會計項目主要為固定資產、閒置資產及可辨認無形資產、商譽及權益法投資項目等。若有減損情形會減少股東權益之未實現重估增值，對淨值有降低效果，若未實現重估增值仍不足者才會在損益表認列為損失。而實施日期為 94 年 1 月 1 日，代表 93 年年報可提前適用，亦可延後 94 年年報。

（四）精神：主要是將企業的「固定資產」、「無形資產」、「閒置資產」、「依權益法認列損益的長期投資」、「商譽」等會計科目，列入評價範圍，只要帳面價值高過可回收金額，就必須在財報上提列資產減損。凡是企業的閒置資產，或長期股權投資，有資料顯示價值可能減損時，須立即反映在財務報告。當企業擁有資產但卻無法獲利，甚至有潛在損失危機，須立即在財報中承認損失，適用範圍包括企業目前使用的資產，例如：辦公大樓。企業本身使用不動產，必須視使用目的來區分，若為工廠，則將土地、廠房設備，依鑑價結果與生產所產生的現金流量現值比較，比帳面淨值扣除兩者其中較高者，即為資產減損。企業於 2005 年首次適用財會準則公報第三十五號規定認列減損損失，雖可能對公司之財務報表產生影響，但企業將資產價值調整至更接近公允價值後，將使得財務更透明，反而能提高投資人信心，有助於我國財務報表與國際接軌，故對公司影響應該是短空長多。

一、固定資產減損之分錄

綜上所述，固定資產期末評價除作折舊外，另應作資產減損之認列，並於每年底作資產減損之測試，若資產之帳面值大於該資產之可回收金額（取淨公允價值及使用價值低者），則應認列資產減損損失，其分錄為 A，之後若帳面值小於資產之可回收金額，可認列資產減損周轉利益，其分錄為 B。

A：減損損失　　　××
　　累計減損　　　　　××

B：累計減損　　　××
　　減損迴轉利益　　　××

＊淨公允價值＝最近期交易價值估計淨公允價值。

＊使用價值＝估現未來現金流量並按折現率，折到當時之價值。

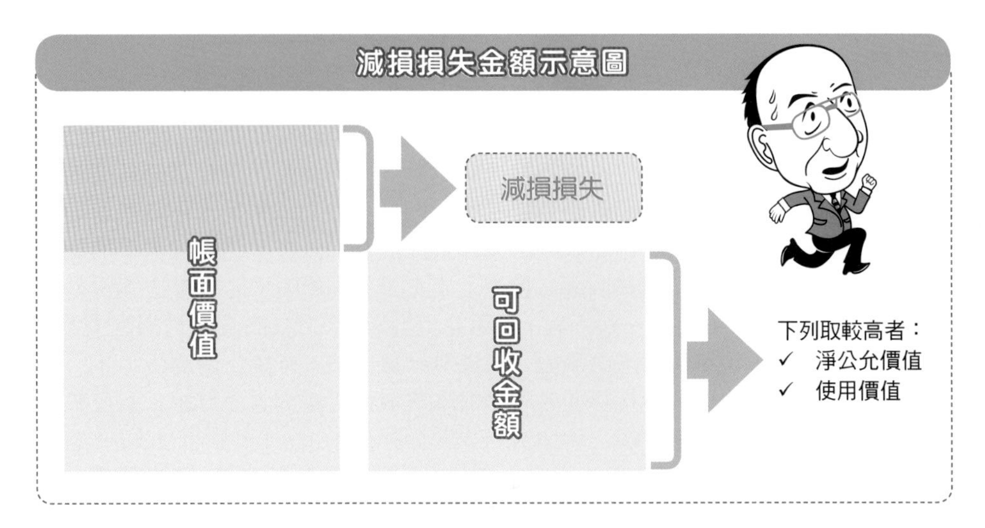

會計處理釋例

更更公司 95 年 1 月 1 日購買 A 機器，1,000,000 元；該機器耐用年數 10 年，殘值為 0，且採直線法列計折舊，96 年 12 月 31 日該公司評估 A 機器之淨公允價值為 500,000 元，則所有分錄如下：

	借	貸
機器設備 -A	1,000,000	
現金		1,000,000

95 12/31 折舊分錄 [(1,000,000 － 0) ÷ 10 ＝ 100,000]

	借	貸
折舊費用	100,000	
累計折舊		100,000

96 12/31 折舊分錄 [(1,000,000 － 0) ÷ 10 ＝ 100,000]

	借	貸
折舊費用	100,000	
累計折舊		100,000

96 12/31 資產減損分錄

可回收金額＝ 500,000

帳面價值＝ (1,000,000 － 100,000 － 100,000) ＝ 800,000

減損損失＝ 500,000 － 800,000 ＝－ 300,000

	借	貸
減損損失	300,000	
累計減損		300,000

二、資產減損的主要目的

資產減損的主要目的就是真實反應隱藏在資產內之損失，以確保資產之真實價值與表達財務報表之真實性。故其帳面價值不得超過可回收金額，超過之部分必須提列減損損失，並列示於當期損益（見右表），而資產之公允價值若高於其帳面價值時，則仍應以原帳面價值列帳。另在回升利益之認列上，可以在以前年度認列減損損失之範圍內，始可認列回升利益（商譽除外）。而企業需不需要適用資產減損之情況需要作專業判斷，但以上市上櫃公司而言，若企業之淨資產之帳面價值高於總市值的話。一般而言，就可初步判斷，該公司有資產減損之情況。資產減損之衡量單位為現金產生單位（可能為一臺機器、一條生產線等）。

所謂現金產生單位，係指可產生現金流入之最小可辨認資產群組，其現金流入與其他個別資產或資產群組之現金流入大部分獨立。

劃分現金產生單位宜考慮的因素，包括管理當局如何監督企業之營運（例如：依生產線、區域別）、管理當局如何作成繼續或處分企業資產及營運決策（例如：經營虧損路線與黃金路線是否為不可分之決策）；資產之產出即使部分或全部供企業其他單位使用，若企業可於活絡市場出售此產出，此資產即形成一獨立之現金產生單位。由於該類資產之公平市價不易取得，故該公報採取類似於成本與淨變現價值孰低法評估，非市價法。

三、第三十五號公報之可能缺失

雖然資產減損的調整可以提高財務報表的攸關性，但是卻降低可靠性。缺乏可靠性係指此公報使管理者可能操弄損益的空間變大，所以也存在某些缺失，例如：

1. 可利用多認列當期資產減損損失，到下期迴轉減損時，便可提高盈餘。
2. 可操弄高估可回收金額而無須認列資產減損。
3. 當公司營運較佳時，資產減損跡象不明顯；但當營運較差時，反而必須資產提列減損，過於保守。

減損測試→比較

① 可回收金額（可從淨公允價值或使用價值取得）

② 帳面值（成本－累計折舊）

結果若 ① > ②，則不認列資產減損損失

若 ① < ②，則認列資產減損損失

資產帳面價值示意圖

資產帳面價值（減損測試後）

- 資產可回收金額
  - 資產未來現金流量折現值
  - 淨公允價值（公允價值扣除處分成本）
- 資產帳面價值（減損測試前）

減損測試流程示意圖

有確定耐用年限

➔ 企業應於每一報導期間結束日評估是否有任一跡象顯示資產可能已減損。若有任一該等跡象存在，企業應評估資產可回收金額。

每年一次減損測試

➔ 每年應進行減損測試：

1. 非確定耐用年限之無形資產
2. 尚未可供使用之無形資產
3. 因合併而產生之商譽

有減損跡象

➔ 除每年一次減損測試項目外，有減損跡象才須進行減損測試。

8-5 非貨幣性資產交換

非貨幣性資產就像機器、廠房及設備、土地等，價值會隨著時間的經過而變動，當兩項非貨幣性資產進行互換時，首先應該考慮此項交換是否具有「商業實質」（Commercial Substance）？進而再認列損益。這是為了要避免企業界由資產交換的方式虛列利得。

一、資產交換之判斷

交換是否具有商業實質之判定方式，主要是判斷企業未來的現金流量是否會因為該交換而預期有所改變。例如：A 公司以土地換入 B 公司之廠房，設備與土地產生現金流量的數量與時間對 A 公司及 B 公司來說，皆不相同，因此具有商業實質；若 A 公司以電腦設備（586-P3）換入 B 公司之電腦設備（686-P4），此電腦設備無論在功能或耐用年限上皆無顯著差異，因而對 A 公司及 B 公司的未來現金流量並無顯著的差異時，此交換便不具商業實質，不得認列利得。因此原則上，非貨幣性資產交換，若具有商業實質，應立即認列利得或損失；若不具商業實質（無現金），應立即認列損失，惟利得當下不得認列，應遞延認列。

資產之交換，一定要換入資產之公允市價等於換出資產之公允市價，若其公允市價不相等，則應加現金補償。如換入資產之公允市價等於 $10,000，而換出資產之公允市價為 $8,000，則換出資產之一方應加現金 $2,000，使換入資產之公允市價等於換出資產之公允市價加現金，此乃交易之常態。資產交換損益之原則，在具有商業實質的交換下，若換出資產之公允市價小於換出資產之帳面價值，則產生損失；若換出資產之公允市價大於換出資產之帳面價值，則產生利得。如就大大公司之損益而言，若換出資產之公允市價 $8,000 小於換出資產之帳面價值 $11,000，則產生損失 $3,000；若換出資產之公允市價 $8,000 大於換出資產之帳面價值 $6,000，則產生利得 $2,000。

二、具商業實質交換與未具商業實質交換之損益處理，不認列交換損失或交換利益

具商業實質交換視為一般買賣交易。但不具商業實質之交換卻不認為交易，而認為新資產為替代原資產功能之延長，故利益不得認列，但基於保守原則，損失應認列。另有收現金之部分按比例認列利益。綜合言之，不具商業實質交換，視為舊資產之延伸，故不承認利得；具商業實質交換則視為買賣，承認損益。

(一) 具商業實質交換之損益處理：交換損失可認列，交換利得亦可認列。

(二) 不具商業實質交換之損益處理：交換損失可認列，交換利得屬未收到現金者，不可認列利得。但交換利得屬收到現金者，且未超過換出資產之公平市價 25%，應按比率認列利得；若超過換出資產之公平市價 25%，則認列全部利得。

比率之計算

$$比率之計算＝\frac{收現數}{收現數＋投入資產之公允價值}$$

按比率認列利得

按比率認列利得
＝（換出資產之公允市價－換出資產之帳面價值）× 比率

非貨幣性資產交換流程圖

非貨幣性資產交換

- 不同類資產交換
  - 換入之資產成本，以其公允價值入帳。若無公允價值，則以換出資產之帳面價值入帳，並承認損失或利益。
- 同類資產交換（不考慮收到現金之情況）
  - 換出之資產公允價值是否小於換出之資產帳面價值？
    - 以舊資產之帳面價值為新資產之入帳成本，不承認交換利益。
    - 以新資產之公允價值為新資產入帳之成本，並承認交換損失。

8-6 後續處理及表達

一、後續支出（增添、改良與重置、重整、維修）之處理

原則上可增加資產未來經濟效率者，應屬資本支出，如增添、重整、大修等。其分錄如 A；若可增加資產之耐用年限，但未增加其服務潛能，如改良與重置。其分錄如B；但一般維修屬收益支出，不會增加資產之未來經濟效率或耐用年限，其分錄如 C。

分錄 A

（借）資產	******	
（貸）現金		******

分錄 B

（借）累計折舊－ ×× 資產	******	
（貸）現金		******

分錄 C

（借）維修費用	******	
（貸）現金		******

二、出售固定資產損益之處理

原則上，其損益之計算為公允市價與帳面價值（成本減累計折舊）之差異。若公允市價大於帳面價值，則產生資產處分利益；反之，則產生損失。處分固定資產之收益應依其性質列為當年度之營業外收入或非常利益，處分固定資產之損失應依其性質列為營業外費用或非常損失。其分錄亦採將原來借貸科目相反之方式處理。如，累計折舊放借方，資產放貸方；損失放借方，利得放貸方；收現放借方。而屬報廢者無市價，但適用上述原則，只是市價為 0。

法令之規定：
我國公司法以前規定，出售固定資產之利益，應列為資本公積。但已修改為一般利益。所得稅法規定列入營業外損益，必須課所得稅。處分固定資產損失不列入資本公積減項。

三、折舊變動與更正

（一）會計錯誤——折舊錯誤時：折舊誤計為不能自動抵銷之錯誤。應追溯前期，以「前期損益調整」帳戶更正。

（二）會計原則變動——折舊方法改變：僅推延調整，不重編以前報表，亦不計算累計影響數。

後續支出比較表

支出之分類	支出之用途	會計處理
資本支出（資產）	增添、重整、大修	（借）資產 *** （貸）現金 ***
資本支出（資產）	改良、重置	（借）現金 *** （貸）累計折舊－資產 ***
收益支出（費用）	一般維修 金額過小	（借）費用 *** （貸）現金 ***

固定資產之處分

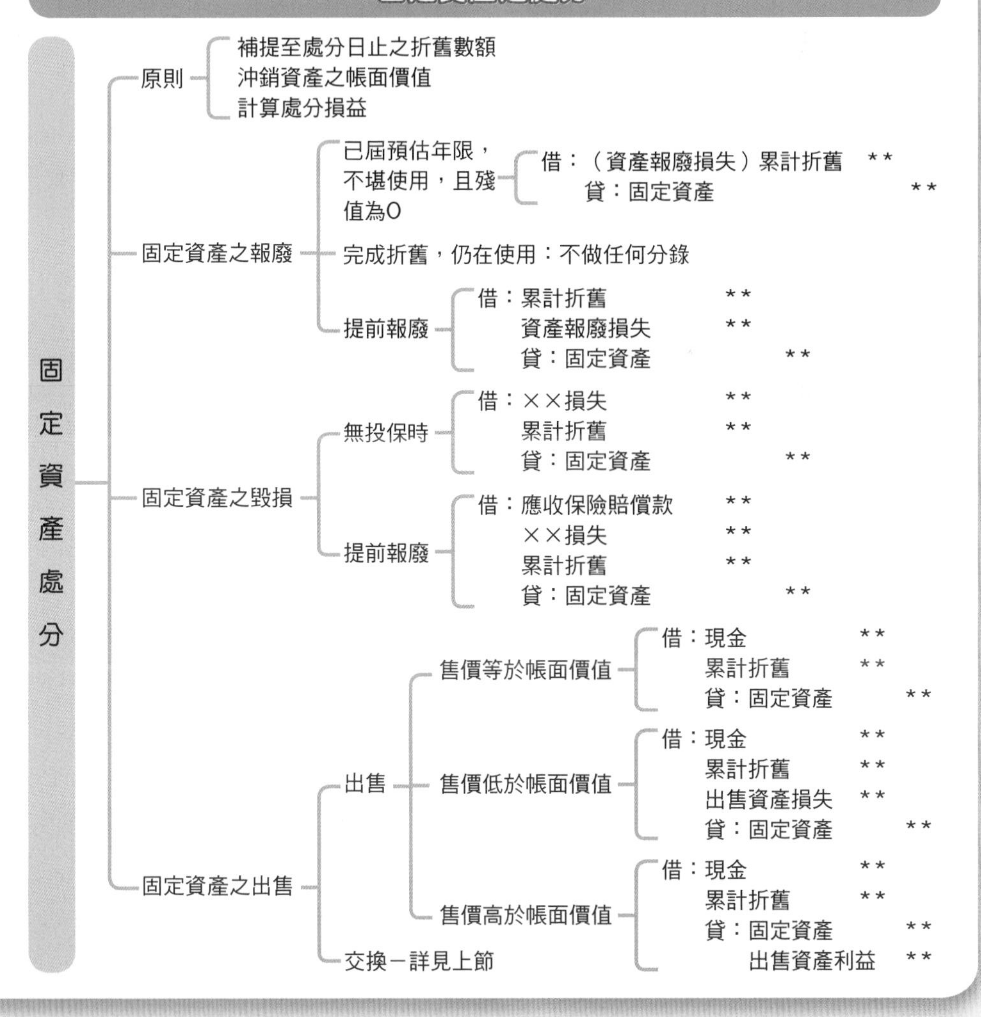

(三)會計估計變動——折舊年限改變：採推延調整法。

四、資產重估價

如果物價長期處於變動期間，而使資產的帳面價值和市場價值有了很大的差異，為使財務報表能反應真實的物價水準，我國所得稅法規定企業可辦理資產重估價。

資產重估價的會計處理方式如下：

(借)資產	****	
(貸)資產重估準備		****

五、財務報表之表達

依據國際會計準則第十六號規定，財務報表應揭露以下主要內容：

1. 用以決定總帳面金額之衡量基礎。
2. 所採用之折舊方法。
3. 所採用之耐用年限或折舊率。
4. 期初與期末之總帳面金額及累計折舊(與累計減損損失加總)。
5. 期初與期末帳面金額間之調節，列示下列各項：

(1) 增添之金額。

(2) 依國際財務報導準則第五號規定分類為待出售或包括於分類為待出售之處分群組中之資產，以及其他處分。

(3) 由企業合併取得者。

(4) 依國際會計準則第十六號規定中之第 31、39 及 40 段進行重估價所產生之增加或減少，以及依國際會計準則第三十六號之規定，因認列或迴轉減損損失於其他綜合損益所產生之增加或減少。

(5) 依國際會計準則第三十六號之規定認列於損益之減損損失。

(6) 依國際會計準則第三十六號之規定迴轉入損益之減損損失。

(7) 折舊。

(8) 將財務報表從功能性貨幣換算為不同表達貨幣所產生之淨兌換差額，包括將國外營運機構換算為報導個體之表達貨幣所產生之淨兌換差額。

(9) 其他變動。

除上述之外，財務報表亦有下列內容應揭露之：

1. 不動產、廠房及設備之所有權受限制，及供作負債擔保之事實與金額。
2. 處於建造過程中之不動產、廠房及設備項目，認列為該項目帳面金額之支出金額。
3. 為取得不動產、廠房及設備之合約承諾金額。
4. 不動產、廠房及設備項目之減損、損失或廢棄而由第三方補償並計入損益之金額(若該金額未於綜合損益表單獨揭露)。

資產重估價的計算方法

1. 重置成本法：重置成本係指在重估日同一全新固定資產的市場上公平市價
2. 資產重估價值＝重置成本－（重置成本－重估殘值）× 已使用年數／重估使用年數
3. 資產增值數額＝重估價值－帳面價值

資產負債表釋例

資產負債表
民國102年及101年12月31日

單位：新臺幣元

	102年底		101年底	
資產	金額	%	金額	%
流動資產				
現金	$20,766,753	9.51	$13,366,865	10.44
交易為目的之金融資產	62,763,739	28.7	--	--
應收經理費及銷售費	18,011,976	8.25	5,500,977	4.30
其他流動資產	4,329,648	1.98	3,511,439	2.74
流動資產合計	105,872,116	48.48	22,379,281	17.48
長期投資	98,045,526	44.89	92,182,575	71.99
固定資產－淨額	8,101,468	3.71	6,525,911	5.10
其他資產	6,387,106	2.92	6,954,526	5.43
資產總計	$218,406,216	100.00	$128,042,293	100.00

固定資產明細表

		102年底	101年底
成本			
	生財器具及辦公設備	$4,828,923	$3,392,770
	運輸設備	3,102,500	886,000
	租賃改良	2,906,159	2,906,159
	固定資產總額	10,837,582	7,184,929
累計折舊及減損			
	生財器具及辦公設備	962,657	320,791
	運輸設備	643,293	176,775
	租賃改良	1,130,164	161,452
	小計	2,763,114	659,018
	固定資產淨額	$8,101,468	$6,525,911

證券發行人財務報告編製準則及商業會計法之規定

證券發行人財務報告編製準則　第 9 條（節錄）

不動產、廠房及設備：

（一）指用於商品、農業產品或勞務之生產或提供、出租予他人或供管理目的而持有，且預期使用期間超過一個會計年度或一營業週期之有形資產項目，包括生產性植物。

（二）不動產、廠房及設備之後續衡量應採成本模式，其會計處理應依國際會計準則第十六號規定辦理。

（三）不動產、廠房及設備之各項組成若屬重大，應單獨提列折舊，且折舊方法之選擇應反映未來經濟效益預期消耗型態，若該型態無法可靠決定，應採用直線法，將可折舊金額按有系統之基礎於其耐用年限內分攤。

（四）不動產、廠房及設備具有不同耐用年限，或以不同方式提供經濟效益，或適用不同折舊方法、折舊率者，應在附註中分別列示重大組成部分之類別。

發行人應於資產負債表日對第四項有關採用權益法之投資、不動產、廠房及設備、使用權資產、採成本模式衡量之投資性不動產、無形資產、探勘及評估資產等項目評估是否有減損之客觀證據，若存在此類證據，應依國際會計準則第三十六號規定，認列減損損失金額。非金融資產之可回收金額以公允價值減處分成本衡量者，應揭露該公允價值衡量之額外資訊，包括公允價值層級、評價技術及關鍵假設等；可回收金額以使用價值衡量者，應揭露衡量使用價值之折現率。

證券發行人財務報告編製準則　第 17 條

財務報告附註應分別揭露發行人及其各子公司本期有關下列事項之相關資訊，母子公司間交易事項亦須揭露：

- 取得不動產之金額達新臺幣三億元或實收資本額百分之二十以上。
- 處分不動產之金額達新臺幣三億元或實收資本額百分之二十以上。

商業會計處理準則　第 18 條

不動產、廠房及設備，指用於商品、農業產品或勞務之生產或提供、出租予他人或供管理目的而持有，且預期使用期間超過一年之有形資產，包括土地、建築物、機器設備、運輸設備、辦公設備及生產性植物等會計項目。

不動產、廠房及設備應按照取得或建造時之原始成本及後續成本認列。原始成本包括購買價格、使資產達到預期運作方式之必要狀態及地點之任何直接可歸屬成本及未來拆卸、移除該資產或復原的估計成本，後續成本包括後續為增添、部分重置或維修該項目所發生之成本。

不動產、廠房及設備應以成本減除累計折舊及累計減損後之帳面金額列示。
不動產、廠房及設備之所有權受限制及供作負債擔保之事實與金額，應予揭露。

● 商業會計處理準則　第 **24** 條

商業應於資產負債表日對於不動產、廠房及設備評估是否有減損之跡象；若資產之帳面金額大於可回收金額時，應認列減損損失。

當有證據顯示除商譽及以成本衡量之權益工具投資以外之資產於以前期間所認列之減損損失，可能已不存在或減少時，資產帳面金額應予迴轉，迴轉金額應認列至當期利益。但迴轉後金額不得超過該資產若未於以前年度認列減損損失所決定之帳面金額。

已辦理資產重估者，發生減損時，應先減少未實現重估增值；如有不足，認列至當期損失。減損損失迴轉時，於原認列損失範圍內，認列至當期利益；如有餘額，列為未實現重估增值。

Date ____/____/____

第 9 章
天然資源與無形資產

9-1 天然資源之定義與成本之認列

天然資源為供企業長期之營業使用之自然資源，如天然氣、森林、煤礦等各礦產。依其種類可分為森林與礦產。

森林之成本包括買價、過戶費、仲介費等附加成本，以及規劃、排水、灌溉、養林等開發成本。

礦產之成本包括過戶費、仲介費、採礦權成本等附加成本，以及探勘成本。

探勘成本之風險很大，應屬費用或屬資產，故有下列兩法處理，一般公認原則皆承認此兩法。

（一）**全部成本法**：不論成功與否，探勘成本皆列為資產。

（二）**探勘成功法**：僅探勘成功時，才可將成本皆列為資產。

9-2 天然資源之折耗處理

IFRS（International Financial Reporting Standards，國際會計準則）定義探勘業為尋找及開採地底下或地表之天然資源。可開採之天然資源取得成本，包含為取得天然資源及使其達預期可供使用狀態所需支付之價款，對於已發掘的天然資源（如煤礦），成本即為購買此項資產所需支付之價格。在天然資源耐用年限中，以合理及有系統之方法分攤天然資源成本稱為「折耗」（折耗之於天然資源如同折舊之於固定資產）。企業一般都使用生產數量法計算折耗費用，原因在於天然資源的消耗與開採數量較為密切。

折耗之提列採生產數量法，即成本減殘值再除估計之總蘊藏量，得出每單位之折耗金額，再乘上當年度實際開採量，得出當年度所提列之折耗費用。

$$\frac{\text{成本}-\text{殘值}}{\text{估計總蘊藏量}} \times \text{當年度實際開採量}$$

9-3 無形資產之定義與項目

無形資產是指無實際形體存在，供企業營業使用之長期性資產。無形資產之特性如下：

1. 無形體存在，如專利權、特許權等。
2. 供營業使用。
3. 具排他性，如商標權、商譽等。
4. 具未來經濟效益。

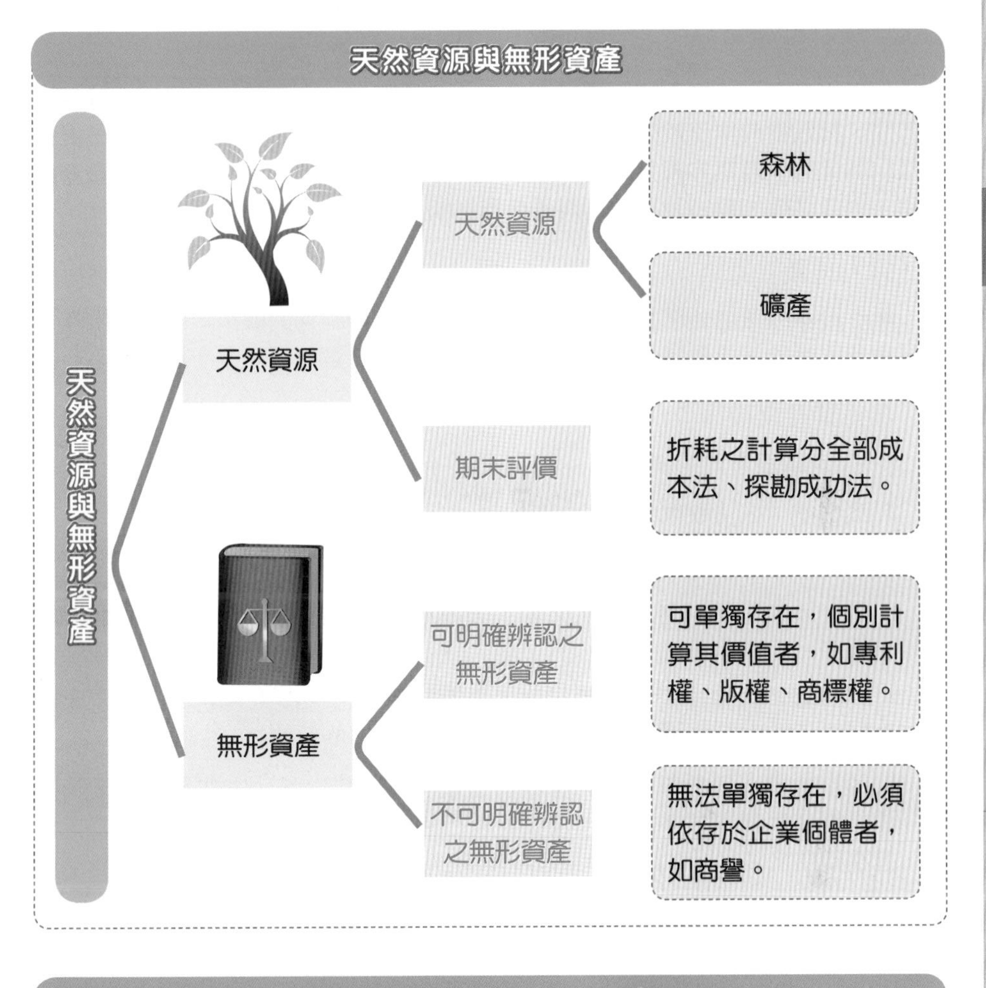
天然資源與無形資產
天然資源與無形資產
天然資源
天然資源
森林
礦產
期末評價
折耗之計算分全部成本法、探勘成功法。
無形資產
可明確辨認之無形資產
可單獨存在，個別計算其價值者，如專利權、版權、商標權。
不可明確辨認之無形資產
無法單獨存在，必須依存於企業個體者，如商譽。

天然資源的主要成本因素

天然資源的主要成本因素

1. 擁有的數量
2. 存有物的品質
3. 存有物的市場價格
4. 探勘資源所需的各種費用
5. 資產所處的地理位置等

9-4 無形資產之成本認列與攤銷

無形資產應以成本入帳，無形資產有許多種類，包含有耐用年限或非確定耐用年限，其取得成本應於效益期間內以合理有系統的方法予以分攤，每期分攤的金額稱為攤銷，若為非確定耐用年限的無形資產則不得攤銷。為認列無形資產的攤銷，企業需增加攤銷費用並同時降低無形資產的金額。

一、無形資產的攤銷

無形資產的攤銷通常採用直線法，大部分國家專利權的攤銷年限為二十年，專利權成本應於法律規定的法定期限或耐用年限，二者取較短者予以攤銷。

二、無形資產之種類

(一) 可辨認之無形資產：

1. 商標權：依法取得或購入之商標權。

2. 專利權：依法取得或購入之專利權。

3. 著作權：依法取得或購入文學、藝術、學術、音樂電影等創作或翻譯之出版、銷售、表演等權利。

4. 特許權：指特許經營某種行業，使用某種方法、技術、名稱或特定地區經營事業等。特許權有由政府授權者，亦有由私人企業買賣者。

5. 電腦軟體：對於購買或開發以供出售、出租或以其他方式行銷之電腦軟體。按未攤銷之購入成本，或自建技術可行性至完成產品母版所發生之成本評價。但在建立技術可行性以前發生之成本應作為研究發展費用。

(二) 不能明確辨認之無形資產：

※ 商譽：凡無法歸屬於有形資產及可辨認無形資產之獲利能力者。換言之，商譽為企業賺取超額利潤的能力。依一般公認會計原則規定，僅購入之商譽可入帳，自行發展之商譽不能入帳。購入之商譽僅能出現在企業購併上，故無法單獨辨認。商譽之計算為：支付總成本（取得有形及可辨認無形資產公允市價總和承擔之負債總額）。

三、無形資產之攤銷處理

若無形資產是經由購買取得，可列入無形資產的成本，其會計處理與不動產、廠房及設備會計處理類似，成本包含購買價格與使該資產達到預期可供運作狀態前的必要支出，然而，內部自行發展的相關無形資產成本（如企業自行研究與發展的部分）有其他特殊規定。

無形資產種類

無形資產

- 1. 可辨認者
  - (1) 商標權
  - (2) 專利權
  - (3) 著作權
  - (4) 特許權
  - (5) 電腦軟體
- 2. 不能明確辨認者
  - 商譽

可辨認無形資產分類

可辨認無形資產	
1. 行銷相關	例如：商標
2. 顧客相關	例如：顧客名單
3. 藝術相關	例如：著作權
4. 合約基礎	例如：特許合約
5. 技術基礎	例如：專利權

研究發展成本

研究發展成本可分為研究期間與發展期間兩大範圍，茲整理說明如下：

1. **研究期間範圍：**

(1) 實驗研究致力於發現新知識。
(2) 追求應用新研究成果或其他知識。
(3) 追求材料、器械、產品、流程系統或服務之可能方法。
(4) 全新或改良之材料、器械、產品、流程系統或服務之配方設計衡量及最後可行方法之選定。

2. **發展期間範圍：**

(1) 生產或使用前之原型及模型之設計、建造及測試。
(2) 設計與新技術有關之工具、礦篩、模型及印模。
(3) 尚未規模經濟商業化生產之試驗工廠，其設計、建造與作業。
(4) 全新或改良之材料器械、產品、流程系統或服務之可行方法的設計、建造或測試。

3. **研究發展成本包括：**

(1) 為研究發展目的而購置，或用於研究發展之材料、儀器及設備。
(2) 研究發展人員之薪資與相關之人事費用。
(3) 向他人購買之無形資產用於研究發展者，其無形資產之成本。
(4) 契約勞務成本：凡轉委託他人從事部分研究發展工作，或提供勞務之成本。
(5) 間接成本：研究發展成本包括一部分合理分攤之間接成本。但銷售及管理費用，顯與研究發展無關者，則不得攤入研究發展成本。因為其不具未來經濟效益，且成本與效益間無關聯，且其無因果關係，故基於保守原則，研究發展成本，原則上應列入當期費用。

無形資產取得方式

無形資產之攤銷年限為以下三者取較短者

年限	意義
法定年限	法律或契約所授予的特定權利期限。
經濟年限	依照無形資產之性質、未來的經濟和同業競爭情況，而決定能夠為企業產生經濟效益的有效年限。
20年	我國一般公認會計原則彙編第23條之規定。

證券發行人財務報告編製準則及商業會計法之規定

● 證券發行人財務報告編製準則　第 9 條（節錄）

無形資產：指無實體形式之可辨認非貨幣性資產，並同時符合具有可辨認性、可被企業控制及具有未來經濟效益。

無形資產之後續衡量應採用成本模式，會計處理應依國際會計準則第三十八號規定辦理。

無形資產攤銷方法之選擇應反映未來經濟效益預期消耗型態，若該型態無法可靠決定，應採用直線法，將可攤銷金額按有系統之基礎於其耐用年限內分攤。

生物資產：指與農業活動有關具生命之動物或植物，生物資產之會計處理應依國際會計準則第四十一號規定辦理。但生產性植物應分類為不動產、廠房及設備，其會計處理應依國際會計準則第十六號規定辦理。

● 商業會計法　第 49 條（遞耗資產）

遞耗資產，應設置累計折耗項目，按期提列折耗額。

● 商業會計法　第 50 條（無形資產成本）（節錄）

購入之無形資產，應以實際成本為取得成本。

前項無形資產自行發展取得者，以登記或創作完成時之成本作為取得成本，其發生之研究發展支出，應作為當期費用。但中央主管另有規定者，不在此限。

● 商業會計處理準則　第 19 條

礦產資源，指蘊藏量將隨開採或其他使用方法而耗竭之天然礦產。

礦產資源應按取得、探勘及開發之成本認列，並以成本減除累計折耗及累計減損後之帳面金額列示。

● 商業會計處理準則　第 20 條

生物資產，指與農業活動有關且具生命之動物或植物。但生產性植物應分類為不動產、廠房及設備。

生物資產應依流動性區分為流動與非流動，並以公允價值減出售成本衡量。但取得公允價值需耗費過當之成本或努力者，得以其成本減累計折舊及累計減損後之帳面金額列示。

● 商業會計處理準則　第 21 條（節錄）

無形資產，指無實體存在而具經濟價值之資產，包括：

一、商標權：其評價，按未攤銷成本為之。
二、專利權：其評價，按未攤銷成本為之。
三、著作權：其評價，按未攤銷成本為之。
四、電腦軟體：其評價，按未攤銷之購入成本或自建立技術可行性至完成產品母版所發生之成本為之。但在建立技術可行性以前所發生之成本，應作為研究發展費用。

五、商譽：出價取得之商譽；其減損測試應每年為之，已認列之商譽減損損失不得迴轉。
發展支出符合下列所有條件者，得予資本化；資本化之金額，不得超過預計未來可回收淨收益之現值：
一、完成該無形資產已達技術可行性。
二、商業意圖完成該無形資產，並加以使用或出售。
三、商業有能力使用或出售該無形資產。
四、無形資產本身或其產出，已有明確市場；該無形資產係供內部使用者，應已具有用性。
五、商業具充足之技術、財務及其他資源，以完成此項發展計畫並使用或出售該無形資產。
六、於發展期間歸屬於無形資產之支出，能可靠衡量。

法律小辭典

◎ 商標法　第 18 條

商標，指任何具有識別性之標識，得以文字、圖形、記號、顏色、立體形狀、動態、全像圖、聲音等，或其聯合式所組成。
前項所稱識別性，指足以使商品或服務之相關消費者認識為指示商品或服務來源，並得與他人之商品或服務相區別者。

◎ 著作權法　第 3 條（節錄）

本法用詞，定義如下：
一、著作：指屬於文學、科學、藝術或其他學術範圍之創作。
二、著作人：指創作著作之人。
三、著作權：指因著作完成所生之著作人格權及著作財產權。

◎ 專利法　第 2 條

本法所稱專利，分為下列三種：
一、發明專利。
二、新型專利。
三、設計專利。

◎ 專利法　第 21 條

發明，指利用自然法則之技術思想之創作。

◎ 專利法　第 104 條

新型，指利用自然法則之技術思想，對物品之形狀、構造或組合之創作。

◎ 專利法　第 121 條

設計，指對物品之全部或部分之形狀、花紋、色彩或其結合，透過視覺訴求之創作。
應用於物品之電腦圖像及圖形化使用者介面，亦得依本法申請設計專利。

Date ______/______/______

第 10 章 投資

10-1 投資之定義

10-2 投資之會計處理

證券發行人財務報告編製準則及商業會計法之規定

10-1 投資之定義

投資依投資之性質及目的，按持有期間一年以內或一年以上，區分流動與非流動投資，茲說明之。

一、流動投資

流動投資之定義必須符合下列條件：

1. 具有高度變現性。
2. 投資之目的不在控制被投資公司或與其建立密切之業務關係。

上述兩條件必須同時具備，故短期投資不以一年內必須出售或到期為必要條件。國內實務上，僅投資上市櫃且符合上述條件者，屬短期投資。

二、非流動投資

非流動投資之定義符合下列條件之一者，即屬非流動投資：1. 無公開市場或明確市價者；2. 意圖控制被投資公司或與其建立密切業務關係者；3. 因契約、法律；或自願性累積資金以供特殊用途者，以及 4. 有積極意圖及能力長期持有被投資公司股權者。

長期持有之積極意圖之定義為：應由公司最高決策單位或管理階層決議並明確說明其目的，亦需有客觀證據。佐證證據應以下列事項合併考量判斷：1. 公司董事會決議與其他關係人合併持有表決權達重大影響力；2. 擔任被投資公司董事或監察人；3. 期後事項或其他可供證明之事項，以及 4. 如持有目的為俟機出售，或期後非因重大突發性現金需求而出售者，即不符合積極意圖。

小博士的話

公司法第 13 條

公司不得為他公司無限責任股東或合夥事業之合夥人；如為他公司有限責任股東時，其所有投資總額，除以投資為專業或公司章程另有規定或經依左列各款規定，取得股東同意或股東會決議者外，不得超過本公司實收股本百分之四十：

一、無限公司、兩合公司經全體無限責任股東同意。

二、有限公司經全體股東同意。

三、股份有限公司經代表已發行股份總數三分之二以上股東出席，以出席股東表決權過半數同意之股東會決議。

公開發行股票之公司，出席股東之股份總數不足前項第三款定額者，得以有代表已發行股份總數過半數股東之出席，出席股東表決權三分之二以上之同意行之。第一項第三款及第二項出席股東股份總數及表決權數，章程有較高之規定者，從其規定。公司因接受被投資公司以盈餘或公積增資配股所得之股份，不計入第一項投資總額。公司負責人違反第一項規定時，應賠償公司因此所受之損害。

金融資產之分類

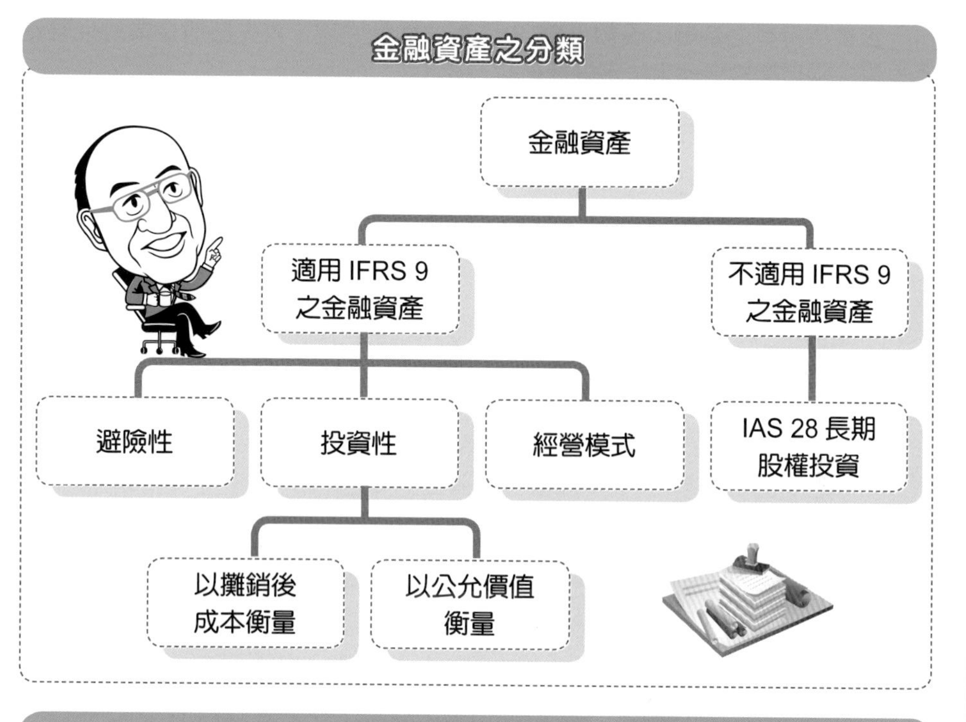

公報適用時間表

IAS 39「金融工具：認列與衡量」

金融資產、金融負債之認列與衡量 | 出售非金融項目合約之認列與衡量

IAS 32「金融工具：表達」

金融負債與權益之分類與表達 | 金融資產與負債之互抵

IFRS 7「金融工具：揭露」

金融工具之揭露

IFRS 9「金融工具」

於 2018 年全面取代 IAS 39

※關於金融工具投資之會計處理，金管會於 2016 年 12 月 30 日宣布我國與國際同步於 2018 年採用 IFRS 9。

企業所持有之金融工具於 IFRS 9 公報之會計處理，首先釐清企業對金融資產投資之兩項指標內容來決定會計衡量方式：

一、企業對於金融資產經營模式

一般透過企業對於金融資產持有目的、經營與績效的評估方式作為指標辨判斷：識別企業投資之目的是為依合約按期收取固定的金額，作為回收投資的本金及利息的金融資產證券投資、或為轉取價差等其他目的。

二、金融資產合約現金流量特性

即金融資產合約是否有明確的現金流量規範。同時對於合約現金流量特性進行敏感性分析 SPPI 測試。依國際財務報導準則第九號「金融工具」（以下簡稱 IFRS 9）4.1.2 及 4.1.2A 之規定，金融資產之合約條款產生特定日期之現金流量，該等現金流量須完全為支付本金及流通在外本金金額之利息（Solely Payments of Principal and Interest, 以下簡稱 SPPI）時，該金融工具可依經營模式分類為攤銷後成本或透過其他綜合損益按公允價值衡量。IFRS 9.B4.1.1 至 B4.1.26 段並提供如何適用該等條件之指引。此外，IFRS 9.4.1.3 並定義所謂本金係指金融資產於原始認列時之公允價值而利息由下列對價組成：貨幣時間價值、與特定期間內流通在外本金金額相關之信用風險，以及其他基本放款風險與成本及利潤邊際。

藉由兩主要指標辨識金融資產衡量方式

金融資產會計處理	指標一：企業經營模式		
指標二： 合約現金流量特性	收取現金為目的	藉由收取合約現金流量及出售達成目的	其他經營模式
符合SPPI 現金流量測試	按攤銷後成本衡量（AC）	按公允價值衡量且公允價值變動列入其他綜合損益（FVOCI）	按公允價值衡量且公允價值變動列入損益（FVPL）
不符合SPPI 現金流量測試	（原則）按公允價值衡量且公允價值變動列入損益 （例外）對非持有供交易之投資，可於原始認列時選擇按公允價值衡量且公允價值變動列入其他綜合損益		

資料來源：參考證券暨期貨月刊，第35卷第7期。

10-2 投資之會計處理

依前文所述，投資依性質可區分為短期投資與長期投資兩種，其會計處理當然也有所不同。

一、短期投資

(一)原始評價：以「成本」為入帳基礎，含買價、佣金、稅捐、過戶費用。

(二)續後評價：依財務會計準則公報之規定，應採成本與淨變現價值孰低法評價，跌價損益應列入當期投資損益。採總額法做比較，分錄如下：

（借）未實現短投跌價損失　　　　*****
　　（貸）備抵短投跌價損失（或該投資科目）　　　*****

二、長期股權投資

長期股權投資之取得成本，包括交易價格及其他必要之支出如手續費等。若以提供勞務或以其他資產交換者，以該項股權之公允市價或提供勞務或交付資產之公平市價，兩者較客觀者原始入帳。

而續後評價可分成本法與權益法，所謂「權益法」，係指隨被投資公司之權益增減變動，按持股比例調整股權投資的帳面價值。

為了符合財務狀況表日評價及報導之目的，公司將債券與權益證券分為下列三類：

(一)以攤銷後成本衡量之金融資產：指企業持有證券投資的目的，係依合約按期收取固定的金額，作為回收投資的本金及利息的金融資產證券投資，則應以攤銷後成本加以衡量。

(二)以公允價值衡量之金融資產（FV）：凡非屬以攤銷後成本衡量之證券投資，均應歸屬分類為以公允價值衡量之證券投資。而此類投資又可區分為下列兩種：

1. 以公允價值衡量且價值變動計入「損益」：持有此類證券，主要以交易為目的，買賣活動頻繁且短期內即將再出售賺取差價之證券投資，具有活絡市場可公開買賣之債券及股票，均有可能歸入此一分類。

2. 以公允價值衡量且價值變動計入「綜合損益」:持有此類證券之主要目的，非供交易為目的則可於原始認列時，即選擇列入此項分類。此項分類於選擇列入後，後續即不得變更。而任何未經指定為公允價值變動計入其他綜合損益，且非以攤銷後成本衡量之證券投資，均應將其公允價值變動列入損益。

(三)透過損益按公允價值衡量證券：證券被分於此類通常具有下列二個理由：第一，因為公司持有交易目的證券意圖於短期間出售（通常於一個月內），經常買進、賣出者即稱交易目的，因此所有的交易目的證券必須被分於此類；第二，若公司選擇行使「公允價值之選擇」，其他透過損益按公允價值衡量之證券

短期權益投資之會計處理

項目	權益（股票）證券
1.續後評價	總額比較法。
2.市價回升時	在備抵跌價損失範圍內可承認回升利益。
3.出售時	以售價和成本之差額計算出售損益。
4.投資收益	股利收入，但在第一年或被投資公司沒有淨利時，收到之股利視為清算股利。

適用於持股小於20%之權益投資評價分類

透過損益按公允價值衡量之證券		以攤銷後成本衡量之證券
公允價值變動 列為當期損益	公允價值變動 列為其他綜合損益	攤銷後成本

IAS 1「財務報表之表達」第7段

其他綜合損益係指依其他國際財務報導準則規定或允許，而未列入損益之收益及費損項目（包含重分類調整）。

其他綜合損益之組成部分，包括：

(a) 重估增值之變動（見國際會計準則第16號「不動產、廠房及設備」及國際會計準則第38號「無形資產」）。

(b) 依國際會計準則第19號「員工福利」第93A段之規定，所認列確定福利計畫下之精算損益。

(c) 國外營運機構財務報表換算所產生之利益及損失（見國際會計準則第21號「匯率變動之影響」）。

(d) 再衡量備供出售金融資產之利益及損失（見國際會計準則第39號「金融工具：認列及衡量」）。

(e) 現金流量避險中，屬有效避險部分之避險工具利益及損失（見國際會計準則第39號）。

1. 業主：係指分類為權益之工具之持有人。

2. 損益：係指收益減費損後之總額，排除其他綜合損益之組成部分。

3. 重分類調整：係指曾於當期或以前期間認列於其他綜合損益，而於當期重分類至損益之金額。

4. 綜合損益總額：係指某一期間來自與業主（以其業主之身分）交易以外之交易及其他事項所產生之權益變動。

綜合損益總額，包括「損益」及「其他綜合損益」之所有組成部分。

也歸於此類，因為在 IFRS 的規定下，公司擁有採用透過損益按公允價值衡量的選擇權。

透過損益按公允價值衡量證券應依公允價值評價，而成本與公允價值之差額為未實現利得或損失，因為該證券並未出售，故稱為未實現利得或損失。若公司意圖於下個年度或營業週期出售該證券時，則應列示於財務報表流動資產項下，否則應將該證券列示於非流動資產項下。

2011 年 12 月 31 日，大鵬公司有關於透過損益按公允價值衡量證券的成本與公允價值列表如下：

投資	成本	公允價值	未實現利得（或損失）
中恆公司債券	$ 80,000	$ 60,000	$(20,000)
中康公司股票	100,000	110,000	10,000
合計	$180,000	$170,000	$(10,000)

因為投資之公允價值總額為 $170,000，小於成本總額 $180,000，因此有未實現損失 $10,000。大鵬公司編製財務報表時，需認列公允價值與未實現利得，以「市價調整－透過損益按公允價值衡量證券」此備抵評價科目認列成本總額與公允價值總額間的差額，其調整分錄如下：

12 月 31 日		
未實現損失－損益	10,000	
市價調整－透過損益按公允價值衡量證券		10,000

使用「市價調整－透過損益按公允價值衡量證券」科目，使公司維持投資成本之記錄，等到真正出售證券時，才決定已實現利得或損失的金額，將投資成本加減此科目金額後，即可得出證券的公允價值。

大鵬公司應依公允價值之金額將透過損益按公允價值衡量證券列示於財務狀況表中投資項下，未實現利得列示於損益表中其他收入與費用項下，而「未實現利得－損益」科目中的「損益」即指出此利得影響淨利。

若該證券公允價值總額大於成本總額，則發生未實現利得，調整分錄需借記「市價調整－透過損益按公允價值衡量證券」，與貸記「未實現損失－損益」，將未實現損失列示於損益表中其他收入與費用項下。

若金融資產分類為公允價值變動列入「其他綜合損益」者，則其未實現損益科目需改為「未實現損益－權益」列入股東權益項下。市價調整科目須一直維持至下個會計期間，於下期期末時再調整為成本總額與新公允價值總額間的差額，「未實現利得或損失－損益」於每期期末時須作結帳分錄。

長期股權投資之會計處理方法

投資種類及股權大小	對被投資公司之影響力	會計處理方法	財務報告方法
特別股，不論大小	無影響力	成本法（非上市櫃）或成本與淨變現價值孰低法（上市櫃） 有影響力時用權益法	成本法（非上市櫃）或成本與淨變現價值孰低法（上市櫃）
普通股，未達20%	無影響力（除非有反證）	成本法（非上市櫃）或成本與淨變現價值孰低法（上市櫃） 有影響力時用權益法	成本法（非上市櫃）或成本與淨變現價值孰低法（上市櫃） 有影響力時用權益法
普通股，20%~50%	有重大影響力	權益法	權益法
普通股，超過50%	有控制能力（除非有反證）	權益法	權益法及編製合併報表

權益投資會計處理比較表

	對被投資公司持有普通股低於20%，無影響力		對被投資公司持有普通股20%以上，有重大影響力
交易	（非上市櫃股票）成本法	（上市櫃股票）成本與淨變現價值孰低法	權益法
投資時	借：長期投資－股票 貸：現金	同左	同左
投資之年度收到現金股利時	借：現金 貸：長期投資－股票	同左	同左
被投資（子）公司年終獲利時	無分錄	無分錄	借：長期投資－股票 貸：投資損益
第二年收到現金股利時	借：現金 貸：股利收入	同左	借：現金 貸：長期投資－股票
收到股票股利時	在帳上註記收取之股數並重新核算每股之帳面價值	同左	同左
出售	其分錄如下： 借：現金 貸：長期投資－股票出售長期投資利益	同左，但不沖銷備抵跌價損失	其分錄如下： 借：現金 貸：長期投資－股票出售長期投資利益

證券發行人財務報告編製準則及商業會計法之規定

證券發行人財務報告編製準則　第 9 條（節錄）

◆透過損益按公允價值衡量之金融資產－流動：

（一）指非屬按攤銷後成本衡量或透過其他綜合損益按公允價值衡量之金融資產。

（二）屬按攤銷後成本衡量或透過其他綜合損益按公允價值衡量之金融資產，依國際財務報導準則第九號規定可指定為透過損益按公允價值衡量之金融資產。

◆透過其他綜合損益按公允價值衡量之金融資產－流動：

（一）指同時符合下列條件之債務工具投資：

1. 發行人係在以收取合約現金流量及出售為目的之經營模式下持有該金融資產。
2. 該金融資產之合約條款產生特定日期之現金流量，完全為支付本金及流通在外本金金額之利息。

（二）指原始認列時作一不可撤銷之選擇，將公允價值變動列報於其他綜合損益之非持有供交易之權益工具投資。

◆按攤銷後成本衡量之金融資產－流動，指同時符合下列條件者：

（一）發行人係在以收取合約現金流量為目的之經營模式下持有該金融資產。

（二）該金融資產之合約條款產生特定日期之現金流量，完全為支付本金及流通在外本金金額之利息。

◆避險之金融資產－流動：

依避險會計指定且為有效避險工具之金融資產。

- 採用權益法之投資：

（一）採用權益法之投資之評價及表達應依國際會計準則第二十八號規定辦理。

（二）認列投資損益時，關聯企業編製之財務報告若未符合本準則，應先按本準則調整後，再據以認列投資損益。採用權益法所用之關聯企業財務報告日期應與投資者相同，若有不同時，應對關聯企業財務報告日期與投資者財務報告日期間所發生之重大交易或事件之影響予以調整，在任何情況下，關聯企業與投資者之資產負債表日之差異不得超過三個月。若會計師依審計準則公報第五十一號規定判斷關聯企業對投資者財務報告公允表達影響重大者，關聯企業之財務報告應經會計師依照會計師查核簽證財務報表規則與一般公認審計準則之規定辦理查核。

（三）採用權益法之投資有提供作質，或受有約束、限制等情事者，應予註明。

- 透過損益按公允價值衡量之金融資產、透過其他綜合損益按公允價值衡量之金融資產按攤銷後成本衡量之金融資產避險之金融資產、應收票據、應收帳款、其他應收款項目之會計處理、備抵損失之認列及衡量，應依國際財務報導準則第九號規定辦理。備抵損失應分別列為按攤銷後成本衡量之金融資產、應收票據、應收帳款及其他應收款之減項。各該項目如為更明細之劃分者，備抵損失亦比照分別列示。
- 發行人應於資產負債表日對採用權益法之投資評估是否有減損之客觀證據，若存在此類證據，應依國際會計準則第三十六號規定，認列減損損失金額。非金融資產之可回收金額以公允價值減處分成本衡量者，應揭露該公允價值衡量之額外資訊，包括公允價值層級、評價技術及關鍵假設等；可回收金額以使用價值衡量者，應揭露衡量使用價值之折現率。

- 有關透過損益按公允價值衡量之金融資產、透過其他綜合損益按公允價值衡量之金融資產、按攤銷後成本衡量之金融資產、避險之金融資產、應收票據、應收帳款、其他應收款、待出售非流動資產、投資性不動產、生物資產等項目有關公允價值之衡量及揭露，應依國際財務報導準則第十三號規定辦理。
- 有關透過損益按公允價值衡量之金融資產、透過其他綜合損益按公允價值衡量之金融資產、按攤銷後成本衡量之金融資產、避險之金融資產、合約資產、生物資產等項目，應依流動性區分為流動與非流動。

商業會計法　第 **44** 條（衡量）

金融工具投資應視其性質採公允價值、成本或攤銷後成本之方法衡量。
具有控制能力或重大影響力之長期股權投資，採用權益法處理。

第 11 章
流動負債

11-1 流動負債之定義及種類

11-2 負債之會計處理

11-3 票據貼現和應付帳款之對應分錄

證券發行人財務報告編製準則及商業會計法之規定

11-1 流動負債之定義及種類

什麼是流動負債呢？端看其字義，不難了解就是在短時間內需要償還的負債。但商業會計如何規定呢？

一、流動負債之定義

依商業會計法之規定，所謂流動負債指將於一年內，以流動資產或其他流動負債清償之債務，如長期負債一年到期部分，但營業週期長於一年者，應改以一個營業週期劃分流動及非流動之標準。

但其例外者為：

1. 將以償債基金償付之長期負債一年到期部分。
2. 短期負債轉長期負債者（再融資）。

上述兩者非屬流動負債。

二、負債之分類

負債在資產負債表上可分為流動負債與長期負債，流動負債通常包括下列各科目，如應付帳款、應付票據、銀行透支、預收貨款、應付費用及應付所得稅等；另外也可以依其清償標的不同分為貨幣性負債與非貨幣性負債等分類方式。其分類如右表所示。

三、負債準備

負債準備為一種現時清償義務，屬於不確定時點及金額的負債，亦可以當作資產的減項。相對於其他負債而言，其主要差別是負債準備未來清償的時點及金額具有不確定性，且有些應計費用會併入應付帳款、其他應付款合併表達，但負債準備需單獨列報。其認列與揭露原則如右圖所示。

四、或有負債

所謂或有負債係指因過去事件所產生之可能義務，其存在與否僅能由一個或多個不確定之未能完全由企業所控制不確定未來事件之發生或不發生加以證實。

過去事件所產生之現時義務，但因下列原因未予認列：

1. 清償該義務並非很有可能使經濟效益流出（不可能性大於可能性）。
2. 金額無法合理估計。

其與負債準備之主要差別為，「或有」係指未認列之資產及負債，其存在與否僅能由一個或多個不確定之未來事件之發生或不發生加以證實。且或有負債係指不符合認列基準之負債。而通常或有負債的會計處理方法皆是不入帳但須揭露於財務報表之中。其認列與揭露原則如圖所示。

負債之種類

分類標準	種類	說明	實例
1.到期日長短	(1)流動負債	一年或一個營業週期內（以較長為準），以流動資產或舉借流動負債償還者	銀行透支、短期借款、應付票據、應付票據折價、預收收入、應付費用
	(2)非流動負債	一年或一個營業週期以上（以較長為準），才須償還的負債	長期借款、抵押借款、應付公司債、應付公司債折溢價、長期應付票據
2.清償標的	(1)貨幣性負債	以貨幣為清償標的	短期借款、應付帳款、應付票據
	(2)非貨幣性負債	交付商品或提供勞務為清償標的	預收貨款、預收收入
3.是否發生	(1)確定負債	確定發生且金額確定	應付票據、應付帳款
		確定發生但金額不確定	應付贈品費用、應付保修費
	(2)或有負債	負債是否發生尚不能確定	債務背書保證、應收票據貼現、訴訟賠償款

負債準備及或有負債之認列與揭露原則

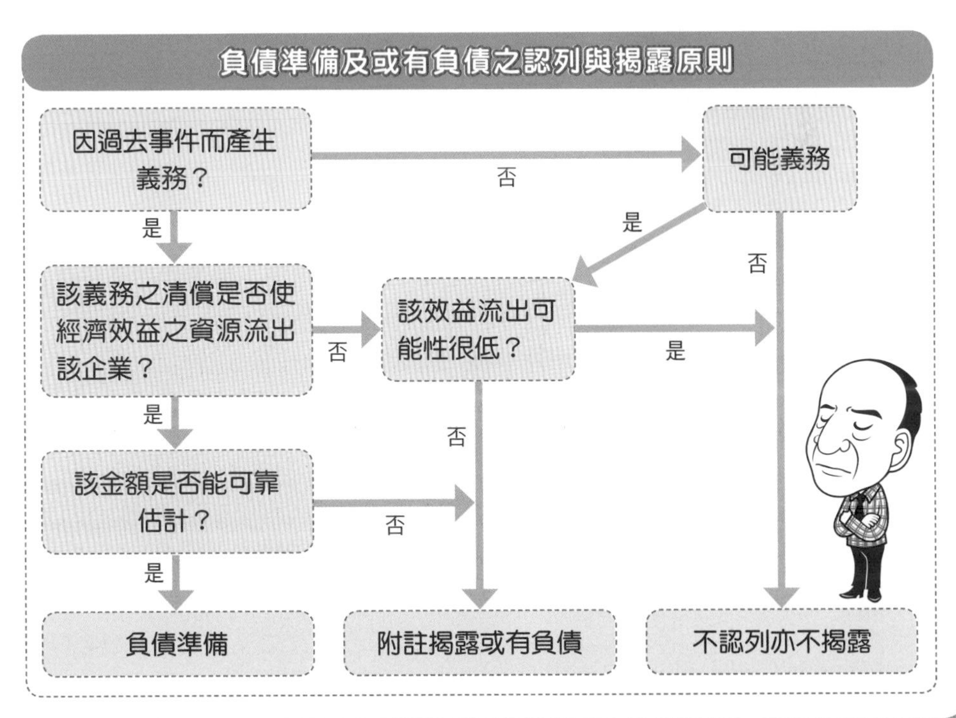

11-2 負債之會計處理

一、確定負債之會計處理

確定負債之處理，見右表所示並說明如下：

(一) 應付帳款：指因營業行為而產生購貨之負債，其對應之科目為應收帳款。若賣方給予現金折扣時，應付帳款之分錄有總額法與淨額法。

(二) 應付票據：指企業為因營業行為如購貨等，或融資借款而開出之債權憑證（本票、支票或匯票，一般為支票）。可分付息與不付息票據。

(三) 應付費用：因為權責發生制，故某些費用過期尚未支付，則應作分錄借記費用，貸記應付費用。

(四) 預收收益：指企業尚未提供勞務或貨品時，預先收取之款項。故貸記預收收益，待提供勞務或貨品再將預收收益轉為收益。

(五) 應付營業稅：企業於購貨或勞務時，須支付 5% 之營業稅，稱進項稅額；另銷售貨品或勞務時，須向客戶收取 5% 營業稅，稱銷項稅額。每月月底結算進項稅額與銷項稅額之淨額。若進項稅額小於銷項稅額，則產生應付營業稅；若進項稅額大於銷項稅額，則產生應退稅額。營業人應於每單月 15 日前，向政府有關機構申報繳納前兩個月分之營業稅。

	借方科目	借	貸	借方科目	借	貸
1. 平時：	進貨	****		現金	****	
	進項稅額	****		銷貨收入		****
	現金		****	銷項稅額		****

	科目	借	貸
2. 月底：	銷項稅額	****	
	應退稅額（應付營業稅）	****	
	進項稅額		****
3. 單月 15 日：	應付營業稅	****	
	現金		****

(六) 應付所得稅：企業於每年 7 月要預估暫繳所得稅。但當年度要估計當年應繳之營利事業所得稅，並於次年 5 月 31 日申報納稅。

	科目	借	貸
1.7/1 預估暫繳所得稅：	預付所得稅	****	
	現金		****
2.12/31 年底：	所得稅費用	****	
	應付所得稅		****
3. 次年 5/31：	應付所得稅	****	
	現金		****

(七) 估計負債：產品售後服務保證負債，由於企業於不良品之控制，基於成本考量，不可能控制於零水準。故每一批生產之產品在某水準下，將產生不良品。故企業基於配合原則應先行估計其負債，而不得遞延至次年。

確定負債之會計處理

項目	種類	分錄		
1. 已確實發生之負債	應付帳款、應付票據等	存貨	***	
		應付帳款		***
2. 負債之結果取決於營業	應付所得稅等	所得稅費用	***	
		應付所得稅		***
3. 負債金額不確定，但可合理估計	估計服務保證負債估計、應付贈品	產品服務保證費用	***	
		估計服務保證負債		***

應付帳款現金折扣之會計方法

項目	總額法			淨額法		
1.購貨時	進貨	***		進貨	***	
	應付帳款		***	應付帳款		***
2.折扣期間內付款	應付帳款	***		應付帳款	***	
	進貨折扣		***	現金		***
	現金		***			
3.折扣期間外付款	應付帳款	***		應付帳款	***	
	現金		***	未享進貨折扣	***	
				現金		***

應付帳款現金折扣之會計方法

項目	付息票據			不付息票據		
1.購貨時	進貨	***		進貨	***	
	應付票據		***	應付票據折價	***	
				應付票據		***
2.應計利息	利息費用	***		利息費用	***	
	應付利息		***	應付票據折價		***
3.付款	應付票據	***		應付票據	***	
	應付利息	***		現金		***
	現金		***			

產品售後服務保證負債之會計處理

項目	分錄		
1.年底估計	產品服務保證費用	***	
	估計產品服務保證負債		***
2.次年實際發生產品售後服務	估計產品服務保證負債	***	
	材料		***
	現金		***

二、或有負債之會計處理

所謂或有負債為肇因於過去或現在，目前尚未確定，其確定與否應視未來之情況演變才能確定，如訴訟等。但若為「很有可能發生」且「金額可合理估計」者，其基於穩健原則，應予以入帳。

(一) 或有負債係指符合下列條件之一者：

1. 因過去事件所產生之潛在義務，且其存在與否有賴於一個以上不確定未來事件之發生或不發生來證實。而該不確定未來事件係不能完全由該企業控制。

2. 因過去事件所產生之現時義務，但未符合負債準備認列條件（非很有可能流出具經濟效益之資源或金額無法可靠估計）而未予以認列。

或有利得之部分，由於實現與否尚難確定，不宜認列。而或有損失很可能發生且金額可合理估計者，應予以認列入帳。估計損失有上下限時，應取最允當金額認列。無法選定最允當金額時，應取下限認列，並揭露尚有額外損失發生之可能性。而評估是否發生損失時，宜取具專家意見以為依據。

(二) 或有負債之處理：或有利得或損失之處理方式分為三種，一是入帳；二是附註揭露；三是不入帳亦無須揭露。

【釋例】針對下列情況，試作適當的會計處理，包含必要的分錄。

情況 1：X3 年 8 月有一名員工因為自己的疏失在工廠中發生意外因而受傷，該名員工向 A 公司控告並求償 $400,000，公司律師認為該控告是合理的，但最終結果是不確定的，並評估賠償金額可能介於 $150,000 到 $700,000 之間。

情況 2：X5 年 10 月 4 日 B 公司被一名作者控告違反合約，要求賠償 $3,000,000，B 公司法律顧問認為該結果很有可能對公司不利，評估賠償金額估計範圍為 $500,000 到 $1,900,000 之間，且該範圍內之每一點與其他各點之可能性相同。

情況 3：C 公司捲入了一個懸而未決的訴訟案件，C 公司的律師認為 C 公司很有可能將獲得 $3,000,000 的賠償。

【解析】

1. 由於該訴訟的結果是不確定的，因此將不會於資產負債表中認列為負債，但須在附註中揭露，包括預估賠償金額的範圍。

2. 由於該訴訟的結果很有可能對公司不利，因此 B 公司須認列相關負債準備，認列之金額為賠償金額範圍之中間值，相關分錄如下：

X5/10/04	訴訟損失	1,200,000	
	訴訟損失準備		1,200,000

3. 雖然 C 公司很有可能將獲得 $3,000,000 的賠償（為一或有資產），但是企業僅須揭露不得認列為資產。

或有事項之會計處理表

或有事項之會計處理			
或有事項種類	發生之可能性	金額的確定程度	
		確定或能合理估計者	無法合理估計者
1.或有損失	(1)很有可能	應入帳。	不入帳，但應附註揭露其性質，並說明金額無法估計。
	(2)有可能	不入帳，但應附註揭露其性質及金額，或合理的金額範圍。	不入帳，但應附註揭露其性質，並說明金額無法估計。
	(3)極少可能	不入帳，亦不必揭露，但揭露亦可。	不入帳，亦不必揭露，但揭露亦可。
2.或有利得	(1)很有可能	不預計入帳，應附註揭露。	不預計入帳，應附註揭露。
	(2)有可能	不預計入帳，應附註揭露。	不預計入帳，應附註揭露。
	(3)極少可能	不預計入帳，但揭露亦可。	不預計入帳，但揭露亦可。

或有損失之會計處理

損失之原因	一般事項之應計入帳	或有損失之處理	
		不應入帳	應入帳
1. 應收款項之收現性	✓		
2. 對產品保證及損壞品之債務	✓		
3. 提供給客戶之獎品及獎金	✓		
4. 企業資產可能遭到火災或其他災害造成的損失		✓	
5. 待訴訟或有訴訟未主張之請求權及稅捐		✓	
6. 對他人的債務擔保			✓
7. 商業銀行信用保證的債務			✓
8. 已出售之應收款項			✓

11-3 票據貼現和應付帳款之對應分錄

一、票據貼現之對應分錄

若東吳公司出售商品予東華公司，而東華公司開立支票予東吳公司，最後東吳公司將東華公司之票據向中華銀行作貼現，其相關分錄如下：

(一) 東吳公司相關分錄：

分錄	科目	借	貸
1. 東華公司開票予東吳公司：	應收票據	***	
	銷貨收入		***
2. 東吳公司將該票至中華銀行貼現：	貼現損失	***	
	現金	***	
	應收票據貼現		***
	利息收入		***
3-1. 東華公司支付貨款予中華銀行：	應收票據貼現	***	
	應收票據		***
3-2. 東華公司到期未支付款項，則東吳替東華公司支付予中華銀行：	應收帳款	***	
	應收票據貼現	***	
	應收利息	***	
	應收票據		***
	現金		***

(二) 中華銀行相關分錄：

分錄	科目	借	貸
2. 東吳公司將該票至中華銀行貼現：	應收票據	***	
	應收利息	***	
	現金		***
	財務收入		***
3-1. 東華公司支付貨款予中華銀行：	現金	***	
	應收票據	***	
	應收利息		***
	利息收入		***
3-2. 東華公司到期未支付款項，則東吳替東華公司支付予中華銀行：	現金	***	
	應收票據	***	
	應收利息		***
	利息收入		***

(三) 東華公司相關分錄：

分錄	科目	借	貸
1. 東華公司開票予東吳公司：	存貨	***	
	應付票據		***
3-1. 東華公司支付貨款予中華銀行：	應付票據	***	
	應付利息	***	
	利息費用		***
	現金		***

二、應收應付款

（一）若東吳公司出售貨品予東華公司，則其相關分錄如下所示：

東吳公司相關分錄		東華公司相關分錄	
1.銷貨時	應收帳款 *** 銷貨收入 ***	1.進貨時	存貨 *** 應付帳款 ***
2.呆帳評估	呆帳費用 *** 備抵呆帳 ***		無分錄
3.收款	現金 *** 應收帳款 ***	2.付款	應付帳款 *** 現金 ***

（二）若東吳公司出售貨品予東華公司，東華公司開票給予東吳公司，則其相關分錄分別依情況一和情況二所示：

東吳公司相關分錄		東華公司相關分錄	
情況一：東吳公司收到付息票據			
1.銷貨時	應收票據 *** 銷貨收入 ***	1.進貨時	存貨 *** 應付票據 ***
2.12/31調整利息收入	應收利息 *** 利息收入 ***	2.12/31調整利息費用	利息費用 *** 應付利息 ***
3.收到貨款及利息	現金 *** 應收票據 *** 應收利息 ***	3.支付貨款及利息	應付票據 *** 應付利息 *** 現金 ***
情況二：東吳公司收到不付息票據			
1.銷貨時	應收票據 *** 應收票據折價 *** 銷貨收入 ***	1.進貨時	存貨 *** 應付票據折價 *** 應付票據 ***
2.12/31調整利息收入	應收票據折價 *** 利息收入 ***	2.12/31調整利息費用	利息費用 *** 應付票據折價 ***
3.收到貨款及利息	現金 *** 應收票據 ***	3.支付貨款及利息	應付票據 *** 現金 ***

證券發行人財務報告編製準則及商業會計法之規定

● 證券發行人財務報告編製準則　第 10 條

負債應作適當之分類。流動負債與非流動負債應予以劃分。但如按流動性之順序表達所有負債能提供可靠而更攸關之資訊者，不在此限。

各負債項目預期於資產負債表日後十二個月內清償之總金額，及超過十二個月後清償之總金額，應分別在財務報告表達或附註揭露。

流動負債係指企業預期於其正常營業週期中清償該負債；主要為交易目的而持有該負債；預期於資產負債表日後十二個月內到期清償該負債，即使於資產負債表日後至通過財務報告前已完成長期性之再融資或重新安排付款協議；企業不能無條件將清償期限遞延至資產負債表日後至少十二個月之負債，負債之條款可能依交易對方之選擇，以發行權益工具而導致其清償者，並不影響其分類。流動負債至少應包括下列各項目：

一、短期借款：

（一）包括向銀行短期借入之款項、透支及其他短期借款。

（二）短期借款應依借款種類註明借款性質、保證情形及利率區間，如有提供擔保品者，應註明擔保品名稱及帳面金額。

（三）向金融機構、股東、員工、關係人及其他個人或機構之借入款項，應分別註明。

二、應付短期票券：

（一）為自貨幣市場獲取資金，而委託金融機構發行之短期票券，包括應付商業本票及銀行承兌匯票等。

（二）應付短期票券應以有效利息法之攤銷後成本衡量。但未付息之短期應付短期票券若折現之影響不大，得以原始票面金額衡量。

（三）應付短期票券應註明保證、承兌機構及利率，如有提供擔保品者，應註明擔保品名稱及帳面金額。

三、透過損益按公允價值衡量之金融負債－流動：

（一）持有供交易之金融負債：

1. 其發生主要目的為近期內再買回。
2. 於原始認列時即屬合併管理之可辨認金融工具組合之一部分，且有證據顯示近期該組合為短期獲利之操作模式。
3. 除財務保證合約或被指定且為有效避險工具外之衍生金融負債。

（二）指定透過損益按公允價值衡量之金融負債。

（三）透過損益按公允價值衡量之金融負債應按公允價值衡量。但指定為透過損益按公允價值衡量之金融負債，其公允價值變動金額屬信用風險所產生者，除避免會計配比不當之情形或屬放款承諾及財務保證合約須認列於損益外，應認列於其他綜合損益。

四、避險之金融負債－流動：依避險會計指定且為有效避險工具之金融負債。

五、合約負債：指企業依合約約定已收取或已可自客戶收取對價而須移轉商品或勞務予客戶之義務。

六、應付票據：指應付之各種票據。

（一）應付票據應以有效利息法之攤銷後成本衡量。但未付息之短期應付票據若折現之影響不大，得以原始發票金額衡量。

（二）因營業而發生與非因營業而發生之應付票據，應分別列示。

（三）金額重大之應付銀行、關係人票據，應單獨列示。

（四）已提供擔保品之應付票據，應註明擔保品名稱及帳面金額。

（五）存出保證用之票據，於保證之責任終止時可收回註銷者，得不列為流動負債，但應於財務報告附註中說明保證之性質及金額。

七、應付帳款：

（一）因賒購原物料、商品或勞務所發生之債務。

（二）應付帳款應以有效利息法之攤銷後成本衡量。但未付息之短期應付帳款若折現之影響不大，得以原始發票金額衡量。

（三）因營業而發生之應付帳款，應與非因營業而發生之其他應付款項分別列示。

（四）金額重大之應付關係人款項，應單獨列示。

（五）已提供擔保品之應付帳款，應註明擔保品名稱及帳面金額。

八、其他應付款：不屬於應付票據、應付帳款之其他應付款項，如應付稅捐、薪工及股利等。經股東會決議通過之應付股息紅利，如已確定分派辦法及預定支付日期者，應加以揭露。

九、本期所得稅負債：指尚未支付之本期及前期所得稅。

十、負債準備－流動：

（一）指不確定時點或金額之負債。

（二）負債準備之會計處理應依國際會計準則第三十七號規定辦理。

（三）負債準備應於發行人因過去事件而負有現時義務，且很有可能需要流出具經濟效益之資源以清償該義務，及該義務之金額能可靠估計時認列。

（四）發行人應於附註中將負債準備區分為員工福利負債準備及其他項目。

十一、與待出售非流動資產直接相關之負債：指依出售處分群組之一般條件及商業慣例，於目前狀態下，可供立即出售，且其出售必須為高度很有可能之待出售處分群組內之負債。

十二、其他流動負債：不能歸屬於以上各類之流動負債。

非流動負債係指非屬流動負債之其他負債，至少應包括下列各項目：

一、應付公司債（含海外公司債）：發行人發行之債券。

（一）發行債券須於附註內註明核定總額、利率、到期日、擔保品名稱、帳面金額、發行地區及其他有關約定限制條款等。如所發行之債券為轉換公司債者，並應註明轉換辦法及已轉換金額。

（二）應付公司債之溢價、折價為應付公司債之評價項目，應列為應付公司債之加項或減項，並按有效利息法，於債券流通期間內加以攤銷，作為利息費用之調整項目。

二、長期借款：

（一）包括長期銀行借款及其他長期借款或分期償付之借款等。長期借款應註明其內容、到期日、利率、擔保品名稱、帳面金額及其他約定重要限制條款。

（二）長期借款以外幣或按外幣兌換率折算償還者，應註明外幣名稱及金額。

（三）向股東、員工及關係人借入之長期款項，應分別註明。

（四）長期應付票據及其他長期應付款項應以有效利息法之攤銷後成本衡量。

三、租賃負債：

（一）係指承租人尚未支付租賃給付之現值。

（二）租賃負債之會計處理應依國際財務報導準則第十六號規定辦理。

四、遞延所得稅負債：指與應課稅暫時性差異有關之未來期間應付所得稅金額。

五、其他非流動負債：不能歸屬於以上各類之非流動負債。

前二項有關透過損益按公允價值衡量之金融負債、避險之金融負債、應付票據、應付帳款、其他應付款項目之會計處理，應依國際財務報導準則第九號規定辦理。

第三項及第四項有關透過損益按公允價值衡量之金融負債、避險之金融負債、應付票據、應付帳款、其他應付款、與待出售非流動資產直接相關之負債、應付公司債、長期借款等項目有關公允價值之衡量及揭露，應依國際財務報導準則第十三號規定辦理。

第三項及第四項有關透過損益按公允價值衡量之金融負債、合約負債、避險之金融負債、租賃負債、負債準備等項目，應依流動性區分為流動與非流動。

商業會計法　第 41 條

資產及負債之原始認列，以成本衡量為原則。

商業會計法　第 54 條

各項負債應各依其到期時應償付數額之折現值列計。但因營業或主要為交易目的而發生或預期在一年內清償者，得以到期值列計。

公司債之溢價或折價，應列為公司債之加項或減項。

商業會計法　第 64 條

商業對業主分配之盈餘，不得作為費用或損失。但具負債性質之特別股，其股利應認列為費用。

商業會計處理準則　第 25 條

流動負債，指商業預期於其正常營業週期中清償之負債；主要為交易目的而持有之負債；預期於資產負債表日後十二個月內到期清償之負債，即使該負債於資產負債表日後至通過財務報表前已完成長期性之再融資或重新安排付款協議；商業不能無條件將清償期限遞延至資產負債表日後至少十二個月之負債。

流動負債包括下列會計項目：

一、短期借款：指向金融機構或他人借入或透支之款項。

（一）應依借款種類註明借款性質、保證情形及利率區間，如有提供擔保品者，應揭露擔保品名稱及帳面金額。

（二）向金融機構、業主、員工、關係人、其他個人或機構借入之款項，應分別揭露。

二、應付短期票券：指為自貨幣市場獲取資金，而委託金融機構發行之短期票券，包括應付商業本票及銀行承兌匯票等。應付短期票券應註明保證、承兌機構及利率；如有提供擔保品者，應揭露擔保品名稱及帳面金額。

三、透過損益按公允價值衡量之金融負債－流動：指持有供交易或原始認列時被指定為透過損益按公允價值衡量之金融負債。

四、避險之金融負債一流動：指依避險會計指定且為有效避險工具之金融負債。

五、以成本衡量之金融負債－流動：指與無活絡市場公開報價之權益工具連結，並以交付該等權益工具交割之衍生工具，其公允價值無法可靠衡量之金融負債。

六、應付票據：指商業應付之各種票據。

（一）因營業而發生與非因營業而發生者，應分別列示。

（二）金額重大之應付關係人票據，應單獨列示。

（三）已提供擔保品者，應揭露擔保品名稱及帳面金額。

（四）存出保證用之票據，於保證之責任終止時可收回註銷者，得不列為流動負債，但應揭露保證之性質及金額。

七、應付帳款：指因賒購原物料、商品或勞務所發生之債務。

（一）因營業而發生與非因營業而發生者，應分別列示。

（二）金額重大之應付關係人款項，應單獨列示。

（三）已提供擔保品者，應揭露擔保品名稱及帳面金額。

八、其他應付款：指不屬於應付票據、應付帳款之應付款項，如應付薪資、應付稅捐、應付股息紅利等。應付股息紅利，如已確定分派辦法及預定支付日期者，應予揭露。

九、本期所得稅負債：指尚未支付之本期及前期所得稅。

十、預收款項：指預為收納之各種款項；其應按主要類別分別列示，有特別約定事項者，應予揭露。

十一、負債準備－流動：指不確定時點或金額之流動負債。商業因過去事件而負有現時義務，且很有可能需要流出具經濟效益之資源以清償該義務，及該義務之金額能可靠估計時，應認列負債準備。

十二、其他流動負債：指不能歸屬於前十一款之流動負債。

短期借款、應付短期票券、應付票據、應付帳款及其他應付款，應以攤銷後成本衡量。但折現金額影響不大者，得以交易金額衡量。

Date ______/______/______

第 12 章 非流動負債

12-1　複利現值、複利終值、年金現值與年金終值

12-2　應付公司債之定義與會計處理

12-3　長期應付票據

證券發行人財務報告編製準則及商業會計法之規定

12-1 複利現值、複利終值、年金現值與年金終值

所謂貨幣時間之價值為資金經過一定期間之投資所增加之價值。如現在之1,000元與一年後之1,000元價值不同，其差異為現在之1,000元加上一年後之利息（假設利息之年利率為10%，$1000×10%＝$100），其價值1,100元（＝$1,000＋$100）大於一年後之1,000元。這種價值之變化為貨幣時間價值。原來之1,000元為現值（現在之價值），一年後之1,100元為終值（最終之價值）。一般而言，實務上，其計算之方式皆以複利為基礎，故本章皆以複利為基礎而不談單利之情況。

一、複利現值與終值

所謂複利為每經過一段期間，應將所生利息再加本金再計利息，逐期滾算者。如上例，若一年後之1,100元再投入計算利息（而非僅以1,000元為本金計算）為1,210元〔＝1,100＋（$1,100×10%）〕。其現值與終值關係如下：

$PV\times(1+i)^n=FV$ → n為（1＋i）之次方，（1＋i）之n次方，稱終值之利率因子。

$FV/[1/(1+i)^n]=PV$ → n為（1＋i）之次方，而1/（1＋i）之n次方，稱現值之利率因子。

PV：Present Value（現值）
i：Interest rate（利率／折率）
FV：Future Value（終值）
P：Principle（本金）
n：Period（期間，n年）

二、年金現值與終值

如現在存在銀行之多少元，第n年後為$1,000，稱現在存在銀行之多少元為現值。又有稱年金者，指某一段特定期間內，連續每期固定金額之支付者。支付發生於每期期末者稱普通年金；支付發生於每期期初者稱期初年金。

(一) 年金終值：所謂年金終值為連續每期支付固定金額之未來價值。如連續三年每年存入銀行$10,000，三年後可得之最終價值。一般金融機構稱為零存整付。其中因支付之時點不同，可分為普通年金終值與期初年金終值。

1. 普通年金終值之公式如下：

$$FV=PMT\{[(1+i)^n-1]/i\}=PMT[FVIFA(i,n)]$$

2. 期初年金終值之公式如下，此乃期初年金終值較普通年金終值多複利一次。

$$FV=PMT[FVIFA(i,n)](1+i)$$

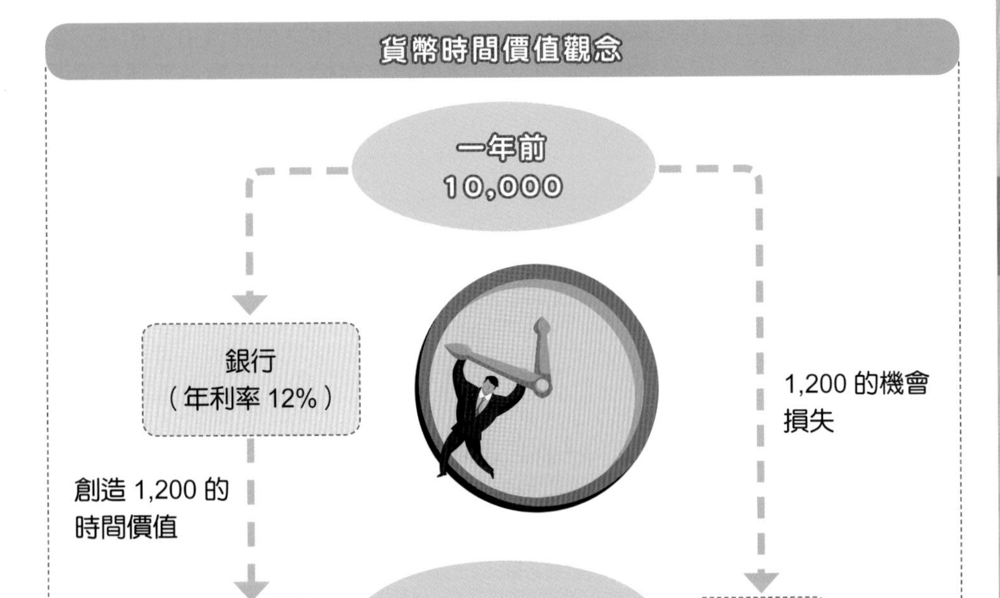

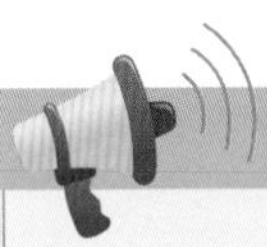

複利現值之例題

1. 假設小小公司 8 年後需要 $500,000 來擴充設備，若銀行存款利率為 6%，每年複利一次，則小小公司現在應該存多少錢？

答：$500,000×0.627412 = $313,706

2. 同上題，如將每年複利一次改為每季複利一次，利率改為 8%，則小小公司現在應該存多少錢？

答：$500,000×0.530633 = $265,316.5

3. 假設本金有 $50,000，年利率為 4%，試求幾年後可得到 $63,265.95？

答：63,265.95 = 50,000×a*（4%,n），則 n = 6 年

* 年金現值之公式。a 表示 annuity。

（二）年金現值：所謂年金現值為以後各期固定支付之現在價值，如存一筆錢以支付以後各期之固定支出。此亦金融業稱整存零付。其種類為普通年金現值、期初年金現值，與永續年金現值。

1. 普通年金現值之公式如下：

$$PV = PMT\{[1-(1+i)^{-n}]/i\} = PMT[PVIFA(i,n)]$$

2. 期初年金現值之公式如下：

$$PV = PMT[PVIFA(i,n)](1+i)$$

3. 永續年金現值為一直支付各期固定調永久之現在價值。如老年年金之支付即屬永續年金之方式，政府應編制多少預算才能支付老年年金到永久。永續年金之公式如下：

$$PV = PMT/i$$

PMT：每年固定之付款

FVIFA（i,n）：Future Value Interest Factor for an Annuity（年金終殖利率因子）

PVIFA（i,n）：Present Value Interest Factor for an Annuity（年金現殖利率因子）

計算終值與現值時，其中之兩要素為期間（n）與利率（i）將影響其金額。一般而言，期間（n）為一年，利率（i）為年利率。但複利之計息期間不滿一年時，其期間（n）將改為月、季、半年為基礎，而年利率便成為名目利率而非有效利率（實際利率）。此時名目利率與有效利率（實際利率）之關係公式如下：

$$1+i=(1+r/n)^m$$

r：名目利率

m：每年複利次數

i：有效利率（實際利率）

貨幣時間價值

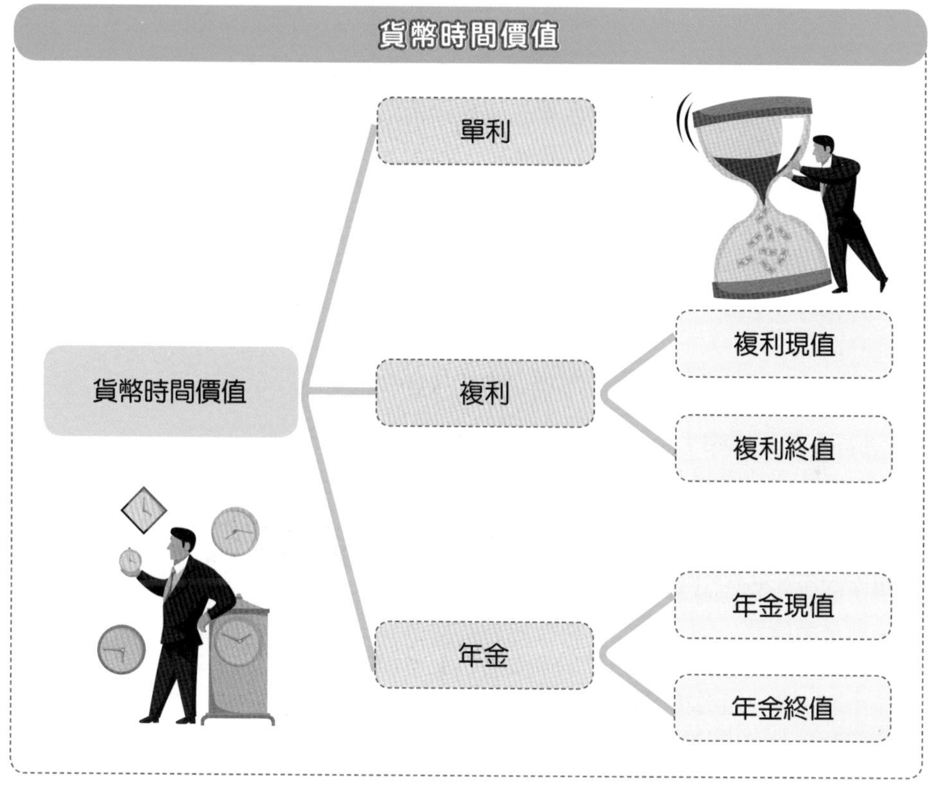

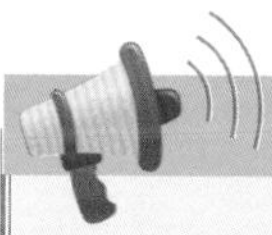

普通年金現值之例題

1. 假設小小公司在年初購買了一輛運輸設備，必須在每年年底支付 \$200,000，3 年付清，年利率 8%，每年複利一次，試求：若是在購買時一次付清需支付多少錢？

答：\$200,000×PVIFA（8%,3）
　　＝ \$200,000×2.577097 ＝ \$515,419

2. 假設公司向銀行借了 \$113,723，利率為 10%，約定於每年年底支付 \$30,000，則公司於第幾年才能還清？

答：\$113,723 ＝ \$30,000×PVIFA（10%,n），n ＝ 5 年

12-2 應付公司債之定義與會計處理

公司債係指股份有限公司約定於一定日期（或分期）支付一定之本金，及按期支付一定之利息給投資人的一種長期書面承諾。其發行相關規定及會計處理以下說明之。

一、公司債之發行

(一) 發行限額：可分為有擔保與無擔保之公司債。

1. 擔保公司債之總額，不得逾公司現有全部資產減去全部負債及無形資產後之餘額。

2. 無擔保公司債之總額，不得超過前項餘額二分之一。

(二) 發行價格：票面利率（名義利率）為公司債票面上所附利率；市場利率（有效利率或實際利率）為發行時投資人所要求的投資報酬率。企業發行公司債有平價、折價或溢價發行，其原因為若公司債之票面利率低於市場利率，則投資者不會去購買此公司債，如此將迫使發行公司折價發行，以補貼投資者購買公司債所產生未來之利息損失；而若公司債之票面利率大於市場利率，那投資者將非常有意願購買公司債，但許多投資者都要購買，如此發行公司即可溢價發行。此溢價為投資者補貼發行公司未來多付利息之損失。若票面利率與市場利率同，則無所謂補貼，故按票面值發行。而公司債發行價格，實務上依供需由市場決定，但可用數學公式導出理想之發行價格如下：

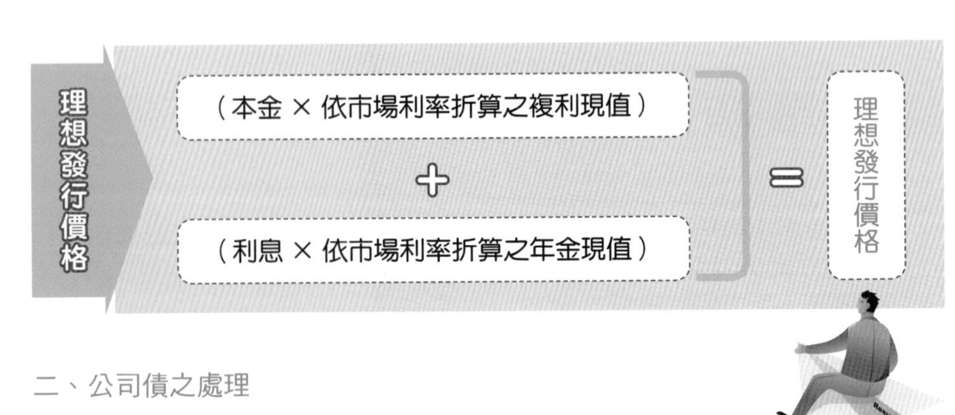

理想發行價格
（本金 × 依市場利率折算之複利現值）
+
（利息 × 依市場利率折算之年金現值）
=
理想發行價格

二、公司債之處理

(一) 公司債會計處理之特質：

1. 目的在於產生有利之財務槓桿作用。
2. 債券與股票之不同點在於債券必須定期支付利息，到期即應還本。
3. 公司債折價在資產負債表中列為應付公司債的減項，溢價則列為加項。
4. 公司債之溢、折價應攤銷於債券流通期間，溢價攤銷減少利息費用，折價攤銷增加利息費用。

公司債種類

分法	種類	
1.依償還期間一年內可償還與一年以上可償還	公司債-流動	公司債-非流動
2.依債券有無記名分	記名公司債	無記名公司債
3.依還本方法分	一次還本公司債	分次還本公司債
4.依可否提前贖回分	可提前贖回公司債	不可提前贖回公司債
5.依可否轉換分	可轉換公司債	不可轉換公司債
6.依有無擔保品分	信用公司債	抵押公司債

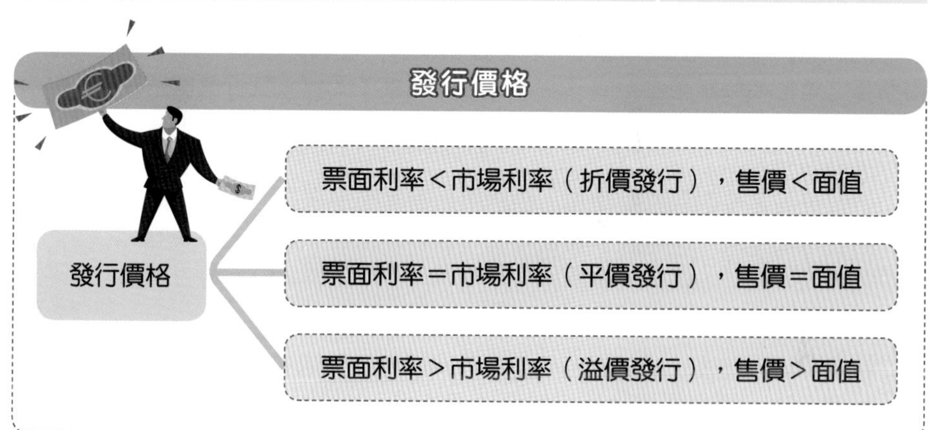

發行價格
發行價格
票面利率＜市場利率（折價發行），售價＜面值
票面利率＝市場利率（平價發行），售價＝面值
票面利率＞市場利率（溢價發行），售價＞面值

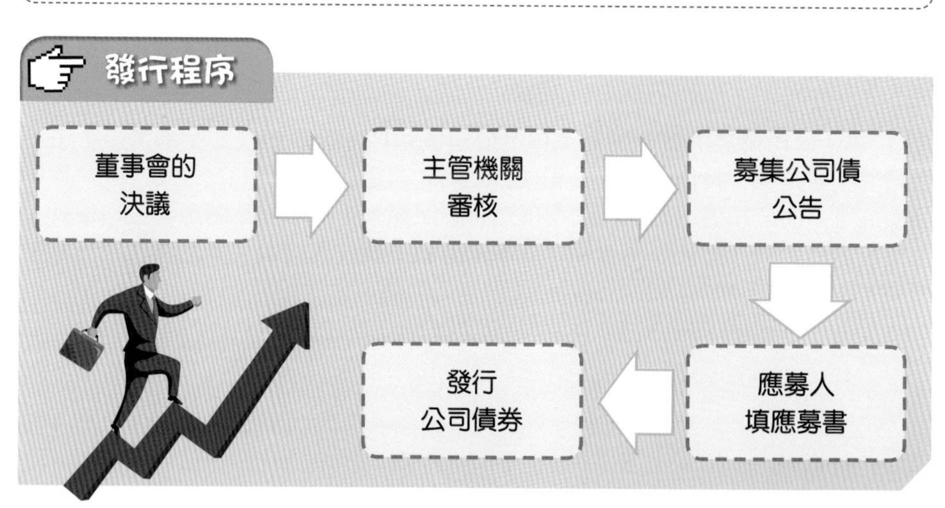

5. 公司債清償或收回之差額，應列為營業外收益或營業外損失。

(二)發行時之溢、折價之會計處理：由於公司債到期日，公司所負的債務僅公司債面額，因此公司債發行時的折價或溢價（利息的補貼）必須在債券存續期間（自出售日至到期日）分期攤銷，使此應付公司債折價及溢價的餘額在公司債到期日為零。

(三)在二付息日之間發行公司債之會計處理：若公司債出售之時點，在發行日後或介於二個付息日之間，此時投資者應將過期利息先行支付，待下期發行公司付息時，再行回收。惟此項利息並非公司債本身發行價格，所以發行公司必須使用利息費用或應付利息單獨列帳。

(四)年終應計項目調整之帳務處理：年底時，若公司債之利息支付日不在12月31日，則為權責基礎，發行公司與投資者應作應收利息及利息收入之調整分錄，另要作應付公司債溢、折價之攤銷。

(五)溢、折價之攤銷處理：應付公司債折、溢價之攤銷，為利息之補貼，而利息之產生為每年產生，故其溢、折價應按每年攤銷。就折價攤銷而言，為發行者對投資者願意投資利息較低的公司債而放棄利息較高之其他投資工具。故發行者在發行時以折價之方式補貼投資者每年損失之利息（票面利率＜市場利率），惟其利息差額為每年產生，故應用合理而有系統之方式予以攤銷。而溢價發行為折價之相反，即投資者為補貼發行者每年支付利息超過市場利息者（票面利率＞市場利率），惟其利息差額為每年產生，故應用合理而有系統之方式予以攤銷。依其攤銷之方式可分為直線法及利息法。

1. 直線法：將溢、折價之部分，按公司債之發行期間平均分攤。
2. 利息法：將公司債之期初帳面值乘市場利率得出利息費用，再與公司債之面值乘票面利率得出實際支出利息之差額，列為溢折價之攤銷額（此法僅為一般公認會計原則所接受，若直線法所算出之金額與利息法差異不大者，得用直線法）。

(六)公司債之消滅：到期清償為公司債到期，以現金一次全部清償，由於公司債不論是溢、折價發行，公司債到期時，其溢、折價科目皆為0，故只需按面額償還。而公司債之贖回為公司債定有贖回條款，於贖回日將應付公司債折、溢價未攤銷金額及遞延公司債發行成本未攤銷金額一律轉銷，其差額數列為非常損失。

公司債發行之會計處理

項目	利率	分錄
1.折價發行	市場利率＞票面利率	（借）現金 ** 應付公司債折價 ** （貸）應付公司債 **
2.平價發行	市場利率＝票面利率	（借）現金 ** （貸）應付公司債 **
3.溢價發行	市場利率＜票面利率	（借）現金 ** （貸）應付公司債溢價 ** 應付公司債 **

債券發行債務人及債權人之會計處理

	長期債務人	長期投資者
1.平價之調整	（借）利息費用 ** （貸）應付公司債利息 **	（借）應收利息 ** （貸）利息收入 **
2.溢價之調整	（借）利息費用 ** 應付公司債溢價 ** （貸）應付公司債利息 **	（借）應收利息 ** （貸）長期投資—債券 ** 利息收入 **
3.折價之調整	（借）利息費用 ** （貸）應付公司債折價 ** 應付公司債利息 **	（借）應收利息 ** 長期投資—債券 ** （貸）利息收入 **

12-3 長期應付票據

長期應付票據（本票、支票或匯票）大都發生於購買資產及融資（借款），依會計學原理，應按現值入帳。其種類分附息與不附息兩種。

項目	附息票據	不附息票據
1.購置資產時	機器設備 *** 應付票據 ***	機器設備 *** 應付票據折價 *** 應付票據 ***
2.應計利息	利息費用 *** 應付利息 ***	利息費用 *** 應付票據折價 ***
3.付款	應付票據 *** 應付利息 *** 現金 ***	應付票據 *** 現金 ***

流動債券投資、非流動債券投資、公司債及股本比較表

項目	意義	性質	有沒有折、溢價	折、溢價科目	折、溢價攤銷
1.流動債券投資	以閒置資金轉入	流動資產	有	無，折、溢價表現於一年以內之投資上	不必攤銷
2.非流動債券投資	以控制被投資或與其建立密切業務關係	基金及長期投資	有	無，折、溢價表現於一年以上之投資上	債券以持有期間攤銷
3.公司債	股份有限公司對外發行之債券	長期負債	有	公司債溢價、公司債折價	以實際流通期間攤銷
4.股本	企業對外發行之股票	淨值	不得折價發行，僅有溢價	股票溢價	不必攤銷

註：按持有期間一年以內或一年以上，區分流動與非流動債券投資

證券發行人財務報告編製準則及商業會計法之規定

◎ 證券發行人財務報告編製準則　第 10 條（節錄）

非流動負債係指非屬流動負債之其他負債，至少應包括下列各項目：

一、應付公司債（含海外公司債）：發行人發行之債券。

（一）發行債券須於附註內註明核定總額、利率、到期日、擔保品名稱、帳面金額、發行地區及其他有關約定限制條款等。如所發行之債券為轉換公司債者，並應註明轉換辦法及已轉換金額。

（二）應付公司債之溢價、折價為應付公司債之評價項目，應列為應付公司債之加項或減項，並按有效利息法，於債券流通期間內加以攤銷，作為利息費用之調整項目。

二、長期借款：

（一）包括長期銀行借款及其他長期借款或分期償付之借款等。長期借款應註明其內容、到期日、利率、擔保品名稱、帳面金額及其他約定重要限制條款。

（二）長期借款以外幣或按外幣兌換率折算償還者，應註明外幣名稱及金額。

（三）向股東、員工及關係人借入之長期款項，應分別註明。

（四）長期應付票據及其他長期應付款項應以有效利息法之攤銷後成本衡量。

◎ 商業會計法　第 54 條（負債）

各項負債應各依其到期時應償付數額之折現值列計。但因營業或主要為交易目的而發生或預期在一年內清償者，得以到期值列計。

公司債之溢價或折價，應列為公司債之加項或減項。

◎ 商業會計處理準則　第 26 條

非流動負債，指不能歸屬於流動負債之各類負債，包括下列會計項目：

一、透過損益按公允價值衡量之金融負債－非流動。

二、避險之金融負債－非流動。

三、以成本衡量之金融負債－非流動。

四、應付公司債：指商業發行之債券。

（一）應付公司債之溢價、折價為應付公司債之評價項目，應列為應付公司債之加項或減項，並按有效利息法，於債券流通期間加以攤銷，作為利息費用之調整項目。

（二）發行債券之核定總額、利率、到期日、擔保品名稱、帳面金額、發行地區及其他有關約定限制條款，應予揭露。

五、長期借款：指到期日在一年以上之借款。

（一）應以攤銷後成本衡量。

（二）應揭露其內容、到期日、利率、擔保品名稱、帳面金額及其他約定重要限制條款；其以外幣或按外幣兌換率折算償還者，應註明外幣名稱及金額。

(三)向業主、員工及關係人借入之長期款項，應分別揭露。

六、長期應付票據及款項：指付款期間在一年以上之應付票據、應付帳款，應以攤銷後成本衡量。

七、負債準備－非流動：指不確定時點或金額之非流動負債。

八、遞延所得稅負債：指與應課稅暫時性差異有關之未來期間應付所得稅。

九、其他非流動負債：指不能歸屬於前八款之其他非流動負債。

第 13 章

股東權益——股本、資本公積、保留盈餘

13-1 組織型態

企業之型態分為獨資、合夥及公司，茲說明如下：

(一) **獨資**：係為一人所獨有並負擔連帶清償責任。

(二) **合夥**：係為兩人以上依合夥契約規定互約出資而聯合經營，並共同負擔盈餘之企業。

(三) **公司組織**：可分為股份有限公司、有限公司、兩合公司與無限公司。

13-2 股東權益之定義

股東權益為企業之資產減負債之餘額，在獨資企業稱為資本主權益；在合夥企業為合夥人權益；在公司組織稱為股東權益。由於實務上 90% 之組織為公司組織者，故以公司型態之股東權益為主加以說明。

而資本（股本）之定義為業主對商業投入之資本，並向主管機關登記者。企業應揭露股本之種類、每股面額、額定股數、已發行股數及特別條件。

13-3 股東權益之組成項目

公司的股東權益相當獨資企業的業主權益或合夥企業的合夥人資本帳戶及合夥人往來戶，專司登載股東的權益，也是股東對公司資產之請求權。股東權益可分為股東投資與保留盈餘兩大部分。

股東投資係指公司成立及後續增資由股東所投入的資本，包括股本及超過股票面額的資本公積；而保留盈餘專指公司經營獲利而保留未分配的盈餘。

股東投入的資金，應按不同股份性質分類，資本公積則按不同來源分設明細。每屆會計年度終了時，公司應將本期經營損益結轉保留盈餘，經股東會決議當年度分配之股利，亦應由保留盈餘轉出。保留盈餘為企業經營盈虧的彙總，股本交易之任何利益不得貸記本科目。保留盈餘在資產負債表中應單獨列示，與投入資本合計，稱為股東權益。

若公司經營虧損，致使保留盈餘產生借餘，則稱累積虧損。累積虧損在資產負債表中應作為投入資本的減項。資產負債表上股東權益部分之表達方式如右：

投入資本：		
普通股股本	**	
資本公積 - 股本溢價	**	**
保留盈餘：		
未分配盈餘		**
股東權益總額		**

新舊公司法之比較

公司種類	新公司法	舊公司法
1.無限公司	兩人以上股東所組織，對公司債務負連帶清償責任之公司。	兩人以上股東所組織，對公司債務負連帶清償責任之公司。
2.有限公司	一人以上股東所組織，就其出資額為限，對公司負其責任之公司。	五人以上二十一人以下股東所組織，就其出資額為限，對公司負其責任之公司。
3.兩合公司	一人以上無限責任股東，與一人以上有限責任股東所組織，其無限責任股東，對公司債務負連帶清償責任，有限責任股東就其出資額為限，對公司負其責任。	一人以上無限責任股東，與一人以上有限責任股東所組織，其無限責任股東，對公司債務負連帶清償責任，有限責任股東就其出資額為限，對公司負其責任。
4.股份有限公司	兩人以上股東或政府、法人股東一人所組織，全部資本分為股份；股東就其所認股份，對公司負其責任之公司。	七人以上股東所組織，全部資本分為股份；股東就其所認股份，對公司負其責任之公司。

股東權益之結構

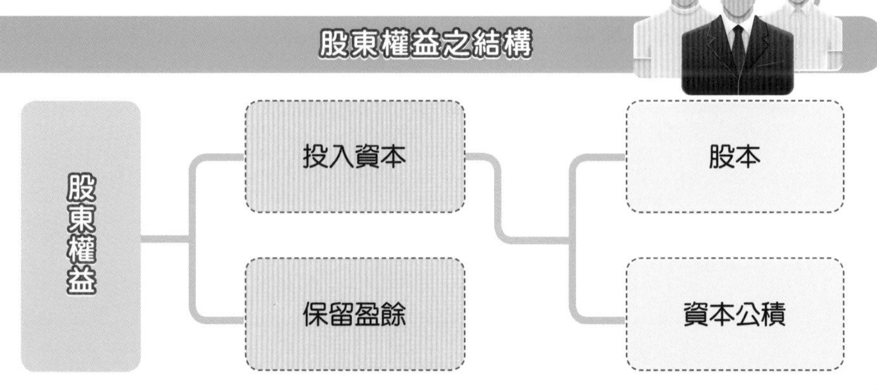

13-4 發行股票與其會計處理

一、股份之種類

(一)普通股與特別股：所謂普通股為每一股東所享權利均相等之股票，為公司發行主要之股票。特別股為股東享有之權利及義務與普通股不同，一般特別股有優先獲得一定股利之權利，但卻無投票權。

(二)面值股與無面值股：面值股票為股票上印有面額者（上市櫃公司每張股票每股 $10，共計 $10,000），無面額股票為股票無印有面額者，而無面額股票又分為無設定價值股票與設定價值股票。

二、公司股份及股票之發行

(一)同次發行之股份之股價：同次發行之股份，其發行條件相同者，每股價格應歸一律相同。

(二)核定股份總數之發行：核定股份總數得分次發行，但第一次應發行之股份，不得少於股份總數四分之一，且股東所認購股份其應繳股款，必須一次繳足。

(三)無面額股票之發行：我國公司法規定不得發行無面額股票。

(四)無記名股票之發行：我國公司法規定無記名股票不得大於發行總數二分之一。

(五)股東認購股份之繳款：股東認購股份應繳的股款，必須一次繳足，不得分次繳付。

(六)公開發行股票之金額：公開發行股票公司原則上不得低於票面金額，但依證交法第 27 條規定得折價發行。

三、現金發行股份之會計處理

(一)平價發行：

科目	借	貸
（借）現金	**	
（貸）股本		**

(二)溢價發行：

科目	借	貸
（借）現金	**	
（貸）股本		**
資本公積─股本溢價		**

(三)折價發行：

科目	借	貸
（借）現金	**	
資本公積─股本折價	**	
（貸）股本		**

現金發行股份之會計處理

項目	會計處理		
1.核定股本總額	僅需作備忘錄		
2.認購股份	（借）應收股款 　　（貸）已認普通股	**	 **
3.繳納股款	（借）現金 　　（貸）應收股款	**	 **
4.交付股款繳納憑證	僅需作備忘錄		
5.憑股款繳納憑證交付股票	（借）已認普通股 　　（貸）普通股股本	**	 **

發行股份之程序

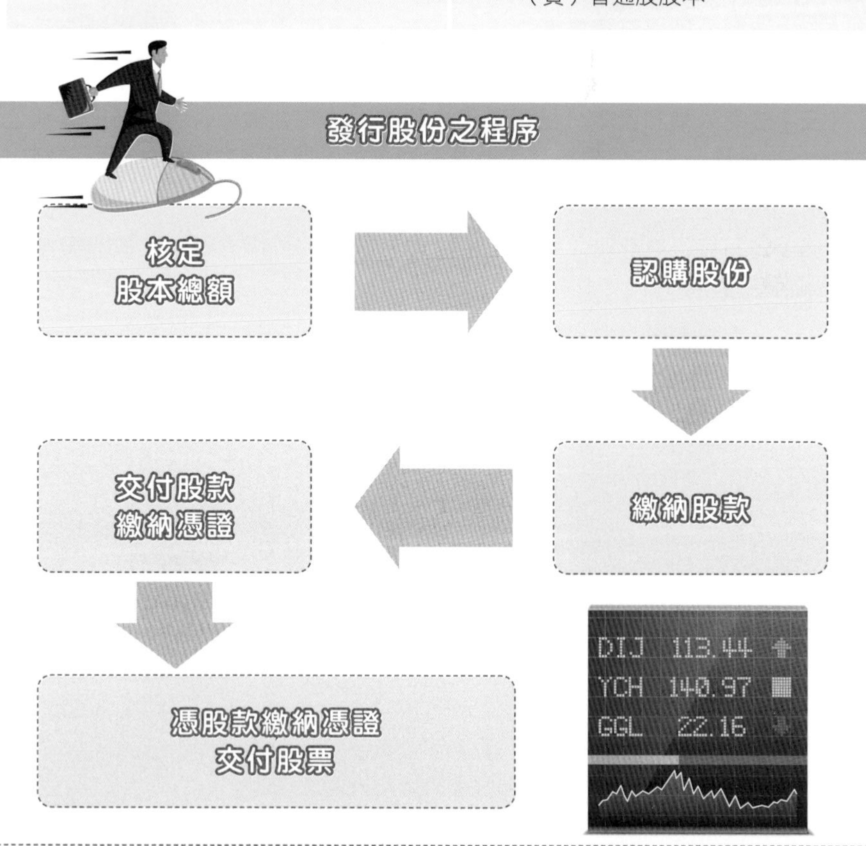

13-5 資本公積之介紹及其規定

法定公積與資本公積是不同的項目，法定公積是依法每年必須從盈餘提撥出一定比率，目的在於虧損發生時得以彌補虧損，而資本公積一般指的是公司股東會、章程所指派的專門用途公積金。

一、資本公積之組成

依公司法規定，資本公積是由下列四種所組成的，一是股本溢價；二是受領贈與；三是發行新股；四是發放現金股息及紅利。

二、法定公積

依公司法規定，企業當年度之稅後淨利，其 10% 應列入法定公積中，但遇有下列情況者，有其例外處理之方式：

(一)不必再提存法定公積的情形：法定（盈餘）公積歷年來所提存之數額已達資本總額時，公司就可以不必再提存法定公積。

(二)法定公積撥充資本者：以該公積已達實收資本 50%，並以補充其半數為限。

(三)法定公積和資本公積轉增資之限制：法定公積和資本公積應填補公司虧損後，始可轉增資。但限於超過票面金額發行股票所得之溢價，與受領贈與之所得。

(四)公司發行新股時：資本公積之全部或一部分撥充資本，按股東原來股份之比例發給新股。

(五)公司無盈餘之股利發放：公司無盈餘時，不得分配股利；但法定（盈餘）公積所提存數額已超過資本總額的 50%，或是有盈餘年度所提盈餘公積（法定公積加特別公積）超過 20%，則公司可就超過部分的盈餘公積發放股利。

三、資本公積之用途與限制

資本公積之用途	限制
1.填補虧損	其限制為須以盈餘公積（包括法定及特別）填補資本虧損，仍有不足時，方得以資本公積填補之（但特別盈餘公積因係股東會決議提列，應視提列所指定用途）。
2.轉增資	其限制為資本公積除填補公司虧損外，得將之全部或一部分撥充資本；尚無明文規定必先填補虧損後，始得以資本公積轉增資配股。惟依證交法規定公開發行公司以法定盈餘公積或資本公積撥充資本時，應先填補虧損。

公司法第232條

公司非彌補虧損及依本法規定提出法定盈餘公積後，不得分派股息及紅利。公司無盈餘時，不得分派股息及紅利。公司負責人違反第一項或前項規定分派股息及紅利時，各處一年以下有期徒刑、拘役或科或併科新臺幣六萬元以下罰金。

公司法第237條

公司於完納一切稅捐後，分派盈餘時，應先提出百分之十為法定盈餘公積。但法定盈餘公積，已達資本總額時，不在此限。除前項法定盈餘公積外，公司得以章程訂定或股東會議決，另提特別盈餘公積。公司負責人違反第一項規定，不提法定盈餘公積時，各科新臺幣六萬元以下罰金。

資本公積之組成

13-6 庫藏股之定義與其會計處理

庫藏股係指公司收回已發行股票尚未再出售或註銷者。但要在什麼情況下才會發生呢？

一、庫藏股的成立要件

依公司法之規定，公司有下列情形，而股東表示反對時，股東可要求公司依當時之公平市價，收回其股份：

1. 締結變更或終止關於出租全部營業，委託經營或其他經常共同經營之契約。
2. 讓與全部或主要部分之營業或財產。
3. 受讓他人全部營業或財產，對公司營運有重大影響者。
4. 公司與他公司合併時。

二、庫藏股票之會計處理

庫藏股票之會計處理可分成本法與面值法兩種，茲說明如下：

(一) 成本法：所謂成本法，指買入庫藏股時即意圖再賣出，故買入時將其所有之成本借記庫藏股，當庫藏股再出售時若售價高於原成本，其差額應貸記資本公積；若售價低於原成本，其差額應先沖抵同類性質之資本公積，再不足時，則借記保留盈餘。庫藏股若不再出售應予以註銷，則應將原發行股票之面值及發行溢價皆加以沖銷。

(二) 面值法：所謂面值法，指庫藏股買入時即視為股票註銷，故應將股票面值借記庫藏股，並將原發行溢價沖銷，若為差異則借或貸記資本公積或保留盈餘，待以後再出售時，則出售價格與庫藏股面值間之差異，亦借或貸記資本公積或保留盈餘。

三、庫藏股票產生的原因

公司可能基於以下理由而購買流通在外的本公司股票變成庫藏股票：

(一) 員工購股之需要：公司為激勵士氣增加員工認同感，開放符合條件的員工，得按既定價格購買既定數量的股份作為投資。為此需要而公司又無意增資時，公司可自股票市場購入本公司的股票，再售與員工。

(二) 維持或提高股票市價：若公司股票的市價因為遭逢非經濟因素而大幅降低，為維持合理的股票價位，公司董事會可以自股票市場收購部分股票，俾誘使股票市場價格合理化。

(三) 收購異議股東之股票：對於股東會中如與其他公司合併、出售或出租重要資產等重大議案之決議持反對之股東，得請公司按市價承購其股票。

庫藏股票之會計處理

內容＼方法	成本法	面值法
1.購買庫藏股	（借）庫藏股—普通股 ** （貸）現金 **	（借）庫藏股—普通股 ** 資本公積 ** 保留餘盈 ** （貸）現金 **
2.出售庫藏股（溢價）	（借）現金 ** （貸）庫藏股 ** 資本公積 **	（借）現金 ** （貸）庫藏股 ** 資本公積 **
3.出售庫藏股（折價）	（借）現金 ** 保留餘盈 ** 資本公積 ** （貸）庫藏股 **	（借）現金 ** （貸）庫藏股 ** 資本公積 **
4.註銷	（借）普通股股本 ** 資本公積 ** （貸）庫藏股 ** 資本公積 **	（借）普通股股本 ** （貸）庫藏股 **

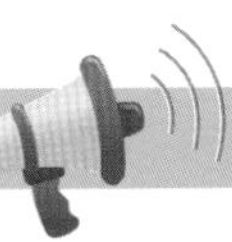

庫藏股受贈取得之會計處理釋例

公司若是無償取得庫藏股，應以取得時公平市價記錄之，假設立大公司的股東捐贈面值 $10 之股票 500,000 股給公司，當時每股市價 $11，嗣後再以 $12 出售，分錄如下：

1. 按受贈時的公平市價記錄庫藏股票 500,000 股，每股市價 $11：

	借	貸
庫藏股	5,500,000	
資本公積—捐贈		5,500,000

2. 庫藏股票 500,000 股以每股市價 $12 出售：

	借	貸
現金	6,000,000	
庫藏股		5,500,000
資本公積—捐贈		500,000

得：資本公積—捐贈貸餘＝ 6,000,000 － 5,500,000 ＝ 500,000

3. 若庫藏股 500,000 股以每股市價 $10 出售：

	借	貸
現金	5,000,000	
資本公積—捐贈	500,000	
庫藏股		5,500,000

得：資本公積—捐贈借餘＝ 5,000,000 － 5,500,000 ＝ -500,000

13-7 保留盈餘之介紹及其他股東權益項目

保留盈餘是指公司歷年累積之純益，未以現金或其他資產方式分配給股東、轉為資本或資本公積者；或歷年累積虧損未經以資本公積彌補者。保留盈餘是連結損益表與資產負債表之股東權益的一個科目。以下除對保留盈餘的分類、用途及指撥目的與原因予以說明外，亦針對其他股東權益項目，如長期股權投資未實現跌價損失及累積換算調整數說明之。

一、保留盈餘

(一) 定義與分類：保留盈餘或累積虧損，指由營業結果所產生之權益。可再分類如下：

1. 法定盈餘公積：依公司法或其他相關法令規定自盈餘中指撥之公積。

2. 特別盈餘公積：依法令或盈餘分派之議案，自盈餘中指撥之公積，以限制股息及紅利之分派者。

3. 未分配盈餘或累積虧損：未經指撥之盈餘或未經填補之虧損。

(二) 保留盈餘之用途：依公司法規定，公司之未分配盈餘於完納一切稅捐後，填補虧損後，可用以分配現金股利或轉增資。

(三) 保留盈餘之指撥：提撥保留盈餘之目的，在於使財務報表使用者能夠了解保留盈餘中，已經有部分指定用途，不能用來發放股利。

1. 指撥並非盈餘之分配，而是限制分配，俟其限制解除時，仍可以分配股利。

2. 俟指撥原因消失或目的已成就時，應轉回保留盈餘，不得轉記其他科目，而該科目之餘額為零。

3. 指撥保留盈餘之原因約有三種：

(1) 法令規定者，如法定盈餘公積。

(2) 契約限制者，如償債基金準備、意外損失準備、擴充廠房準備、平均股利準備。

(3) 自願性者，如廠房擴建準備，或有損失準備。

4. 保留盈餘之指撥與資產之提撥不同，亦毫無關聯。

二、其他股東權益項目

(一) 備供出售投資損益 - 流動或非流動、現金流量有效避險性投資損益、重估增值等：指長期股權投資採成本與淨變現價值孰低法評價所認列之未實現跌價損失，應列為業主權益等之減項。

(二) 累積換算調整數：係指因外幣交易或外幣財務報表換算所產生之換算調整數，應列為業主權益之加減項。

保留盈餘分配股利之會計方法

項目	股東會決議日	發放日
1.分配現金股利	（借）保留盈餘 ** （貸）應付現金股利 **	（借）應付現金股利 ** （貸）現金 **
2.轉增資	（借）保留盈餘 ** （貸）應付股票股利 **	（借）應付現金股利 ** （貸）股本 **

盈餘分配流程

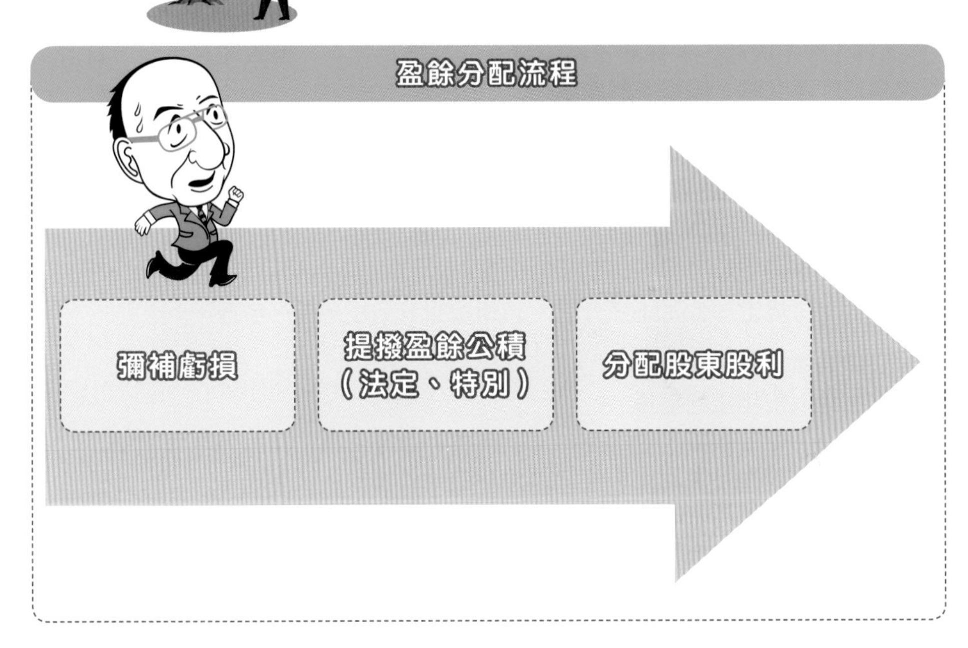

保留盈餘之組成項目

保留盈餘	
1. 本期淨損 2. 前期損益調整（錯誤更正）及若干會計原則變動之追溯調整 3. 股利分配 4. 公司重整沖銷資產 5. 庫藏股交易	1. 本期淨利 2. 前期損益調整（錯誤更正）及若干會計原則變動之追溯調整 3. 公司重整（準改組）之調整

13-8 股利之介紹及其會計處理

股利分為現金股利、財產股利、負債股利、股票股利四種，而臺灣企業以發放現金股利及股票股利居多。當企業決定發放股利時，就企業之權責發生制而言，其會計方面應當如何處理呢？

一、股利的種類

（一）現金股利：以現金為股利，支付給股東。

（二）財產股利：以資產之公平市價作為股利數額，借記保留盈餘。

（三）負債股利：以應付票據為股利，應付票據到期時，股東可領取現金。

（四）股票股利：從保留盈餘或資本公積轉為資本，但公司之資產、負債及股東權益均無變動，股東收到股票。

而臺灣企業股利之發放，以現金股利及股票股利為多，又以投資者之立場，希望收取股票股利為多。但企業若發放大量之股票股利，將膨脹股本及稀釋每股盈餘。

二、盈餘分配原則

依公司法規定，公司盈餘分配，必須按照下列規定程序辦理：

1. 繳納所得稅。
2. 彌補以前年度的虧損。
3. 提列法定公積以（稅前淨利－所得稅－全部累積虧損）×10% 計算。
4. 按公司章程訂定及股東會決議提存盈餘公積及各項準備。
5. 餘額按股東所持有股份比例分配股利、紅利、董監事酬勞及員工紅利。
6. 公司盈餘分配後仍有餘額應轉入累積盈餘（又稱保留盈餘）。

三、股票股利與分割的異同

所謂股票分割，係指將股票一股分割成多股，其結果和股票股利一樣，將會增加股數。

在臺灣，公司較喜愛發放股票股利，美國公司較喜愛採股票分割，而兩者之相同處在於皆會增加股數，而降低每股帳面值及每股市價。不同處為股票分割無須作任何分錄，而股票股利要作一分錄，將保留盈餘轉入股本。

四、股利發放之會計處理

股利之發放以現金及股票為主，就企業之權責發生制而言，當企業決定要發放之股利時（即股東決議日），權責即已確定，故應予以入帳。

董事會、股東會及除權（息）基準日之時程表

日期	事項	細項	其他
4月30日	依證交法，企業之財務報表應上傳金管會	企業之財務報表（已經會計師查核）應上傳金管會	利用網路傳給金管會
3～4月	開第一次董事會	確認財務報表及分配股利	六個月內開股東常會
5～6月	開股東常會（前三天停止融資，前五天停止融券）	確認財務報表及分配股利	宣告日（股東決議日）
7～8月	除權（息）基準日	1.前七個交易日停止融券 2.前五個交易日停止融資 3.後一日為停止過戶日	登記日二個月內發放股利給股東
10月	支付股利予股東	股東拿到股息與股利	發放日

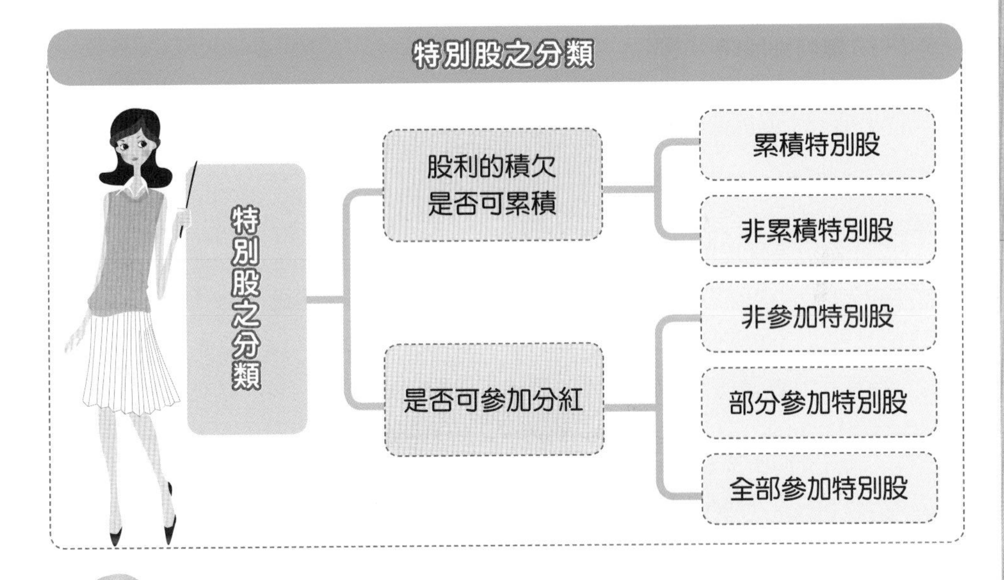

股票股利之內容

股票股利若占流通在外股份之 20% 或 25% 以下者，稱為小額股票股利，應按市價借記保留盈餘。反之，若在 20% 或 25% 以上者，稱為大額股票股利，應按面值借記保留盈餘。我國股票股利之會計處理，一律採大額股票處理方式，應按面值計價。故國內股東皆喜歡企業發放股票股利，因為市價超過面值很大。

13-9 每股價值之介紹及每股盈餘之會計處理

企業評價其經營績效及獲利能力時，常以企業流通在外之股數為基礎，分別除以股東權益或本期淨利，以得出每一股所得到之價值。這種價值可作為企業淨值或每股盈餘為標準。以下分別介紹各價值之計算方式。

一、票面價值

所謂票面價值係指記載於股票上之價值。其計算如下：

$$\text{每股票面價值}=\frac{\text{發行股本總額}}{\text{已發行股數}}$$

二、每股帳面價值

所謂每股帳面價值又稱每股淨值，係指每股股份所代表股東權益的價值。其計算如下：

（一）無特別股時：

$$\text{普通股每股帳面價值}=\frac{\text{股東權益}}{\text{已發行股數}-\text{庫藏股數}}$$

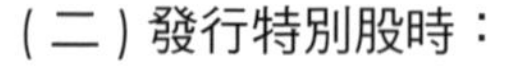

（二）發行特別股時：

特別股每股帳面價值

$$=\frac{\text{特別股清算價值（面值或收回價值）}+\text{特別股股利（包括積欠股利）}}{\text{期末流通在外特別股股數}}$$

$$=\frac{\text{特別股權益}}{\text{期末流通在外特別股股數}}$$

$$\text{普通股每股帳面價值}=\frac{\text{全部股東權益總額}-\text{特別股權益}}{\text{期末流通在外普通股股數}}$$

$$\text{流通在外股數}=\text{已發行股數}-\text{已收回庫藏股數}$$

每股價值之釋例

1. 無特別股時：

假設①股東權益為 $500,000

②普通股股本為 $50,000，流通在外 5,000 股

③資本公積－普通股溢價 $50,000

④保留盈餘為 $420,000

⑤庫藏股為 $20,000，2,000 股

試求普通股每股帳面價值。

答：$普通股每股帳面價值=\dfrac{股東權益}{已發行股數-庫藏股數}$

$=\dfrac{\$500,000}{5,000}=\$100$

2. 發行特別股時：

假設①股東權益為 $300,000

②普通股股本為 $50,000，流通在外 5,000 股

③資本公積－普通股溢價 $50,000

④特別股股本為 $100,000，流通在外 5,000 股，10% 累積，累積三年股利

⑤資本公積－特別股溢價 $50,000

⑥保留盈餘為 $70,000

⑦庫藏股為 $20,000，2,000 股

試求普通股每股帳面價值、特別股每股帳面價值。

答：特別股每股帳面價值

$=\dfrac{特別股清算價值（面值或收回價值）+特別股股利（包括積欠股利）}{期末流通在外特別股股數}$

$=\dfrac{\$100,000+\$100,000\times10\%\times3}{5,000}$

$=\$26$

$普通股每股帳面價值=\dfrac{全部股東權益總額-特別股權益}{已發行股數-庫藏股數}$

$=\dfrac{\$300,000-\$130,000}{5,000}=\$34$

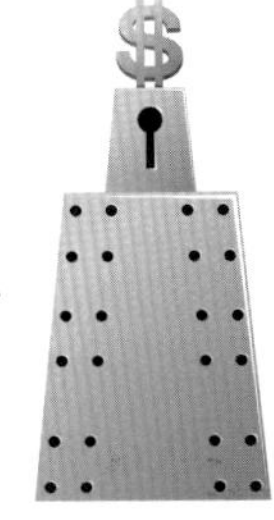

三、每股市價

每股股票在證券市場出售可獲得的價值，一般以當日收盤價為基礎。其計算公式如下：

$$每股市價=\frac{期末流通在外普通股股數 \times 每股市價（當日收盤價）}{期末流通在外普通股票數}$$

每股市價與每股盈餘間之比率稱本益比，投資者皆追求合理之市價，但難求。而投資者可以此本益比（如二十倍）乘每股盈餘而得出合理每股市價，若當時之市價低於合理之每股市價，則可投資之；反之，則不投資。

四、每股盈餘

每股盈餘為投資機構分析企業投資風險之指標之一，亦為企業告訴投資者經營績效之指標。故企業常以每股盈餘之趨勢圖表示企業獲利性及成長性。但近來企業以分配股票股利之方式，膨脹股本，而加速稀釋企業之每股盈餘，而降低每股盈餘之達成性。但企業又以現金股利代替股票股利時，投資者又拋售其股票，而使其股價下跌，故要發放股票股利或現金股利將影響每股盈餘之達成性及股價之維持性，實為兩難。故現在之企業以股票股利為主並搭配部分之現金股利，以達成每股盈餘及股價之平衡性。

(一)每股盈餘之定義：係指公司之普通股每股在一會計年度中所賺得之盈餘，常被用來作為評估股票投資價值的重要根據。而其每股盈餘在簡單資本結構與複雜資本結構下有不同之計算方式。

(二)簡單資本結構下之每股盈餘：所謂簡單資本結構，係指公司僅有普通股，或普通股及不可轉換之特別股，或雖有其他可能變成普通股之證券或權利，但其總稀釋效果未達 3% 者。

$$\begin{matrix}簡單資本結構下\\簡單每股盈餘\end{matrix}=\frac{本期純益（或純損）－特別股股利（不含積欠股利）}{普通股加權平均流通在外股數}$$

(三)複雜資本結構下之每股盈餘：

1. 所謂複雜資本結構，係指公司有普通股，及其他可能變成普通股之認股證或可轉換公司債或特別股者。

2. 約當普通股：其形式上非普通股之證券，但持有人可變成普通股之股東，且其價值主要來自普通股之價值。

3. 複雜資本結構每股盈餘之計算，可分為基本每股盈餘與完全稀釋每股盈餘。

複雜資本結構下，每股盈餘之計算方式

種類	公式
1.基本每股盈餘 	本期損益不可轉換特別股股利，可轉換但非約當普通股特別股股利。
	1-1. 無稀釋作用約當普通股之特別股利＋有稀釋作用約當普通股之公司債稅後利息
	1-2. 普通股加權平均流動在外股數＋有稀釋作用之約當普通股加權平均流通在外股數
2.完全「稀釋每股盈餘」 	本期損益不可轉換特別股股利，可轉換但非約當普通股特別股股利。
	2-1. 無稀釋作用約當普通股之特別股利＋有稀釋作用約當普通股之公司債稅後利息
	2-2. 普通股加權平均流動在外股數＋有稀釋作用之約當普通股加權平均流通在外股數＋有稀釋作用之非約當普通股加權平均流通在外股數

稀釋每股盈餘

稀釋每股盈餘係企業考量所有 潛在普通股 （如認股權、可轉換特別股、可轉換公司債及認股證等，亦即具轉換為普通股特性之權益證券）之影響後，所提供普通股每股最大稀釋效果之獲利能力資訊。

潛在普通股

某些金融商品或合約，例如：可轉換公司債、可轉換特別股、認股權等，在一定期間內，有權利按約定的價格或比率，將其轉換成發行公司的普通股。

證券發行人財務報告編製準則及商業會計法、公司法之規定

● 證券發行人財務報告編製準則　第 11 條（節錄）

資產負債表之權益項目與其內涵及應揭露事項如下：

一、歸屬於母公司業主之權益：

（一）股本：

1. 股東對發行人所投入之資本，並向公司登記主管機關申請登記者。但不包括符合負債性質之特別股。
2. 股本之種類、每股面額、額定股數、已發行且付清股款之股數、期初與期末流通在外股數之調節表、各類股本之權利、優先權及限制、由發行人或由其子公司或關聯企業持有發行人之股份、保留供選擇權與股票銷售合約發行（轉讓、轉換）之股份及特別條件等，均應附註揭露。
3. 發行可轉換特別股及海外存託憑證者，應揭露發行地區、發行及轉換辦法、已轉換金額及特別條件。

（二）資本公積：指發行人發行金融工具之權益組成部分及發行人與業主間之股本交易所產生之溢價，通常包括超過票面金額發行股票溢價、受領贈與之所得及其他依本準則相關規範所產生者等。資本公積應按其性質分別列示，其用途受限制者，應附註揭露受限制情形。

（三）保留盈餘（或累積虧損）：由營業結果所產生之權益，包括法定盈餘公積、特別盈餘公積及未分配盈餘（或待彌補虧損）等。

1. 法定盈餘公積：依公司法之規定應提撥定額之公積。
2. 特別盈餘公積：因有關法令、契約、章程之規定或股東會決議由盈餘提撥之公積。
3. 未分配盈餘（或待彌補虧損）：尚未分配亦未經指撥之盈餘（未經彌補之虧損為待彌補虧損）。
4. 盈餘分配或虧損彌補，應俟股東大會決議後方可列帳。但有盈餘分配或虧損彌補之議案者，應於當期財務報告附註揭露。

（四）其他權益：包括國外營運機構財務報表換算之兌換差額、備供出售金融資產未實現損益、現金流量避險中屬有效避險部分之避險工具利益及損失、重估增值等累計餘額。

（五）庫藏股票：庫藏股票應按成本法處理，列為權益減項，並註明股數。

二、非控制權益：

（一）指子公司之權益中非直接或間接歸屬於母公司之部分。

（二）企業於併購時，有關被併購者之非控制權益組成部分，應依國際財務報導準則第三號規定衡量。

（三）發行人應依國際財務報導準則第十二號規定揭露具重大性之非控制權益之子公司及該非控制權益等資訊。

發行人得選擇將確定福利計畫之再衡量數認列於保留盈餘或其他權益並於附註中揭露。

確定福利計畫之再衡量數認列於其他權益者，後續期間不得重分類至損益或轉入保留盈餘。

● 商業會計法　第 55 條（抵繳資本財務之估價）

資本以現金以外財物抵繳者，以該項財物之公允價值為標準；無公允價值可據時，得估計之。

● 商業會計法　第 64 條（盈餘分配及特別股）

商業對業主分配之盈餘，不得作為費用或損失。但具負債性質之特別股，其股利應認列為費用。

● 公司法　第 241 條

公司無虧損者，得依前條規定股東會決議之方法，將法定盈餘公積及下列資本公積之全部或一部，按股東原有股份之比例發給新股或現金：

一、超過票面金額發行股票所得之溢額。

二、受領贈與之所得。

前條第五項、第六項規定，於前項準用之。

以法定盈餘公積發給新股或現金者，以該項公積超過實收資本額百分之二十五之部分為限。

Date ______/______/______

第 14 章

會計變動與錯誤更正

14-1　會計原則與錯誤之分類及其處理方法

14-2　會計原則變動之意義與會計處理

14-3　會計估計變動之意義與會計處理

14-4　報表個體變動之意義與會計處理

14-5　會計錯誤之意義與其更正之會計處理

證券發行人財務報告編製準則之規定

14-1 會計原則與錯誤之分類及其處理方法

會計變動分為會計原則變動、會計估計變動與報表個體變動三類。其會計處理分為當期調整法、追溯重編法與推延調整法。而錯誤之類型可分為影響資產負債表、影響損益表，與同時影響資產負債表及損益表三類。會計變動與錯誤更正之會計處理如下表所示。而依據國際會計準則 IAS 8 之規定，有右表中各情況之會計處理方式。

會計變動與錯誤更正之會計處理

1.當期調整法	計算以前年度累積影響數，列為當年度損益表會計原則變動累積影響數，不重編以前年度報表。
2.追溯重編法	計算以前年度累積影響數，作為前期損益調整項目，並重編以前年度報表。
3.推延調整法	不計算以前年度累積影響數，僅就剩餘帳面價值，自變動年度，改新原則或方法處理。

14-2 會計原則變動之意義與會計處理

一、會計原則變動之意義

什麼是會計原則的變動？簡單來說，會計原則變動是指由一個一般公認之會計原則變更為另一個一般公認之會計原則。

若企業對會計原則變動的會計處理採當期調整法調整，其差額應計入會計原則變動之累積影響數，並列於非常損益與本期損益之間，並編製擬制性資料。少數例外者則採追溯重編法。

二、會計原則變動之會計處理

項目	方法
一般之會計原則變動	當期調整法
例外：	
1. 存貨由後進先出法改他法	追溯重編法
2. 長期工程合約之方法改變（由全部完工法改完工百分比法，或由完工百分比法改全部完工法）	追溯重編法
3. 採礦業所採方法改變（由全部探勘法改探勘成功法，或反之）	追溯重編法
4. 鐵路業之折舊方法由重置法或汰舊法改普通折舊法	追溯重編法
5. 企業初次發行而改變會計原則	追溯重編法
6. 改變會計原則以符合新公布之一般公認會計原則	追溯重編法

IAS 8規定之會計處理方法

1. 會計政策之選擇及適用	當某一IFRS明確適用於某項交易、其他事項或情況時，應依該IFRS決定適用該項目之會計政策。若無某一IFRS明確適用於企業之交易、其他事項或情況時，管理階層應運用其判斷以訂定，並採用可提供對使用者經濟決策之需求具攸關性及可靠性資訊之會計政策。
2. 會計政策之一致性	企業對於類似交易、其他事項或情況應一致地選擇及適用會計政策，除非某一IFRS明確規定或允許將項目分類且不同類別宜採用不同會計政策。
3. 會計政策變動之應用 	除追溯適用有限制外，會計政策之變動在企業對於首次適用某一IFRS而產生之會計政策變動，其會計應依該IFRS特定之過渡規定處理；如該IFRS對該變動並無特定之過渡規定，或自願變動一項會計政策，則應追溯適用該變動。
4. 會計估計變動	係指評估資產及負債目前狀況與相關之未來預期效益與義務後，而對資產、負債帳面金額或資產各期耗用金額所作之調整。會計估計變動係因新資訊或新發展所導致，因而並非錯誤更正。會計估計變動之影響應於下列期間推延認列於損益： (1)變動當期，若變動僅影響當期；或 (2)若錯誤發生在所表達最早期間之前，則應重編所表達最早期間之資產、負債及權益之初始餘額。
5. 錯誤 	錯誤可能發生於財務報表要素之認列、衡量、表達或揭露。除決定錯誤對於特定期間之影響數或累積影響數在實務上不可行外，企業應於發現錯誤後之首次通過發布之整份財務報表中，按下列方式追溯更正重大前期錯誤： (1)重編錯誤發生之該前期所表達之比較金額；或 (2)若錯誤發生在所表達最早期間之前，則應重編所表達最早期間之資產、負債及權益之初始餘額。
6. 實務上不可行 	係指當企業已盡所有合理之努力卻仍無法適用某項規定時，則適用該規定為實務上不可行。某特定前期如有下列情形之一時，會計政策變動之追溯適用或前期錯誤更正之追溯重編於實務上不可行： (1)追溯適用或追溯重編之影響數無法決定； (2)追溯適用或追溯重編時須對管理階層於該期間可能之意圖作出假設； (3)追溯適用或追溯重編須作金額之重大估計，而企業無法將下列有關該等估計之資訊與其他資訊客觀區分：①對前述金額認列、衡量或揭露之日已存在之狀況提出證明；且②該期財務報表通過發布時已可取得。

14-3 會計估計變動之意義與會計處理

所謂估計變動係指由新經驗、新資料，以及新事項（本質與以往不同），使估計發生變動。

1. 如固定資產使用年限或殘值的估計變動。
2. 採推延調整法（順延調整法、既往不咎法）調整：
(1) 由發現年度及以後年度共同承擔差額。
(2) 不調整前期損益。
3. 若會計估計變動而導致會計原則變動，一律按估計變動處理。
4. 若估計變動與原則變動同時發生，則其影響數應分別處理，應先處理原則變動，再處理估計變動之影響。

14-4 報表個體變動之意義與會計處理

所謂報告個體之變動，亦即編製報表主體之變動，其內容如下：

1. 財務報表編製主體之變動，致當年度之財務報表編製主體與以前年度不同，如乙、丙兩公司原來各自編表，今年與甲公司（母公司）合併編表。
2. 採用追溯重編法處理。

14-5 會計錯誤之意義與其更正之會計處理

所謂會計錯誤係指由一個一般公認之會計原則變更為另一個非一般公認之會計原則。另因為以下之十一種錯誤亦屬之。

所謂會計錯誤更正係指由一個非一般公認之會計原則變更為另一個一般公認之會計原則，採追溯重編法更正之。

1. 由非一般公認會計原則改為一般公認會計原則。
2. 由一般公認會計原則改為非一般公認會計原則。
3. 採用舊資料而忽略錯誤。
4. 計算錯誤。
5. 誤用資料而錯誤。

資本支出與收益支出錯誤之影響表

	當期				資產存續期間			
	損益表		資產負債表		損益表		資產負債表	
錯誤情形	費用	淨利	資產	期末資本	費用	淨利	資產	期末資本
收益支出誤為資本支出	少計	多計	多計	多計	多計	少計	多計	多計
資本支出誤為收益支出	多計	少計	少計	少計	少計	多計	少計	少計

6. 調整資料之錯誤。

7. 資本支出與收益支出之錯誤：資本支出與收益支出劃分不當，將影響多年之資產負債表及損益表之正確性（見上表）。若發現錯誤應調整前期損益。

8. 會計項目使用錯誤。

9. 成本分攤錯誤。

10. 流動與非流動投資雖經董事會決議，但無適當佐證或屬可以安排者。

11. 流動與非流動投資一年後，非因重大突破性現金需求而出售者。

由上述錯誤種類，可分為下列三種影響，其會計處理，請見下表：

1. 僅影響資產負債表。
2. 僅影響損益表。
3. 同時影響資產負債表和損益表。

錯誤之會計處理

影響範圍	錯誤會計處理之更正
1.僅影響資產負債表	應將其重新分類為適當科目。
2.僅影響損益表	(1)錯誤於當年度發生：當年度作更正分錄。 (2)錯誤於以前年度發生：追溯重編法處理。
3.同時影響資產負債表及損益表	(1)可自動相互抵銷：第二年結帳前發現，應作更正分錄。 (2)不可自動相互抵銷：作更正分錄。

證券發行人財務報告編製準則之規定

● 證券發行人財務報告編製準則　第 **6** 條（節錄）

發行人有會計變動者，應依下列規定辦理：

一、會計政策變動

（一）若發行人為能使財務報告提供交易、其他事項或情況對發行人財務狀況、財務績效或現金流量之影響提供可靠且更攸關之資訊，而自願於新會計年度改變會計政策者，應將變動之性質、新會計政策能提供可靠且更攸關資訊之理由，及改用新會計政策追溯適用變更年度之前一年度影響項目與預計影響數，及對前一年度期初保留盈餘之實際影響數等內容，洽請簽證會計師就合理性逐項分析並出具複核意見，作成議案提報董事會決議通過及監察人承認後公告申報。

（二）如自願於新會計年度改變會計政策有國際會計準則第八號第二十三段所定，該變動在特定期間之影響數或累積影響數之決定在實務上不可行之情形，應依國際會計準則第八號第二十四段及前目規定計算影響數，並將追溯適用在實務上不可行之原因、會計政策變動如何適用及何時開始適用等內容，洽請簽證會計師就合理性逐項分析出具複核意見，並對變更會計政策之前一年度查核意見之影響表示意見後，依前揭程序規定辦理公告申報。

（三）除前目影響數之決定在實務上不可行外，應於改用新會計政策年度開始後二個月內，計算會計政策變動追溯適用之變更年度之前一年度影響項目及實際影響數，及對前一年度期初保留盈餘之實際影響數，提報董事會通過與監察人承認後公告申報，並提報變更當年度股東會；若會計政策變動之實際影響數與原公告申報數差異達新臺幣一千萬元以上者，且達前一年度營業收入淨額百分之一或實收資本額百分之五以上者，應就差異分析原因並洽請簽證會計師出具合理性意見，併同公告申報。

二、會計估計事項中有關折舊性、折耗性資產耐用年限、折舊（耗）方法與無形資產攤銷期間、攤銷方法之變動，及殘值之變動，應將估計變動之性質、估計變動能提供可靠且更攸關資訊之理由，洽請簽證會計師就合理性分析並出具複核意見，作成議案提報董事會決議通過及監察人承認後公告申報，並提報最近一次股東會。

第 15 章
現金流量表

15-1　現金流量表之目的與功能

15-2　現金流量表之內容

15-3　現金流量表之編製基礎與其分類

15-4　現金流量表之格式與其編製

15-5　現金流量表編製倒推之公式法

證券發行人財務報告編製準則之規定

15-1 現金流量表之目的與功能

現金流量對於企業來說是一個重要概念，是指企業在一定會計期間按照現金收付實現制，透過一定經濟活動（包括營業活動、投資活動、融資活動和非經常性項目）而產生的現金流入、現金流出及其總量情況的總稱。即：企業特定期間內的現金和約當現金的流入和流出的數量。

現金流量分析具有以下作用：

1. 對獲取現金的能力作出評價。
2. 對償債能力作出評價。
3. 對收益的質量作出評價。
4. 對投資活動和融資活動作出評價。

現金流量管理是公司內部控制的一項重要職能，編製現金流量表則是其方法之一，建立完善的現金流量管理體系，是確保企業的生存與發展、提高企業市場競爭力的重要保障。

15-2 現金流量表之內容

現金流量表為表達企業特定期間之營業、投資與融資（理財）活動所產生之現金流入與流出，並按營業、投資與融資（理財）活動予以劃分。現金流量表之明細內容如下：

一、營業活動之現金流量

(一) 現金流入：例如：銷售或提供勞務之收現、利息收入及股利收入之收現，以及其他非因投資、融資活動所產生之收現。

(二) 現金流出：例如：進貨付現、薪資付現、利息費用付現、所得稅費用付現、營業成本付現，以及其他非因投資、融資活動所產生之付現。

二、投資活動之現金流量

(一) 現金流入：處分權益證券價款收現、處分固定資產價款收現、處分或收回其他債權憑證收現。

(二) 現金流出：取得權益證券之付現、取得固定資產之付現、承作貸款及取得約當現金以外之債權憑證付現。

三、融資（理財）活動之現金流量

(一) 現金流入：現金增資、借款。

(二) 現金流出：支付現金股利、償還借入款、購買庫藏股。

現金流量表之目的／功能／內容

流入	活動	流出
1. 銷售或提供勞務之收現 2. 利息收入及股利收入之收現 3. 其他非因投資、融資活動所產生之收現	營業活動	1. 進貨付現 2. 薪資付現 3. 利息費用付現 4. 所得稅費用付現 5. 營業成本付現 6. 其他非因投資、融資活動所產生之付現
1. 處分權益證券價款收現 2. 處分固定資產價款收現 3. 處分或收回其他債權憑證收現	投資活動	1. 取得權益證券之付現 2. 取得固定資產之付現 3. 承作貸款及取得約當現金以外之債權憑證付現
1. 現金增資 2. 借款	融資活動	1. 支付現金股利 2. 償還借入款 3. 購買庫藏股

現金流量分析具有以下作用

1. 對獲取現金的能力作出評價
2. 對償債能力作出評價
3. 對收益的質量作出評價
4. 對投資活動和融資活動作出評價

15-3 現金流量表之編製基礎與其分類

現金流量表在編製時，首先必須注意什麼呢？就其報表字義，無非是關於現金的進出之流動彙整。但什麼是現金呢？以下除了定義現金外，也針對哪些會計科目是屬於現金流量表而予以分類說明。

一、現金流量表之編製基礎

編製現金流量表時，首先必須考慮的是判別何者為現金？何者為約當現金？茲分別說明如下：

(一) 屬於現金之要件：凡屬於現金者，應同時符合下列三個條件，即屬現金。

1. 係屬公認之交易媒介：凡具貨幣性，能於當地流通，及可作為支付工具者。
2. 係屬自由運用之資金：凡未受法律、契約或指定用途等之限制，可自由運用者。
3. 係運用時無損其本金者：凡動用此資金時，無損其本金者。

所以，除了一般認為之現金（如庫存現金、活期存款、活期儲蓄存款及零星支出之零用金）者外，其他如定期存款、定期儲蓄存款、銀行本票、銀行支票、郵政匯票及保付支票等亦屬現金之範圍。

(二) 屬於約當現金之要件：凡不屬於現金者，應判定其是否為約當現金。若同時具備下列條件之短期且具高度流動性之投資者，即屬約當現金。

1. 隨時可轉換成定額現金者。
2. 即將到期且利率變動對其價值之影響甚少者。

一般而言，約當現金係指自投資日起三個月內到期或清償非現金之短期投資或債權憑證，如從投資日起到到期日止三個月內到期或清償之國庫券、商業本票、銀行承兌匯票。

到此一步驟，現金流量表之編製基礎（現金與約當現金）即已確定。下一步驟，係決定現金流量表之分類。

二、現金流量表之分類

首先應判定該科目是否與損益之決定有關（屬營業活動），如：1. 本身就是損益科目（但排除非動用現金之收入與費用、非屬營業活動項下之損失與利益、公報規定應單獨列示者），或 2. 用來調整損益之流動資產與流動負債科目。

若該科目係與損益之決定有關者，應屬營業活動項下。茲分別說明如下：

「非動用到現金之收入與費用」之項目及分錄

本身為損益，排除的項目

「非動用到現金之收入與費用」之項目及分錄

項目	分錄		
(1)遞延收益攤銷	遞延收益	XXX	
	收益		XXX
(2)應付公司債溢價攤銷	應付公司債溢價攤銷	XXX	
	利息費用		XXX
(3)遞延所得稅負債減少	遞延所得稅負債	XXX	
	所得稅費用遞延		XXX
(4)遞延所得稅資產增加	遞延所得稅資產	XXX	
	所得稅費用遞延		XXX
(5)折舊、折耗及壞帳	折舊費用、折耗費用及壞帳費用	XXX	
	累計折舊、累計折耗、備抵壞帳		XXX
(6)無形資產之攤銷	攤銷	XXX	
	無形資產		XXX
(7)應付公司債折價攤銷	利息費用	XXX	
	公司債折價		XXX
(8)發行成本之攤銷	公司債發行費	XXX	
	遞延公司債發行成本		XXX
(9)遞延所得稅負債增加	所得稅費用遞延	XXX	
	遞延所得稅負債		XXX

「非動用到現金之收入與費用」之項目及分錄

本身為損益，排除的項目	
「非動用到現金之收入與費用」之項目及分錄	
項目	分錄
(10)遞延所得稅資產減少	所得稅費用遞延　XXX 　遞延所得稅資產　XXX
(11)應計退休金負債增加	退休金費用　XXX 　應計退休金負債　XXX

(一)本身就是損益科目，但應排除下列項目：

1.「非動用到現金之收入與費用」之項目及分錄，計有十八個，請注意其分錄未有現金科目，至於詳細內容請見右表。

2.「非屬營業活動項下之損失與利益」之項目：包括非營業交易之損失與非營業交易之利益兩種。

(1) 非營業交易之損失：

①處分固定資產損失。

②流動與非流動投資損失。

③營業外損失。

(2) 非營業交易之利益：

①處分固定資產利益。

②流動與非流動投資利益。

③營業外收益。

(二)用來調整損益之科目：計有八種，詳細內容請見下表。

以使用者區分之會計種類

項目	被調節之損益項目
1.應收帳款及應收票據之增加或減少	銷貨收入
2.應收收益及預收收益之增加或減少	其他營業收益
3.應收利息（股利）之增加或減少	利息及股利收入
4.存貨、應付帳款及應付票據之增加或減少	銷貨成本
5.應付薪資及預付薪資之增加或減少	薪資費用
6.應付利息之增加或減少	利息費用
7.應付費用及預付費用之增加或減少	其他營業費用
8.應付所得稅、遞延所得稅負債及遞延所得稅資產之增減	所得稅費用

(三)不符合歸類於營業活動項下之調整：若非屬上述者（不符合歸類於營業活動項下），則繼續，判定上述科目係屬資產科目或負債及業主權益科目。若屬資產科目則應列入投資活動項下，若屬負債或業主權益科目則應列入融資（理財）活動項下。例如：

1. 資產類（屬投資活動）：包括流動資產與非流動資產兩大範圍。

(1) 流動資產：

①受限制用途之銀行存款或現金，例如：質押之定期存款、備償存款等。

②短期投資。

③其他應收款，亦即非營業行為而產生者。

④其他預付款，亦即非營業行為而產生者。

⑤短期墊款。

⑥其他流動資產，亦即非營業行為而產生者。

(2) 非流動資產：

①基金、長期投資及應收款，亦即非營業行為而產生者。

②固定資產，例如：預付購置設備款、未完工程及租賃資產。

③遞耗資產。

④無形資產，例如：商標權、專利權及開辦費。

⑤其他資產，例如：非營業資產、閒置資產、存出保證金、催收款項、代付款、暫付款、遞延借項、技術合作費、權利金、以及電腦軟體開發費等。

2. 負債類（屬融資活動）：包括流動負債與非流動負債兩大範圍。

(1) 流動負債：

①短期債務，例如：短期借款、銀行透支、應付股利等。

②預收款項，亦即非由營業活動產生。

③其他流動負債，亦即非由營業活動產生。

(2) 非流動負債：

①長期負債，例如：應付工程款、長期借款、應付分期帳款、應付租賃負債等。

②什項負債，例如：存入保證金、土地增值稅負債、代收款、暫收款等。

③遞延收入。

3. 業主權益科目（屬融資活動）：

(1) 股本。

(2) 資本公積。

(3) 保留盈餘（除本期損益部分，如股利等）。

由以上科目之性質可知，為何以此分類標準可判定其現金流量表之歸類（屬資產科目者，其性質係屬投資活動，故列入投資活動項下；屬負債與業主權益科目者，其性質係屬融資活動，故列入融資活動項下）。

（四）分類之基本精神：綜上所述，可得到分類之基本精神如下：

1. 營業活動：係包括損益表中各損益科目，但排除非動用到現金之收入與費用、非屬營業活動項下之收益與損失，以及公報規定應單獨列示者。

2. 投資活動：係包括非流動之資產科目，及少部分之流動資產科目非營業所產生者。

3. 融資活動：係包括非流動之負債科目，及少數流動負債且非營業所產生者與業主權益之科目。

現金流量表分類流程圖

會計科目

判斷本身就是損益科目，用來調整損益之科目。

是 → 營業活動

否 → 判斷資產或負債或業主權益

資產 → 投資活動

非資產 → 融資活動

營業活動

本期淨利（包含所有之損益科目），但排除：

1. 不動用到現金之收入與費用
2. 非屬營業活動項下之損失與利益匯率影響數
3. 用來調整損益之科目（包括流動資產與負債增減數），但不包括：
   (1)受限制用途之流動資產
   (2)短期投資
   (3)非營業行為而產生之應收款、預付款及其他流動資產
   (4)短期債務
   (5)非營業行為而產生之預收款及其他流動負債

投資活動

非流動資產

1. 受限制用途之流動資產
2. 短期投資
3. 非營業行為而產生之應收款
4. 預付款及其他流動資產

融資活動

非流動負債

1. 業主權益不含本期淨利
2. 短期債務
3. 非營業行為而產生之預收款及其他流動負債

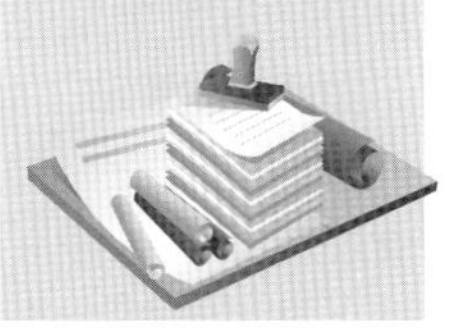

15-4 現金流量表之格式與其編製

現金流量表之編製有其一定格式，一般來說有直接法與間接法兩種；惟實務上，企業大都以如下間接法編製。

一、現金流量表之格式

東吳公司 現金流量表 ××年××月××日至××年××月××日	
營業活動之現金流量：	
本期淨利	***
調整項目	***
營業活動之淨現金流量	***
投資活動之現金流量：	
投資活動之現金流入	***
投資活動之現金流出	(***)
投資活動之淨現金流量	***
融資活動之現金流量：	
融資活動之現金流入	***
融資活動之現金流出	(***)
融資活動之淨現金流量	***
本期現金與約當現金之增（減）數	***
加：期初現金與約當現金數	***
期末現金與約當現金數	***

二、現金流量表之編製

現金流量表之編製，首先須有當年度之損益表、兩年度之資產負債表，以及相關補充資訊（說明何者項目有動到現金與否）。

再者，其編製之方法有直接法與間接法。實務上，企業大都以間接法編製。而直接法與間接法之差異，在營業活動之表達方式。

(一) 間接法：是從損益表之本期損益調整當期不影響現金之損益項目，及用來調整與損益有關之流動資產與負債（但排除短期投資及與營業無關之資產與負債項目）。根據以上營業活動之分類精神，而採間接法編製營業活動之現金流量時，其方式如右表。

營業活動之淨現金流量

營業活動之淨現金流量

＝本期淨利＋未動用到現金之收入
－未動用到現金之支出
＋非營業交易之損失
－非營業交易之利益
± 公報規定應單獨列示者
± 用來調整損益之科目

如：＋兌換損失
－兌換利益

如：－應收帳款之增加
＋應收票據之減少
－流動資產增加數
＋流動資產減少數
－流動負債減少數
＋流動負債增加數

1. 調整項目：以淨利加減項的科目來區分。

調整項目

淨利加項	淨利減項
1.折舊	
2.壞帳、攤銷、權益法投資損失 ◄------►	1.權益法投資利益
3.公司債折價攤銷 ◄------►	2.公司債溢價攤銷
4.債券發行成本攤銷	
5.出售資產損失	
6.應收帳款減少數 ◄------►	3.應收帳款增加數
7.存貨減少數 ◄------►	4.存貨增加數
8.預付費用減少數	
9.應付帳款增加數 ◄------►	5.應付帳款減少數
10.應付費用增加數 ◄------►	6.應付費用減少數
……等	……等

2. 現金流量表格式之間接法：

東吳公司 現金流量表 ××年××月××日至××年××月××日	
營業活動之現金流量：	
本期淨利	***
調整項目	***
營業活動之淨現金流量	***
投資活動之現金流量：	
投資活動之現金流入	***
投資活動之現金流出	(***)
投資活動之淨現金流量	***
融資活動之現金流量：	
融資活動之現金流入	***
融資活動之現金流出	(***)
融資活動之淨現金流量	***
本期現金與約當現金之增（減）數	***
加：期初現金與約當現金數	***
期末現金與約當現金數	***

(二) 直接法：為直接列出與營業活動所產生之各項現金流入及現金流出項目，即將損益表中與營業活動有關之各項目，由應計基礎轉換成現金基礎。其內容包括下列項目，即 1. 銷貨之收現；2. 利息收入與股利收入之收現；3. 其他營業收益之收現；4. 進貨付現；5. 薪資付現；6. 利息費用付現；7. 所得稅費用付現，以及 8. 其他營業費用付現。由應計基礎轉換成現金基礎之公式如下，並舉例說明之。

收入類

收入收現數
＝收入
－流動資產增加數
＋流動資產減少數
＋流動負債增加數
－流動負債減少數

例如

銷貨收入收現數
＝銷貨收入
－應收帳款增加數
＋應收帳款減少數
＋預收貨款增加數
－預收貨款減少數

費用類

費用付現數
＝費用
＋流動資產增加數
－流動資產減少數
－流動負債增加數
＋流動負債減少數

例如

進貨付現數
＝銷貨成本
－應付帳款增加數
＋應付帳款減少數
＋預付費用增加數
－預付費用減少數

1. 現金流量表格式之直接法：

東吳公司 現金流量表 ××年××月××日至××年××月××日	
營業活動之現金流量：	
現金流入：	
銷貨之收現	***
利息收入與股利收入之收現	***
其他營業收益之收現	***
現金流出：	
進貨付現	(***)
薪資付現	(***)
利息費用付現	(***)
所得稅費用付現	(***)
其他營業費用付現	(***)
營業活動之淨現金流量	***
投資活動之現金流量：	
投資活動之現金流入	***
投資活動之現金流出	(***)
投資活動之淨現金流量	***
融資活動之現金流量：	
融資活動之現金流入	***
融資活動之現金流出	(***)
融資活動之淨現金流量	***
本期現金與約當現金之增（減）數	***
加：期初現金與約當現金數	***
期末現金與約當現金數	***

2. 補充資訊：營業活動之現金流量計算如下：

本期淨利	***
調整項目	***
營業活動之淨現金流量	***

15-5 現金流量表編製倒推之公式法

從另一方面而言，現金流量表如一恆等式般，因為現金流量表最後答案為本期現金與約當現金增減數，由此可倒推其公式：

資產＝負債＋所有者權益
累積數：現金＋其他資產＝負債＋業主權益
現金＝負債＋業主權益－其他資產

亦可以當期數表達：

本期現金與約當現金增（減）數
＝負債本期增（－減）數
＋本期損益＋股本本期增（－減）數
＋資本公積本期增（－減）數
－其他資產本期增（＋減）數

本期現金與約當現金增（減）數
＝本期損益－其他流動資產本期增（＋減）數
＋流動負債本期增（－減）數
－非流動資產本期增（＋減）數
＋流動負債本期增（－減）數
＋股本本期增（－減）數
＋資本公積本期增（－減）數

由此公式可歸納出下列恆等式之現金流量歸類表。

恆等式之現金流量歸類表

本期損益－其他流動資產本期增（＋減）數＋流動負債本期增（－減）數	排除不影響現金之收入與費用（＋費用，－收入）及不影響現金之資產與負債	屬營業活動
非流動資產本期增（＋減）數	排除不影響現金之資產與負債	屬投資活動
非流動負債本期增（－減）數＋股本本期增（－減）數＋資本公積本期增（－減）數	排除之股東權益與負債	屬融資活動

證券發行人財務報告編製準則之規定

● 證券發行人財務報告編製準則　第 14 條

現金流量表係提供報表使用者評估發行人產生現金及約當現金之能力，以及發行人運用該等現金流量需求之基礎，即以現金及約當現金流入與流出，彙總說明企業於特定期間之營業、投資及籌資活動，其表達與揭露應依國際會計準則第七號規定辦理。

Date ____/____/____

第 16 章
財務報表分析

16-1 財務報表分析之意義與功能

16-2 比率分析之方法與項目

16-3 財務比率之使用者與用途

16-4 財務比率之限制

16-1 財務報表分析之意義與功能

財務報表分為資產負債表、損益表、業主權益變動表，以及現金流量表四大報表。為何編製這四大報表及其所代表之意義與功能，以下說明之。

一、財務報表之意義

(一) 資產負債表：表示企業之資產（擁有之資源）、負債（欠債權人之款項）及股東權益（股東所擁有之價值）之情況，及特定日之財務狀況，為一存量及靜態（累積數）之報表，其有一恆等式如下：

資產＝負債＋股東權益

(二) 綜合損益表：表示企業某段期間之獲利情況及經營成果，為一流量及動態（當期數）之報表，其中包括收入、費用、利得與損失。

(三) 權益變動表：表示企業股東權益之變動，為一存量及靜態（累積數）之報表，其中包括股本、資本公積與保留盈餘等之增加或減少。

(四) 現金流量表：係以現金流入與流出，彙總説明企業於特定期間之營業、投資與融資活動，為一流量及動態（當期數）之報表，其中包括營業、投資與融資活動之現金流量。

上述報表之主要意義在幫助報表使用者，利用分析之方法，評估企業之經營績效，以作為決策之用。

二、財務報表編製的目的與其功能

完整的財務報表包括資產負債表、損益表、業主權益變動表、現金流量表、財務報表附註或附表。而企業都以季報、半年報與年報之方式表達（上市上櫃公司應公布季報、半年報與年報；而公開發行公司僅須公布年報）。

財務報表編製的目的在於提供有關企業之財務狀況、經營績效及現金流量資訊變化，給財務報表使用者在作成經濟決策時有所依據。

在此目的之下所編製的財務報表符合大多數使用者的一般需要，但財務報表無法提供使用者作成經濟決策時可能需要的所有資訊；因為財務報表所表示之資訊，大部分為過去事實而非未來事件，且不一定提供非財務之資訊。

企業所擁有的經濟資源均是由股東或債權人所提供，管理階層對這些經濟資源應該善盡管理人之責任，並對這些經濟資源予以妥善運用，產生優良的績效。財務報表編製可顯示管理階層對受託資源之管理責任，若財務報表結果顯示不佳，則可考慮是否更換管理階層。

財務報表分析

1. 蒐集財務資料及非財務資料
2. 使用各種分析工具和方法
3. 分析評估及判斷作為決策工具

財務報表使用者

1. 內部使用者 → 內部經理人（管理階層）
2. 外部使用者 → 1. 投資者、2. 債權人、3. 其他使用者
3. 其他使用者之使用目的
   - (1) 併購分析員：評估公司之實際價值，以求適當的併購價格。
   - (2) 會計師：透過查核財報，對財務報表是否允當表達表示意見。
   - (3) 政府機關：藉由企業財報之審查與監督，保障投資大眾的權益。

財務報表對投資者和債權人的作用

投資者	債權人
使其可知：	使其可知：
1.企業過去營運績效，及其未來趨勢。	1.企業過去營運績效，及其未來趨勢。
2.企業過去淨利之變化，及其未來趨勢。	2.企業過去淨利之變化，及其未來趨勢。
3.企業過去之財務狀況，及其未來趨勢。	3.企業過去之財務狀況，及其未來趨勢。
4.企業之負債結構與資本結構，對將來籌資狀況之了解。	4.企業之未來償債情況。
5.企業與其他企業相比較之狀況。	

16-2 比率分析之方法與項目

財務報表分析可分為靜態（垂直）與動態（水平）分析兩種。

所謂靜態分析係將同一年度財務報表各項目加以比較分析，以找出其間之關係，如以銷貨收入為 100%。其他損益科目作為其分子百分比之當年度損益表比例，又如當年度之銷貨毛利率。

所謂動態分析係將不同年度同一比例予以比較，如趨勢分析、增減變動分析。

一、比較之種類

(一) 同一期間項目與項目之比較：

1. 同一報表之科目相互比較：如銷貨毛利與銷貨收入比較，產生銷貨毛利率。
2. 同一報表之類與類之比較：如流動資產與流動負債比較，產生流動比率。
3. 同一報表科目與類之比較：如存貨與資產比較，產生存貨占資產比率。
4. 不同報表之科目與科目比較：如銷貨收入與存貨比較，產生存貨周轉率。
5. 不同報表之類與類比較：如負債與資產比較，產生負債比率。
6. 不同報表之科目與類比較：如銷貨收入與資產比較，產生資產周轉率。

(二) 不同期間同一科目、同一類或同一比率之比較：

1. 前後期報表同一科目、同一類或同一比率以得出其增加或減少。
2. 連續數年（五年）針對同一科目、同一類或同一比率之比較，以推測未來趨勢。

(三) 同一期間某一標準或某一水準之比較：

1. 與同業平均水準或競爭者之水準比較。
2. 與預算比較。

二、比率分析之種類

財務報表比率分析為利用公司之財務資訊計算出財務比率，其中包括：

(一) 償債能力分析：即可測量出企業之短期償債能力。如：

1. 流動性比率＝流動資產／流動負債。原則上，其值以 2 為宜，但愈大愈表示該企業短期償債能力之安全性。

2. 速動性比率分析＝（流動資產－存貨－預付費用）／流動負債。原則上，其值以大於 1 為宜，愈大表示該企業短期償債能力之安全性更強。

3. 利息保障倍數＝息前稅前純益／本期利息支出。原則上，其值愈大愈表示該企業償還利息之能力為佳。

4. 固定費用涵蓋比率＝（息前稅前純益＋租賃支出）／〔本期利息支出＋租賃支出＋償債基金（1 －稅率）〕。原則上，其值愈大愈表示該企業償還固定費用之能力為佳。

靜態分析VS.動態分析

靜態分析

為同一年度財務報表各項目加以比較分析，以找出其間之關係。以銷貨收入為 100%。其他損益科目作為其分子百分比之當年度損益表比例，又如當年度之銷貨毛利率。

動態分析

為將不同年度同一比例予以比較，如趨勢分析、增減變動分析。

償債能力之分析

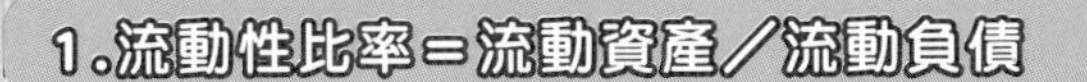

1.流動性比率＝流動資產／流動負債

原則上，其值以 2 為宜，但愈大愈表示該企業短期償債能力之安全性。

2.速動性比率分析＝（流動資產－存貨－預付費用）／流動負債

值以大於 1 為宜，愈大表示該企業短期償債能力之安全性更強。

3.利息保障倍數＝息前稅前純益／本期利息支出

原則上，其值愈大愈表示該企業償還利息之能力為佳。

4.固定費用涵蓋比率＝（息前稅前純益＋租賃支出）／〔本期利息支出＋租賃支出＋償債基金（1－稅率）〕

原則上，其值愈大愈表示該企業償還固定費用之能力為佳。

(二)財務結構分析：以衡量企業之財務結構與長期償債能力是否健全。如：

1. 負債比率分析(負債占資產比率)＝負債總額／資產總額。原則上，其值以不高於 50% 為宜，值愈小表示該企業自有資金愈高，其財務較穩健能力為佳。

2. 長期資金占資產比率＝(股東權益淨額＋長期負債)／固定資產淨額。原則上，其值以高於 1 為宜，值愈大愈表示該企業皆以長期資金供應長期性之資產。其值小於 1 表示企業以短期資金支付固定資產，如此將造成企業財務狀況不良。

(三)經營能力分析：利用某些資產之營運績效，以衡量企業之經營狀況是否健全及績效是否良好。如：

1. 應收款項(包括應收帳款及因營業行為而產生之應收票據)周轉率(次)＝銷貨淨額／平均應收款項(平均應收款項為期初應收款項與期末應收款項之平均數)。原則上，其值以不低於 4 次為宜，值愈大表示該企業對應收款項之收現能力之管理愈強。

2. 應收款項(包括應收帳款及因營業行為而產生之應收票據)周轉天數＝365／應收款項周轉率。原則上，其值以不高於 90 天為宜，天數愈少表示該企業對應收款項收款之管理愈佳。

3. 存貨周轉率(次)＝銷貨成本／平均存貨(平均存貨為期初存貨與期末存貨之平均數)。原則上，其值以不低於 4 次為宜，值愈大表示該企業對存貨之管理愈佳。

4. 存貨周轉天數＝ 365／存貨周轉率。原則上，其值以不高於 90 天為宜，天數愈少表示該企業對存貨出售之管理愈佳。

5. 固定資產周轉率＝銷貨淨額／固定資產淨額。其周轉率愈高，代表固定資產之利用績效愈佳。

6. 總資產周轉率＝銷貨淨額／資產總額。其周轉率愈高，代表總資產之利用績效愈佳。

(四)獲利能力分析：為衡量企業獲利之能力及投資者報酬率等。如：

1. 資產報酬率＝〔稅後損益＋利息費用 ×(1 －稅率)〕／平均資產總額。此係衡量企業資產運用之效率，其值愈大表示該企業對資產之管理所得之報酬愈佳。

2. 股東權益報酬率＝稅後損益／平均股東權益淨額。此係衡量股東投入之資金運用之效率，其值愈大表示該股東對企業之投資，所得之報酬愈佳。

3. 純益率＝稅後損益／銷貨淨額。此係衡量企業之經營能力獲利性，其值愈大表示企業之經營能力愈佳。

4. 每股盈餘＝(稅後淨利－特別股股利)／加權平均已發行股數。此係衡量企業之經營能力與獲利性，顯示每股之價值，其值愈大表示企業之經營能力愈佳。

財務結構分析

1.負債比率分析（負債占資產比率）＝負債總額／資產總額

原則上，其值以不高於 50% 為宜，值愈小表示該企業自有資金愈高，其財務較穩健能力為佳。

2.長期資金占資產比率＝（股東權益淨額＋長期負債）／固定資產淨額

原則上，其值以高於 1 為宜，值愈大愈表示該企業皆以長期資金供應長期性之資產。其值小於 1 表示企業以短期資金支付固定資產，如此將造成企業財務狀況不良。

獲利能力分析

1. 流動資產報酬率＝〔稅後損益＋利息費用 ×（1 －稅率）〕／平均資產總額

此係衡量企業資產運用之效率，其值愈大表示該企業對資產之管理所得之報酬愈佳。

2. 股東權益報酬率＝稅後損益／平均股東權益淨額

此係衡量股東投入之資金運用之效率，其值愈大表示該股東對企業之投資，所得之報酬愈佳。

3. 純益率＝稅後損益／銷貨淨額

此係衡量企業之經營能力獲利性，其值愈大表示企業之經營能力愈佳。

4. 每股盈餘＝（稅後淨利－特別股股利）／加權平均已發行股數

此係衡量企業之經營能力與獲利性，顯示每股之價值，其值愈大表示企業之經營能力愈佳。

5. 本益比＝每股市價／每股盈餘

本益比愈低，企業股價之風險較低；本益比愈高，企業股價之風險較高。

5. 本益比＝每股市價／每股盈餘。本益比愈低，企業股價之風險較低；本益比愈高，企業股價之風險較高。

(五) 現金流量分析：為衡量企業現金之來源與運用。如：

1. 現金流量比率＝營業活動淨現金流量／流動負債。此係衡量企業營運資金之來源與運用。原則上，其值愈大愈表示該企業短期資金之來源與運用較具安全性。

2. 現金流量允當比率＝最近五年度營業活動淨現金流量／最近五年度（資本支出＋存貨增加額＋現金股利）。

3. 現金再投資比率＝（營業活動淨現金流量－現金股利）／（固定資產毛額＋長期投資＋其他資產＋營運資金）。

(六) 槓桿度分析：衡量企業之經營風險與財務風險。如：

1. 營業槓桿度＝（營業收入淨額－變動營業成本與費用）／營業利益。其營業槓桿度愈大表示該企業之營業風險與報酬愈大。如，若經濟景氣好之情況，則企業之營業報酬愈大；若經濟景氣差之情況，則企業之營業報酬愈差，風險愈大。但營業槓桿度值愈小表示該企業之營業風險與報酬愈小。如，若經濟景氣好之情況，則企業之營業報酬較小；若經濟景氣差之情況，則企業之營業風險亦較小。

2. 財務槓桿度＝營業利益／（營業利益－利息費用）。其財務槓桿度愈大表示該企業之借款風險與報酬愈大。如，若經濟景氣好之情況，則企業之獲利愈大；若經濟景氣差之情況，則企業之償債風險愈大。但其財務槓桿度愈小表示該企業之借款風險報酬愈小。如，若經濟景氣好之情況，則企業之獲利較小；若經濟景氣差之情況，則企業之償債風險愈小。

三、財務報表之分析方法

財務報表大都採用比較分析與趨勢分析。所謂比較分析是將公司之財務比率或資訊與其他公司或同業作比較，以洞察出其差異。而趨勢分析為公司將多年之財務比率或資訊自行作趨勢比較分析，以看出企業未來之趨勢發展。如 95 年度之財務比率分析。其外部資料之來源可從公司自行蒐集同業之資訊、銀行公會之行業別比率分析與鄧白氏公司（D & B）之相關資料等。

企業也可參考理想財務報表比，作為分析企業財務報表的方法。

企業作財務比率分析時，亦須與其他公司及同業之數據予以比較，如此可知企業之優劣點。

另外，所謂的杜邦分析圖，係為杜邦公司發展出來用以找出改善經營績效之方法。其目標在追求股東權益報酬率最大。其公式為：純益率 × 資產周轉率。

槓桿度分析

1. 營業槓桿度＝（營業收入淨額－變動營業成本與費用）／營業利益

其營業槓桿度愈大表示該企業之營業風險與報酬愈大。

2. 財務槓桿度＝營業利益／（營業利益－利息費用）

其財務槓桿度愈大表示該企業之借款風險與報酬愈大。

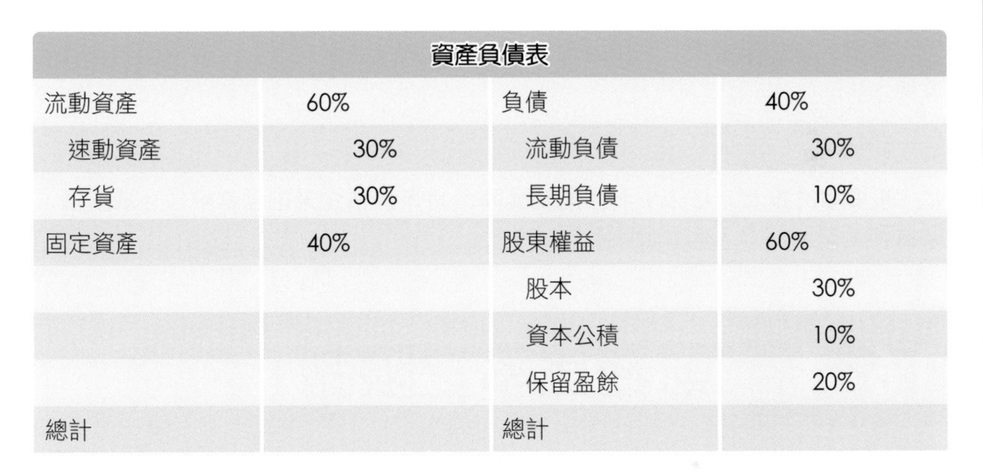

資產負債表			
流動資產	60%	負債	40%
速動資產	30%	流動負債	30%
存貨	30%	長期負債	10%
固定資產	40%	股東權益	60%
		股本	30%
		資本公積	10%
		保留盈餘	20%
總計		總計	

損益表		
銷貨收入		100%
銷貨成本	75%	
銷貨毛利		25%
營業費用	13%	
推銷費用	5%	
管理費用	4%	
研發費用	4%	
營業利益		12%
營業外損益	1%	
稅前損益		11%
所得稅	3%	
稅後純益		8%

16-3 財務比率之使用者與用途

財務比率之使用者與用途可從管理者、債權人，以及投資者三種面向予以說明之。

一、管理者

管理當局利用財務比率分析以規劃、控制、改善營運績效及財務狀況，與預防營業及財務危機。

二、債權人

債權人（金融機構）利用財務比率分析來評估企業之獲利、償債能力及控管債權人。

三、投資者

投資者（投資之法人）利用財務比率分析來評估企業之營業績效、成長情況與獲利、償債能力，進而投資公司。

16-4 財務比率之限制

財務比率最主要的好處就是可以消除規模的影響，用來比較不同企業的收益與風險，從而幫助管理者、投資者和債權人作出理智的決策。但也有其一定限制。

一、比較的合理性

同業之財務比率難以合理取得與比較。由於各企業成長方式不同，產業亦難以取得有意義之資訊以供比較。

二、比較的困難性

各企業採用之會計方法不一，將造成比較困難。如，折舊方法、存貨計價方法等。

三、比較的攸關性

財務比率較不具攸關性，因為此資料皆以歷史資料為主，故無法預測未來性。

企業之財務資料有時為窗飾之資料。

財務資訊無法反應現實之價值。如，土地等以歷史成本為價值，非以現實之市價。數據無法表示通貨膨脹之情況。

財務比率的使用者與用途

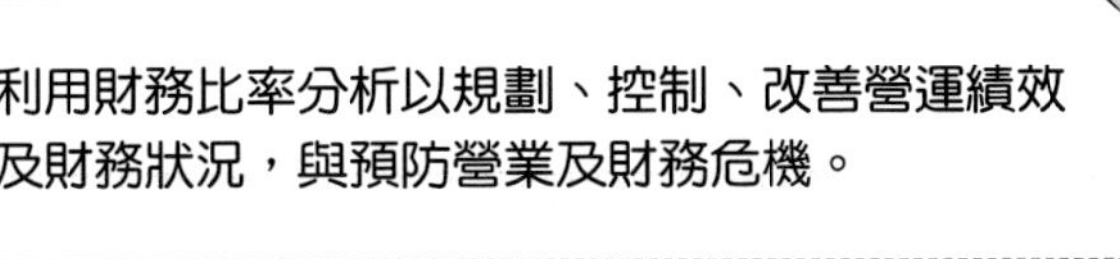

利用財務比率分析以規劃、控制、改善營運績效及財務狀況，與預防營業及財務危機。

利用財務比率分析來評估企業之獲利、償債能力及控管債權人。

3.投資者

投資者利用財務比率分析來評估企業之營業績效、成長情況與獲利、償債能力，進而投資公司。

財務比率運用的限制

(1) 利用財務比率分析以規劃、控制、改善營運同業之財務比率難以合理取得與比較。
(2) 由於各企業成長方式不同，產業亦難以取得有意義之資訊以供比較。

各企業採用之會計方法不一，將造成比較困難。如，折舊方法、存貨計價方法等。

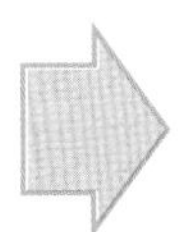

(1) 財務比率較不具攸關性，因為此資料皆以歷史資料為主，故無法預測未來性。
(2) 企業之財務資料有時為窗飾之資料。
(3) 財務資訊無法反應現實之價值。

國家圖書館出版品預行編目(CIP)資料

圖解會計學精華 ／ 馬嘉應著. ——三版.
——臺北市：書泉出版社, 2025.04
面； 公分
ISBN 978-986-451-415-1（平裝）
1.CST: 會計學
495.1 114002449

3M68

圖解會計學精華

作　　者－馬嘉應
編輯主編－侯家嵐
責任編輯－侯家嵐
文字校對－許宸瑞
封面完稿－姚孝慈
內文排版－張淑貞
出 版 者－書泉出版社
發 行 人－楊榮川
總 經 理－楊士清
總 編 輯－楊秀麗
地　　址：106 臺北市大安區和平東路二段 339 號 4 樓
電　　話：(02)2705-5066
傳　　真：(02)2706-6100
網　　址：https://www.wunan.com.tw
電子郵件：shuchuan@shuchuan.com.tw
劃撥帳號：01303853
戶　　名：書泉出版社

總 經 銷：貿騰發賣股份有限公司
電　　話：(02)8227-5968
傳　　真：(02)8227-5989

法律顧問：林勝安律師

出版日期：2015 年 3 月初版一刷（共七刷）
2023 年 3 月二版一刷
2025 年 4 月三版一刷
定　　價：新臺幣 400 元

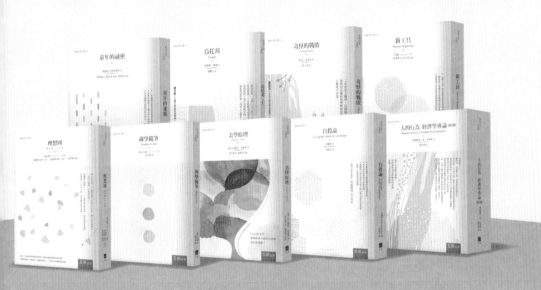